RITUEL CATHARE

SOURCES CHRÉTIENNES

Directeurs-fondateurs : H. de Lubac, s. j., et † J. Daniélou, s. j.
Directeur : C. Mondésert, s. j.

N° 236

RITUEL CATHARE

*INTRODUCTION, TEXTE CRITIQUE, TRADUCTION
ET NOTES*

PAR

Christine THOUZELLIER

DIRECTEUR D'ÉTUDES
À L'ÉCOLE PRATIQUE DES HAUTES ÉTUDES

*Cet ouvrage est publié
avec le concours du Centre National des Lettres*

LES ÉDITIONS DU CERF, 29, BD DE LATOUR-MAUBOURG, PARIS
1977

Cette édition a été préparée par l'auteur
avec l'aide de l'E. R. A. 645
(Institut des Sources Chrétiennes)

© *Les Éditions du Cerf,* 1977
ISBN 2-204-01162-2

AVANT-PROPOS

Le Rituel cathare latin, si fragmentaire qu'il soit, a été, vu son intérêt, disjoint du *Liber de duobus principiis* récemment paru[1], auquel il était intégré. Peu après sa découverte, le R. P. Antoine Dondaine l'en avait d'ailleurs séparé, en publiant l'ensemble du manuscrit et, un peu plus tard, A. Borst en a fait une étude particulière[2].

On trouvera dans l'édition du *Liber* les remarques générales concernant le document, ses caractères, sa graphie, etc.[3], ainsi que le tableau des variantes bibliques, en fonction des livres testamentaires, au chapitre (V) des Codex[4]. Comme pour le *Liber*, l'orthographe parfois fautive du texte a été respectée et l'on a de même conservé les anomalies relevées dans le Rituel provençal[5]. Mais,

1. Ch. Thouzellier, *Livre des deux principes* (*SC* 198), Paris 1973 (cité en abrégé : *Liber*).

2. A. Dondaine, *Un traité néo-manichéen du XIIIe siècle. Le 'Liber de duobus principiis' suivi d'un fragment de rituel cathare*, Rome 1939, p. 151-165. A. Borst, *Die Katharer* (*MGH Schriften* 12), Stuttgart 1953 (réédition anastatique, New York 1963), p. 279-283 ; trad. française de Ch. Roy, *Les Cathares*, Paris 1974, p. 229-232.

3. *Liber*, p. 15-32.

4. *Liber*, p. 83-157. A la p. 111, pour *Jn* 3, 5 au lieu de 9, 5-6 du *Rituel*, lire 9, 19.

5. Ex. dans les prières latines qui inaugurent la liturgie provençale : cf. L. Clédat, *Le Nouveau Testament traduit au XIIIe siècle en langue provençale, suivi d'un rituel cathare* (Photolithographie.

faute d'originaux, elle a été ramenée à celle du XIIIe siècle, pour les dépositions reçues par les Inquisiteurs et reproduites en notes ou Appendice d'après les copies de Doat.

R. Nelli a traduit le Rituel en une double édition, faisant suite à celles du *Liber*. Les remarques faites pour la traduction du « Livre des deux principes » restent valables. Le style, élégant, ne suit pas toujours la rigueur du texte[6]. Toutefois, celui-ci ayant été intégralement publié, les lacunes du traducteur sont plutôt rares. Nous avons cependant relevé quelques oublis[7] et des traductions impropres, qui prouvent que le sens authentique du baptême cathare n'a pas été bien compris : par ex., à 11, 5-6; 12, 13; 13, 5-6, lorsque, d'après *I Pierre* 3, 21, R. Nelli traduit *interrogationem* par « engagement »[8]. Le rite sacramentel est ici non l'ablution qui purifie, encore moins « l'engagement » du croyant, mais la demande d'une bonne conscience, adressée à Dieu par les ministres de l'ordre en sa faveur[9]. En grec le latin *interrogatio* répond à ἐπερώτημα. Le texte grec de l'Épître est : ἐπερώτημα εἰς Θεὸν συνειδήσεως ἀγαθῆς, et c'est proprement la pensée du cathare.

Bibliothèque de la Faculté des Lettres de Lyon, IV), Paris 1887, p. 407[a], 4 : *santus* ; p. 470[a], 20 et 25 : *sanctum*, $\overline{scs}$ (= sanctus). Cf. *infra*, Appendice n° 20, p. 287[a].

6. *Liber*, p. 8, n. 3. R. NELLI, *Écritures cathares*, 1re éd., Paris 1959, p. 228-252 ; 2e éd., Paris 1968, p. 226-247.

7. Ex. 1re éd., p. 231, en bas (2e éd., p. 229, l. 14), après : « qui est descendu du ciel », il manque la traduction de « ut si quis ex ipso manducaverit, non morietur. Ego sum panis vivus, qui de celo descendi », cf. 3, 31-32. Même lacune, p. 239, en bas (p. 236, l. 4), après : « que vous êtes ici », le cathare répète : « coram dei ecclesia » 9, 8, omis par R. N. ; etc., etc.

8. R. NELLI, *op. cit.*, p. 244, en bas (2e éd., p. 240) ; p. 246-247 (p. 242), l'auteur répète le mot « engagement » trois et quatre fois.

9. Cf. *infra*, ch. II, p. 89.

Bien meilleure est encore ici la traduction anglaise de W.-L. Wakefield, entièrement fidèle au texte[10]. De notre côté, nous avons cherché à rendre littéralement, comme pour le *Liber*, la stricte authenticité de la pensée. Les mêmes normes d'édition président à l'établissement du texte, suivi des trois apparats. D'abord correction du manuscrit, s'il y a lieu, et variantes de la Vulgate, d'après les publications connues de la *Biblia Sacra*, de la *Vetus Latina* de Beuron et du *Novum Testamentum* de Wordsworth-White; ensuite l'apparat scripturaire; enfin, les commentaires divers de la Patristique et des auteurs médiévaux. Identique à celle du *Liber*, la typographie garde le romain pour les citations intégrales de l'Écriture, réservant l'italique aux simples allusions et rappels bibliques.

L'introduction comporte un aperçu du document, une étude des problèmes qu'il soulève, comparé aux autres Rituels et à certains cultes hérétiques antérieurs. Elle s'efforce de situer l'œuvre dans le cadre liturgique dont elle s'inspire, en tenant compte à la fois des considérations émises par les hérésiologues et des aveux des hérétiques aux tribunaux de l'Inquisition. Vu l'intérêt du sujet, on a cru bon de réunir, en Appendice, les extraits de ces textes relatifs à la liturgie des cathares, auxquels on a joint certains aveux d'inculpés, et de dresser, en Annexe, des tableaux comparatifs avec les autres rituels hétérodoxes connus.

Au terme de ce travail aride, mais effectué à la lumière des données historiques, nous espérons avoir dégagé l'essentiel du culte cathare si empreint de christianisme. Nous remercions vivement tous ceux qui, sur le chemin,

---

10. W. L. WAKEFIELD-A. EVANS, *Heresies of the High Middle Ages* (*Records of civilization*, 81), New York-Londres 1969, p. 468-483; traduction du *Rituel provençal*, p. 483-494.

nous ont aidée de leurs conseils, de leurs encouragements. Notre gratitude s'adresse tout particulièrement au R. P. Claude Mondésert qui a si généreusement offert l'hospitalité à des traités d'origine hétérodoxe, mais dont les auteurs se déclarent eux-mêmes *veri et boni christiani*[11].

Paris, octobre 1975.

11. *Infra*, 9, 9-10 ; 10, 9-10 ; 12, 27 ; 13, 6-7 ; 14, 55, etc.

TABLE DES MATIÈRES

B. La pratique du Rituel cathare d'après les adeptes (168). Conclusion (182).
C. Note complémentaire : Le Rituel cathare et le rite de profession des moines orthodoxes (184).

Tableaux comparatifs

***

Planches

INTRODUCTION

Pl. I

alius hmolbz boi qual oms uob tbuie noluerit. Et cdens respo
dear sic habeo· rogare parte sen q̇ ipe tbuar in ui sua· Et
ordinar dicat dos tbuat ub gram recipiedi illa ad honore
ei̇ z uitam salute· d ministerio ecclastico·

Tunc ordinar dicat cdeu· dicite oratione mecu ubo ad ubu
pdonu dicite sic diceit ille q̇ uiz ordinariu· Tuc ordinar
i capiat pdonu· postea dicat oratione sic e osuetudo· finita
oratione z gram· tuc cdet cu reuerentia dicat coram ordinario· be
pacare ub am fiat ub dne sm ubu tuu· Et ordinar dicat·
par z f· z s· s· dimittat ub oia pecca uia· Et tu cdet surgat·
ordinar dicat· Ads rub z ab eccla· z suo seo ordine· z suis
scis pceptis z disciplis habeans potestate ista oronis dicendi
eu ad comestione z potatione uram· d die nocteq̇· sol̇, dum
societate· sic e osuetudo eccle i bu ȝ· z ñ dbeans comete n;
bibe tune ista orone· z si falsmru adherit· q̇ manifestabuns
ad ordinariu eccle ciusq̇ porcins· z portabins illa penitetia
q̇ ipe ub dare noluerit· dns dos ueri det ub gracia obseruadi
illa ad honore illi z salute uri· Tuc cdet faciat tres reuen
cias dicedo· b· b· b· pacare nb· dns dos tbuat ub bona mce
te d illo bono q̇ fecistis i amore di·

Tunc si cdens ñ sb z osolari· oportet accipe sincau· z ire
ad pace· Et si cdet d b z osolari i pseenti postq̇ recepit oratio
ue· te ipe cdens dbet uenire cu illo q̇ ancian e d hospicio
illi· z debet facere tres reuerentias coram ordinario· z rogare d
bono illis credeus· hoc facto· tu ordinar z qniam z qniam
dbent rogare dnm cu sepu oronibz· ua q̇ ordinar audiat
z b facto· Tuc ordinar dicat· fres z sorores si dissensseru id
fecisse aliq̇s cor dnm z salute mea· rogate dnm dm prie q̇

Florence. Conventi soppressi I ii 44 ; fol. 39ᵛ

PRÉLIMINAIRES

LE DOCUMENT

Le manuscrit Le Rituel n'offre pas dans le manuscrit de Florence (*Bibl. Naz.* I II 44 du fonds des *Conventi soppressi*), qui contient le *Liber de duobus principiis*, un fascicule indépendant. Il commence au cahier V (fol. 37ʳ), surprenant le lecteur qui, après avoir lu un paragraphe du *De persecutionibus* (fol. 35ᵛ), rencontre au folio suivant (36ʳ) des citations scripturaires, interrompues au bas du folio 36ᵛ qui termine le cahier IV[1].

Ce petit recueil liturgique, peu mis en relief, se perd au premier coup d'œil dans l'ensemble du codex où il occupe les folios 37ʳ-44ʳ. Il passe d'autant plus inaperçu que, tronqué, il débute au milieu d'une phrase *(mites leticiam)* qui achève l'homélie préparatoire à la célébration du rite cathare[2]. Au hasard du volume, le compilateur a inséré ce fragment à la carence duquel supplée le Rituel provençal. Celui-ci, connu d'après un manuscrit de Lyon, livre en préliminaires tout un ensemble liturgique[3], suivi d'une

---

1. Voir notre *Livre des deux principes*, SC 198, tableau, p. 18. Nous signalons l'ouvrage par sa formule originale : « *Liber* de duobus principiis ».

2. *Infra*, 1, 1.

3. Le *Rituel provençal* a été édité d'abord, d'après le ms. de Lyon *(Palais des Arts 36*, aujourd'hui Bibliothèque de la Ville, fonds *Adamoli A.I.54)*, par E. Cunitz, *Ein Katharisches Rituale (Beiträge*

exhortation solennelle faite au postulant dénommé Pierre[4].
Ici, seulement, commence le fragment du Rituel latin
dont la concordance avec le texte provençal autorise
l'hypothèse de similitudes probables pour les sections
précédemment omises.

Le scribe   L'écriture de ces pages appartient,
on l'a vu[5], au second copiste *(B)*
qui, transcrivant le *De creatione* et le début du *Contra
Garatenses* au cahier III du codex florentin, entreprenait
aussi de copier le fragment du Rituel au cahier V. Sa
graphie, plus nette et moins uniforme que celle de son
confrère le scribe *A* visible aux cahiers I-II, trahit une
école d'écriture différente, dont on a déjà signalé les
particularités[6] : notamment le E majuscule, le signe
linéaire (;) pour la terminaison *-bus*, le s effilé $\int$[7], etc.

Excellent correcteur de son devancier, dont il exponctue
les mots impropres déjà écrits dans le *Liber*, tel *deo*

---

zu den theologischen Wissenschaften, IV), Iéna 1852 : la partie éditée
comprend les p. 11-35 ; puis par L. Clédat, *Le Nouveau Testament...,*
Paris 1887. La section du *Rituel* occupe les p. 470ª-482ᵇ ; pour les
prières liturgiques et l'exhortation, voir p. 470-474ᵇ, 19-20 et p. ixª-
xivª, 4-5. Cf. *infra,* p. 33-35. L'ouvrage de Clédat a été réédité
en anastatique (Genève 1968). Nous apprenons que M. Roy Harris,
de l'Université de Pensylvanie, avait proposé sa collaboration à
M. P. Wunderli, de l'Université de Fribourg-en-Brisgau, pour l'édition
de ce texte, que Mᶫᶫᵉ L. Borghi a déjà entreprise ; cf. *infra,* p. 24, n. 38.
Voulant éviter la « compétition », M. Wunderli s'est désisté.
P. Wunderli, « Die altprovenzalische Übersetzung des Laodizäerbriefs », dans *Vox romanica (Annales Helvetici explorandis Linguis
romanicis destinati)* 30/2, 1971, p. 279-286, cf. p. 282.

4. L. Clédat, p. 473ª, 18 et p. xiiª, 4. Voir *infra,* ch. I, n. 12.
Le *Rituel* latin le désignera sous le nom de Jean à la cérémonie du
consolamentum, *infra,* 8, 6 ; 9, 4 ; 14, 3, 7.

5. *Liber,* tableau, p. 18.

6. *Liber,* p. 23-24, n. 23-26.

7. *Infra,* 1, 7 *(rationib;)* ; 2, 14, $\int$ pour *scilicet. Liber,* p. 23-24,
n. 24-25.

appliqué à Jésus-Christ[8], ce scribe fait ainsi preuve d'une
compétence dualiste avertie. Non content de rubriquer
les divers éléments du recueil, il modifie judicieusement
divers termes du Rituel, substituant certains mots à
d'autres, ex. la *ra/tio* à l'*inten/tio* qui animait le Christ
lorsqu'il formulait ses préceptes[9], et, se corrigeant lui-même
en cours de transcription, il rature successivement *humationem* et *divinitatem* en faveur de *humanam divinationem*,
conforme à sa pensée[10]. Il n'hésite pas à révéler son
orientation biblique dans la glose du *Panem nostrum*,
appréciant également la loi et les prophètes. Voulant
réparer un oubli de sa part, il ajoute par deux fois dans la
marge *prophetarum* à *spiritualia precepta legis*, répété
à peu d'intervalle, et intègre plus loin le terme dans la
trame de sa copie *(intentione legis et prophetarum)*[11].

Faut-il lui imputer cette glose assez longue qui n'appartient pas au texte original? Délibérément, après la
définition du pain supersubstantiel comme loi du Christ
donnée au peuple universel, il rature la suite *(Da nobis
hodie... Vivus est panis)*[12], pour lui substituer un exposé
de la doctrine cathare qui, niant la transsubstantiation,
traduit pain supersubstantiel non par corps réel du Christ
mais par les préceptes de la loi et des prophètes[13]. Cette
insertion, personnellement attribuable «à l'auteur du
recueil», pense A. Dondaine, serait le fait «de son propre
chef», alors que pour A. Borst elle relève du scribe qui ne
l'aurait pas composée[14]. Toutefois, cette interpolation

---

8. *Liber*, **30**, 80 et p. 26, n. 32.

9. *Infra*, **3**, 38. *Liber*, p. 26-27, n. 37.

10. *Infra*, **10**, 5 (fol. 41ʳ, 28 ; 41ᵛ, 1). *Liber*, p. 27, n. 39.

11. *Infra*, **3**, 62. 74. 82 (fol. 38ʳ *in fine* ; 38ᵛ, 8 ; 38ᵛ, 13-14). *Liber*,
p. 27.

12. *Infra*, **3**, 1-3 et note (fol. 37ᵛ, 11 s.). L'auteur de la glose
reprend ensuite ce début raturé qu'il modifie légèrement, *infra*,
4, 1-3.

13. *Infra*, **3**, 1 ; et ci-dessus, note 11.

14. A. Dondaine, *Un traité néomanichéen*, p. 47, auquel A. Borst,

pourrait être due à ce copiste, vu son insistance en faveur de la loi et des prophètes. Ces termes, mentionnés une troisième fois dans le Rituel et complétés par *novi testamenti*[15], rappellent en effet singulièrement une déclaration du parfait qui, dans le *Liber*, veut confirmer sa foi par les témoignages de « la loi, des prophètes et du Nouveau Testament[16] ». En copiant le Rituel, qu'il a peut-être personnellement mêlé au *Liber*, ce scribe aurait élaboré un long commentaire, où la réminiscence de certaines formules se serait manifestée sous sa plume, trahissant ainsi l'origine du contexte. D'autre part, la rigueur accentuée de ce propos doctrinal contraste avec l'aménité de l'ensemble liturgique et dénote un apport qui lui est étranger, plus conforme à l'esprit du *Liber* dont s'est nourri le copiste[17].

L'auteur Le parfait qui a rédigé ce Rituel demeure anonyme et on ne peut en attribuer la paternité à l'auteur du *Liber*. Tout s'y oppose en effet. Comme le remarque A. Borst, le style n'est plus le même, le rythme des phrases diffère, le *cursus velox* devient moins fréquent, le vocabulaire plus riche avec peu de barbarismes ; bien des mots courants relevés dans le *Liber (autem, atque, quamquam)* disparaissent[18]. L'énoncé plus clair et concis, la parole ferme et directe, excluent toute parenté possible avec les pages voisines auxquelles il est intégré. En outre, alors que l'auteur du Rituel demande à tous les « bons chrétiens » de prier « pour celui qui a rédigé ces *rationes* », qu'il achève par *Amen, Deo*

Die Katharer, p. 257, n. 12, ne se rallie pas (omis par le traducteur Ch. Roy, p. 215).

15. *Infra*, **3**, 82-83 (fol. 38ᵛ, 13-14) ; ci-dessus, n. 11.
16. *Liber*, **61**, 26-27.
17. *Infra*, p. 22-23.
18. A. Borst, *op. cit.*, p. 280, n. 3 ; p. 261, n. 1 et p. 280-281, n. 7 et 10 ; trad. Ch. Roy, p. 217, n. 1 ; p. 230-231.

gratias[19], celui du *Liber* continue au cahier VI du manuscrit l'exposé des persécutions qu'il termine sans formule spéciale d'*explicit*. On doit au rubriciste le final : *Finito libro referamus gratiam Christo*[20]. Étonné, le lecteur lit ainsi deux conclusions successives à quelques folios de distance : l'hypothèse qu'à l'origine les deux fascicules étaient distincts s'en trouve renforcée.

Au point de vue grammatical, bien des constructions provençales transposées en latin décèlent la langue maternelle de l'écrivain qui, pour exprimer *a* et le datif provençal, emploie après le verbe latin *ad* et l'accusatif, ex. : *manifestabitis ad ordinatum ecclesiae*; *obediens... ad dei voluntatem*[21]. Il écrit encore : *recipere eum ad pacem* pour *recebre lui a patz*[22]; ou encore *ad vestrum posse* pour *a so poder*[23], etc. Le bon provençal devient, selon A. Borst, du mauvais latin dans certaines constructions avec *de*. Ainsi, *pentir de totz les vostres pecatz* devient *peniteri de omnibus peccatis vestris*[24] et *de dias et de nuitz*, *de die nocteque*[25], etc.

De l'avis de A. Borst, le *sapiens*, rédacteur de ces pages liturgiques dans les milieux proches de Jean de Lugio, aux alentours du lac de Garde, serait originaire du Languedoc. Il aurait, dans sa construction latine, gardé quelques tournures occitanes propres à sa langue maternelle, que le vocabulaire employé révèle cependant assez

---

19. *Infra*, **14**, 55-56 (fol. 44ʳ, *in fine*).

20. *Liber*, **70**, 206 (fol. 51ʳ, 23) et p. 20.

21. *Infra*, **6**, 17-18 ; **13**, 46-47 (fol. 39ᵛ, 15-16 et fol. 43ʳ⁻ᵛ). A. Borst, p. 281, n. 8.

22. *Infra*, **1**, 8-9 (fol. 37ʳ, 7). L. Clédat, *op. cit.*, p. 474ᵇ, l. 23, et p. xivᵃ, l. 8.

23. *Infra*, **13**, 46-47 (fol. 43ᵛ, 1). L. Clédat, p. 480ᵇ, l. 23, et p. xxiiiᵃ, l. 18.

24. *Infra*, **5**, 2-3 (fol. 39ʳ, 15). L. Clédat, p. 475ᵃ, l. 10-11, et p. xivᵃ, l. 21.

25. *Infra*, **6**, 14 (fol. 39ᵛ, 13). L. Clédat, p. 475ᵇ, l. 9-10 et p. xvᵃ, l. 6. A. Borst, p. 281, n. 8 ; trad. Ch. Roy, p. 230, n. 6.

peu[26]. Autrement dit, en rédigeant son texte, l'auteur pense en provençal et écrit en latin.

M. P. Wunderli constate que le Rituel provençal suit l'ordre des mots latins — ce qui répond à la tradition médiévale — sans que l'on puisse présumer une traduction interlinéaire[27]. Il est cependant impossible, selon M. J. Monfrin[28], de considérer les deux textes comme étant la traduction de l'un par rapport à l'autre, c'est-à-dire du latin en provençal ou inversement. Le manuscrit de Florence offre, dans l'ensemble, les formes normales du latin médiéval et non le calque d'une langue vulgaire. On ne peut donc pas tirer des particularités linguistiques du texte latin l'idée que celui-ci est une traduction du provençal. Seul le fait que l'auteur est d'origine romane reste strictement acquis.

Date et comparaison avec le Rituel provençal
Les textes liturgiques du document florentin plus accommodants avec l'Église romaine dont ils ne méprisent ni le baptême, ni le sens chrétien[29], paraissent antérieurs aux opuscules du *Liber*, intransigeant à l'égard des adversaires catholiques. Leur modération traduirait la tendance d'une époque précédant celle de Pierre des Vaux-de-Cernay († 1213), où l'officiant impose aux cathares du Languedoc de renoncer *(abrenuntiare)* à la foi de l'Église romaine, à l'onction et au rite du baptême de l'eau reçu jadis par eux[30]; à moins que

26. A. Borst, p. 280, 281 : « nur gelegentlich spürt man die provenzalische Vorlage noch in ungewöhnlichen Ausdrücken durch », et n. 7 ; trad. Ch. Roy, p. 230, n. 5.

27. P. Wunderli, *Die okzitanischen Bibelübersetzungen des Mittelalters* (*Analecta Romanica* 24), Francfort 1969, p. 79-81.

28. Directeur de l'École des Chartes (Paris).

29. *Infra*, 13, 72-75.

30. Pierre des Vaux-de-Cernay, *Hystoria Albigensis*, éd. P. Guébin - E. Lyon (*Société de l'Histoire de France*, 412), t. I, Paris 1926, p. 19-20. Cf. *infra*, p. 154-155 et Append. n° 10.

l'ostracisme à l'égard du culte catholique soit plus accusé
en Languedoc qu'en Lombardie. En réalité, ce sacrement
du Christ *(sanctum ordinamentum Cristi)* est conféré pour
suppléer aux insuffisances du baptême romain incapable
d'assurer le salut[31].

Ici, il n'y a point d'abjuration; l'aménité de l'auteur
envers l'Église romaine dont il ne pouvait alors pressentir
ni l'entreprise militaire, ni la rigueur inquisitoriale, et le
fait qu'il ne mentionne pas le consolamentum des malades,
autoriseraient à entrevoir pour sa rédaction une date assez
ancienne. Composé en tout cas avant la rédaction des
fascicules du *Liber* (ceux-ci vers 1235-1240)[32] auxquels il
est intégré, le Rituel latin précéderait de beaucoup le Rituel
provençal, dont le manuscrit comprenant d'abord le
Nouveau Testament serait, estime Clédat, « antérieur
à 1250[33] ». Cette antériorité de l'un par rapport à l'autre
est d'ailleurs objet de discussion. Pour A. Dondaine elle
ne fait aucun doute : le provençal serait « un abrégé du
latin » et la comparaison de leurs éléments liturgiques
démontre leur étroite parenté; « la forme latine de ces
rites serait un témoin plus ancien de leur origine chrétienne[34] ». Selon A. Borst, le texte latin est légèrement
antérieur à l'autre mais, « malgré son apparition tardive,
le Rituel provençal rapporte plus fidèlement que l'autre
les rites cathares plus anciens[35] »; il aurait été écrit entre
1250 et 1280, et plutôt vers cette dernière date, que retient
aussi W. L. Wakefield[36]. Si l'on acceptait l'idée de A. Borst

---

31. *Infra*, **13**, 76-78. MONETA DE CRÉMONE, *Adversus Catharos
et Valdenses*, éd. Th. A. RICCHINI, Rome 1743, rééd. anastatique,
Ridgewood (New Jersey, U.S.A.) 1964, p. 94[b], *in fine*.

32. *Liber*, p. 62.

33. L. CLÉDAT, p. IV.

34. A. DONDAINE, *op. cit.*, p. 35 et p. 37-43.

35. A. BORST, p. 280 et 283, n. 17.

36. A. BORST, p. 24, dit : « Zwischen 1250 und 1280 » et, p. 279,
« Ritual... aus der Zeit um 1280 »; trad. Ch. ROY, p. 26; p. 229 porte

qu'un parfait d'origine languedocienne aurait sur les
bords du lac de Garde « traduit en latin un modèle provençal[37] », dans ce cas et d'après l'examen linguistique ce
modèle primitif serait un archétype d'époque assez reculée,
qui remonterait au premier quart du XIIIe siècle, et même
à la fin du XIIe : il expliquerait les affinités entre les deux
rituels connus qui dériveraient de lui. Mais c'est là une
hypothèse gratuite et indémontrable.

Il est difficile d'admettre, comme le pense Mlle Luciana
Borghi, qui prépare une nouvelle édition du Nouveau
Testament provençal, que la copie de ce texte doive être
reculée jusqu'au XVe siècle. Mlle Borghi fonde son hypothèse sur toute une étude linguistique très poussée : la
langue serait un provençal tardif entremêlé de phéno-
mènes non occitans, dus aux influences du dauphinois
méridional, de l'italianisme des vallées piémontaises des
Hautes Alpes. Dans le Rituel, la présence de formes non
provençales mais géographiquement italiennes, gallo-
italiques, l'amènent à penser que le copiste avait sous
les yeux un texte où le provençal était contaminé d'expressions locales, propres à une zone du versant italien ou qui
était en rapport avec elle[38].

Cette thèse contredit absolument les opinions jusqu'ici
admises de S. Berger et P. Meyer, pour qui la langue du
recueil provençal atteste le dialecte parlé dans les régions
de l'Aude, du Tarn, d'une partie de la Haute-Garonne et
de l'Ariège, soit l'ouest du pays languedocien[39]. H. Clavier

par erreur : « aux environs de 1200 ». W. L. WAKEFIELD, *Heresies
of the High Middle Ages*, p. 466.

37. A. BORST, *Die Katharer*, p. 280 ; trad. Ch. ROY, p. 230.

38. L. BORGHI, « La lingua della Bibbia di Lione (ms. *Palais
des Arts 36*). Vocalismo », dans *Cultura neolatina (Bollettino dell'
Istituto di Filologia romanza della Università di Roma)*, t. XXX,
1970, p. 5-58 : cf. p. 53 (tiré à part, p. 49).

39. S. BERGER, « Les Bibles provençales et vaudoises », dans
Romania, 18, 1889, p. 353-422 : cf. p. 358-359. P. MEYER, « Recherches

rappelle l'idée de E. Reuss, pour qui la langue de ce Nouveau Testament n'était pas provençale mais relevait de l'« idiome limosin », plus proche de l'espagnol que de l'italien[40]; il s'en tient aux données établies par S. Berger et P. Meyer[41]. Après avoir considéré tous les points de vue de ses devanciers (Berger, Foester, Chabaneau, Meyer, Brunel, Duraffour, etc.), P. Wunderli déclare : « il est impossible de préciser le lieu du Nouveau Testament d'après la linguistique » et, jusqu'à ce jour, S. Berger autant que P. Meyer auraient donné la meilleure solution[42].

A vrai dire, l'écriture du texte provençal est bien antérieure au xve siècle. Pour s'en tenir à l'autorité de M. Ch. Samaran[43], « il s'agit d'un copiste qui, né vraisemblablement dans la première moitié du xiiie siècle, a pu poursuivre son activité dans la deuxième moitié ». C'est aussi l'avis de plusieurs paléographes réputés des Archives et de la Bibliothèque Vaticanes. Les arguments de Mlle Borghi n'étant pas concluants[44], on peut donc s'en tenir à l'opinion généralement admise, que le texte provençal a été écrit en Languedoc, non pas près du Rhône, plutôt dans le Tarn et l'Aude, et dans la seconde moitié du xiiie siècle.

linguistiques sur l'origine des versions provençales du Nouveau Testament », dans *Romania*, 18, 1889, p. 423-429.

40. E. Reuss, « Fragments littéraires et critiques relatifs à l'histoire de la Bible française », dans *Revue de théologie et de philosophie chrétienne*, VI, 1853, p. 74-75.

41. H. Clavier, « Brèves remarques sur les premières versions provençales du Nouveau Testament », dans *Bulletin philologique et historique*, 1958 (paru en 1959), p. 1-14, cf. p. 6. Article repris dans « Les versions provençales de la Bible », *Actes du Xe Congrès international de linguistique et philologie romanes*, Strasbourg 1962, t. II, Paris 1965, p. 737-750, cf. p. 741-742.

42. P. Wunderli, *Die okzitanischen*, p. 22 et notes.

43. Dans un entretien dont nous le remercions.

44. P. Wunderli, « Die altprovenzalische Übersetzung des Laodizäerbriefs », p. 284, et n. 29.

De la comparaison des deux Rituels, il ressort que ni l'un ni l'autre ne manifestent d'agressivité contre l'Église romaine, et que, malgré ses carences, le texte latin du manuscrit de Florence précéderait le texte provençal, dont la terminologie liturgique s'apparente aux documents de la période inquisitoriale (c. 1241 s.) pour des faits parfois relatifs au début du xiiie siècle. En général la pratique précède la codification — on le voit de nos jours dans l'*aggiornamento* des Églises chrétiennes. Il est donc probable que, bien avant la fin du xiie s., les communautés cathares célébraient leurs cérémonies religieuses sans hostilité manifeste contre le christianisme établi, auquel on leur prescrit de ne pas renoncer[45]. Et les deux rituels ont entériné cette attitude d'esprit.

*
* *

La Bible du Rituel — A l'égard de la Bible, l'auteur du rituel latin semble, comme celui du *Liber*, n'avoir aucun préjugé discriminatoire. Sans mesurer l'importance des versets, on relève dix-sept emprunts à l'Ancien Testament et quarante-six au Nouveau, le prologue de Jean étant limité à l'*Incipit* sur le manuscrit de Florence : *In principio erat Verbum et cetera*[46].

Des Anciennes Écritures, le cathare cite la *Genèse* (1 fois), les *Sapientiaux* (4), les grands (5) et petits prophètes (2), le *Psautier* (5); du Nouveau Testament, les Synoptiques (12 fois), dont *Matthieu* (7), *Marc* (2), *Luc* (3). Il fait 10 emprunts à *Jean*, 4 aux *Actes*, 13 à *Paul*, soit *I Corinthiens* (5), *Éphésiens* (1), *I et II Timothée* (3),

---

45. *Infra*, 13, 72-75, p. 252
46. *Infra*, 14, 45 (fol. 44ʳ, *in fine*, l. 24). Pour l'Ancien Testament, se reporter aux volumes de la *Biblia Sacra* édités à l'abbaye Saint-Jérôme, Rome 1926 s.

Hébreux (4), à l'exclusion de *Romains*, *II Corinthiens*, *Philippiens*, *Colossiens*, *Thessaloniciens*. Il cite enfin les Épîtres catholiques 6 fois, dont *I* et *II Pierre* (5), *I Jean* (1); et l'*Apocalypse* (1 fois).

L'étude des variantes a fait l'objet de tableaux au chapitre des Codex bibliques dans l'édition du *Liber de duobus principiis*, auquel il convient de se reporter[47]. Un simple rappel suffit ici pour déterminer la Bible du parfait, auteur du Rituel.

En *Genèse* 9, 25 (FRATRUM SUORUM) au lieu de *fratribus suis* de la Vulgate *(Vg.)* est une variante de type **L**, ou source de Vieille Latine[48].

En *Sagesse* 16, 21, l'additif ET, après SUBSTANCIAM *enim* TUAM, suit divers alcuiniens, hispaniques, dans la ligne des Correctoires du XIII⁰ s.; et HOSTENDEBAS pour *ostendebat* se rattache de même à Ω[49].

En *Sirach* 34, 30, EUM et non *illum* après *tangit* et LAVATIO pour *lavatione* dépendent tous deux de l'*Amiatinus* (**A**), célèbre témoin de l'onciale anglo-saxonne du VII⁰ siècle; EUM relève en outre des alcuiniens et des théodulfiens[50].

Pour *Isaïe*, on peut signaler quelques leçons personnelles et inversions en 58, 7; 29, 19; 4, 1 qui porte aussi INVOCE-TUR, pour *vocetur*, selon la ligne Ω[51].

En tout ceci, rien que de très normal, par rapport aux diverses Bibles orthodoxes de l'époque.

47. *Liber*, chap. V et Index, p. 486.

48. *Infra*, **11**, 13-14. *Liber*, p. 86, n. 8, et p. 88. *Vetus Latina*, t. II, *Genesis*, éd. B. FISCHER, Beuron, Fribourg-en-Brisgau 1951-1952, p. 28 et 32.

49. *Infra*, **3**, 13-14. *Liber*, p. 95.

50. *Infra*, **13**, 57. *Liber*, p. 95 et p. 94, note. Voir Ch. THOUZELLIER, *Catharisme et Valdéisme en Languedoc à la fin du XII⁰ et au début du XIII⁰ siècle* (*Publication de la Faculté des Lettres et Sciences humaines de Paris*, série « Recherches », 27), Paris 1966, 2⁰ éd. 1969, p. 453, n. 5.

51. *Infra*, **3**, 17; 1, 1; **3**, 4-5 et 7. *Liber*, p. 97 et 98.

On remarque en *Psaumes* 73, 12, une omission : *autem
rex* entre *deus* et *noster*, une variante personnelle à 101, 5 :
exaruit pour *et aruit* et deux leçons romaines l'une à 101, 5
PERCUSSUS+SUM, l'autre à 73, 12 avec SECULA... SALUTEM
au lieu de *saeculum... salutes*[52]. Malgré ces anomalies,
provenant d'offices liturgiques romains, le psautier sûre-
ment gallican, sans aucun reflet du psautier hiéronymien,
correspond à la Vulgate.

Pour le Nouveau Testament, on observe bien des
relations avec les particularités scripturaires relevées
dans le *Liber*. Des additifs à *Matthieu* 16, 15 (+IHESUS),
16, 19 (+ET) reflètent les textes irlandais et théodulfiens[53].
Ceux de 6, 15 (+CELESTIS+VOBIS) dépendent de l'Armagh
(**D**), du cambrien *Lichfeldensis* (**L**), des irlandais *Epterna-
censis* (**Ᵽ**), *Rushworlianus* (**R**), de l'écossais *Kenanensis* (**Q**)
et du Marmoutier (**E**)[54]. Le verset doxologique du *Pater*
(6, 13), corrigé par Jérôme, conservé dans les anciens
évangéliaires de Brescia, des *Sangermanensis*, *Bobiensis*,
Monacensis[55], contenu dans le Rituel provençal n'apparaît
point dans le Nouveau Testament provençal qui, on le
sait, est une traduction de la Bible latine *BN 342*[56]. La
variante QUAMCUMQUE en 18, 18, contre *quacumque* est
une leçon des bons codex déjà cités **A Ᵽ Q F** *(Fuldensis)*
C *(Cavensis)* et alcuiniens[57]. Dans l'ensemble, il y a corréla-
tion entre les sources communes du *Liber* et du Rituel,
celles-ci plus indépendantes vu leur variété d'origine.

52. *Infra*, **12**, 6 ; **3**, 8 ; **12**, 6-7. *Liber*, p. 100 et 102.
53. *Infra*, **9**, 65 ; **9**, 74-75. *Liber*, p. 105. Pour le Nouveau Testament, se reporter à J. WORDSWORTH-H. J. WHITE, *Novum testamentum latine secundum editionem sancti Hieronymi*, 3 vol., Oxford, I,
1889-1898 ; II, 1913-1941 ; III, 1905-1954.
54. *Infra*, **5**, 5. *Liber*, p. 105 et 102-103, n. 32.
55. *Infra*, **4**, 25-34. *Liber*, p. 105.
56. CLÉDAT, p. 470ᵃ, l. 17-18, p. 9ᵃ, 11. Voir Ch. THOUZELLIER,
Catharisme, p. 440.
57. *Infra*, **9**, 60. *Liber*, p. 107.

En *Marc* 16, 18, on lit *nocebit* EIS, plutôt que *eos nocebit* d'après l'*Hubertianus* (**H**), l'*Harleianus* (**Z**), les alcuiniens, théodulfiens, et *super* EGROS, au lieu de *super aegrotos* avec les irlandais **D R**, le *Karolinus* (**K**) et **Z**[58].

Ce sont encore des leçons irlandaises, lisibles aussi dans le Nouveau Testament provençal, que l'on aperçoit dans *Jean* 4, 34 *voluntatem*+PATRIS MEI d'après **R** (= *la volontat del meu paire*), et 3, 5 *spiritu*+SANCTO selon une tradition irlandaise (**D R**), et espagnole **C T** (= *e de s. esperit*)[59]. En 6, 38, l'additif PATRIS après *misit me (mi trames* en provençal qui omet *paire)* reflète la Vieille Latine et rappelle les deux inversions notoires qui, en 6, 49 et 6, 52, représentent toute une série de bons évangéliaires irlandais, quelques-uns de tradition italienne, des alcuiniens et le *Toletanus* (**T**)[60]. A part les deux additifs cités, il n'y a aucun rapport entre le texte johannique du Rituel latin et celui du N.T. provençal, ni avec l'original latin de celui-ci : le B.N. *latin 342.*

Pour les *Actes*, les additifs en 9, 11 (*Surge*+ET), 19, 2 (*illi*+DIXERUNT) répondent à diverses familles de manuscrits, tandis qu'en 19, 5 *domini*+NOSTRI, *Ihesu*+CHRISTI relèvent l'un de Jérôme et d'Ambroise, l'autre de Théodulfe, du Gigas et des Pères[61]. En dehors d'une inversion en 9, 17, sept variantes sont à signaler parmi les nombreuses autres qui altèrent le livre des *Actes* utilisé déjà dans le *Liber*. Selon le tableau qui en a été dressé[62], elles révèlent des leçons d'anciennes latines transmises par les recensions les plus diverses, mais où s'estompe le caractère irlandais,

---

58. *Infra*, **9**, 81-82. *Liber*, p. 108.

59. *Infra*, **3**, 49, et **9**, 19. *Liber*, p. 110-111. L. CLÉDAT, p. 163ᵃ, 2 et 159ᵇ, 12.

60. *Infra*, **2**, 35 ; **3**, 29 et 37. *Liber*, p. 111-112. L. CLÉDAT, p. 168ᵇ, 21 ; 169ᵃ, 20 et 169ᵇ, 2-5.

61. *Infra*, **10**, 38 et **10**, 28 et 34. *Liber*, p. 118 et, pour les codex, p. 114.

62. *Infra*, **10**, 44. *Liber*, p. 119 et tableau p. 120-121.

au profit d'influences hispaniques. En tout cas, ici encore plus qu'ailleurs, la source scripturaire du Rituel est de même origine que celle du *Liber*. Les cathares, se réclamant de l'exemple des apôtres, s'appuient amplement sur le livre qui, par excellence, atteste la vie apostolique et leur fournit en liturgie les données de leurs cérémonies.

Chez Paul, le plus important additif apparaît à *I Cor.* 11, 24 : *dixit*+ACCIPITE ET MANDUCATE, d'après l'italien nordique *Harleianus* (**Z**), les alcuiniens (*Bambergensis, Karolinus, Vallicellanus* **B K V**), le bréviaire gothique (**t**) et l'Ambrosiaster[63]. En 13, 2,+SI avant *habuero* suit l'Armagh (**D**), le *Fuldensis* (**F**), **Z**, des alcuiniens, etc., et les Pères ; 13, 3 *corpus meum*+ITA rappelle **Z D K V**, la Vieille Latine, Cyprien et Augustin[64]. Parmi les variantes, OMNES ENIM au lieu de *omnesque* est, en 10, 7, une leçon du *Langobardus* (**L**), d'un ms. de Pérouse (**P**), d'Augustin et de l'Ambrosiaster. En 11, 25 BIBERITIS et non *bibetis* appartient à **Z B K V**, au *Toletanus* (**T**), au bréviaire gothique et à Cyprien et en 13, 2 *non* HABEAM, contre *non habuero*, correspond à **D Z K V**, au *Sangallensis* (**S**), à la Vieille Latine et à Cyprien[65].

Les anomalies repérées dans la lettre aux *Éphésiens* concernent 5, 26 : +VITE après *verbo* selon **D Z**, **B K V**... et 5, 25 et 27 avec deux variantes : SEMETIPSUM pour *se ipsum*, HUIUS MODI pour *eiusmodi*. Ces trois altérations dépendent de la Vieille Latine et du type **I** qui représente une large tradition et atteste un vocabulaire varié[66].

Quelques irrégularités parsèment le texte des *Hébreux* : à 2, 10 CONSUMARI au lieu de *consummare*, suit les codex **L B C D P S T U V Z**, de vieilles versions, le bréviaire gothique et les Pères. En 10, 39, avant deux ablatifs

---

63. *Infra*, **3**, 86. *Liber*, p. 124.
64. *Infra*, **12**, 22, 25. *Liber*, p. 124-125.
65. *Infra*, **3**, 80. 92 et **12**, 23. *Liber*, p. 125.
66. *Infra*, **9**, 40 ; et **9**, 39. 42. *Liber*, p. 129 et 131.

in PERDITIONE, *in* ACQUISITIONE, on lit *sumus*+FILII avec **B D F K L**, le *Monacensis* (**M**), **S Y Z**, et d'anciennes latines[67].

Toutes les particularités des lettres de Paul témoignent que le texte du Rituel comme celui du *Liber* est un texte de tradition italienne en pleine évolution.

Dans les Épîtres catholiques les divergences avec la Vulgate sont assez curieuses. En *I Pierre* 3, 21, l'auteur intervertit de lui-même, sans aucun lien apparent, l'ordre des mots[68] et recommence en *II Pierre*, 2, 21, tandis qu'en 2, 20 il écrit d'abord RURSUM pour *rursus*, d'après l'Armagh (**D**), l'*Harleianus* (**Z**) et le type **X** témoin le plus ancien du texte biblique latin suivi par Tertullien; puis IMPLICATI du Karolinus et non *inpliciti*[69]. En 2, 22, il adopte CONTINGIT du ms. de Perpignan plutôt que *contigit*; et ILLIS au lieu de *eis* avec **C T Z**, Augustin, le type **S**, représenté par un vieux texte espagnol, ou Palimpseste de la cathédrale de Léon ms. *15*, et le type **T**, texte européen[70].

Quand il emploie la première épître johannique, en 2, 5, l'auteur dénature le sens de la phrase, écrivant *scimus quoniam* EX DEO *sumus* de préférence à *scimus quoniam in ipso sumus* et, en 2, 6, alterne IPSE et ILLE, ce dernier précédant AMBULARE, formule de type **K** ou africain du temps de Cyprien[71].

Une seule variante est à noter dans l'*Apocalypse* (10, 11) : DIXIT, selon d'anciennes versions et Bède, pour *dicunt*[72].

Ce tableau, un peu schématique, des irrégularités scripturaires laisse percevoir dans la Bible orthodoxe utilisée par l'auteur du Rituel et apparentée à celle du *Liber*, l'influence de certaines traditions irlandaises mêlées

---

67. *Infra*, **12**, 12 et **13**, 50. 51. *Liber*, p. 142.
68. *Infra*, **12**, 2 et 12-13. *Liber*, p. 148.
69. *Infra*, **13**, 62-63 et 65-66. *Liber*, p. 149.
70. *Infra*, **13**, 66 et 67. *Liber*, p. 149.
71. *Infra*, **3**, 57 et 58-59. *Liber*, p. 150.
72. *Infra*, **3**, 69. *Liber*, p. 151.

à celles des codex italiens, hispaniques, avec une forte survivance de vieilles latines répandues par les Pères. D'autre part, le Nouveau Testament édité par L. Clédat ne mentionne pas la doxologie de *Matthieu* 6, 13, visible dans les Rituels latin (4, 25-34) et provençal[73]. En outre, en *Jean* 1, 9 on lit la formule habituelle *enlumena tot home* à l'inverse du Rituel provençal, pour qui la lumière *illuminat bonem hominem*, c'est-à-dire seulement le ' parfait ' cathare[74].

De la confrontation des textes on peut déduire que, pas plus que le Rituel latin, le Rituel provençal ne s'inspire du Nouveau Testament qui le précède : tous deux en sont indépendants.

Enfin, il ressort de l'étude approfondie des variantes que la version biblique des cathares est d'origine occidentale et non gréco-slave comme le pensait Ch. Schmidt, ou slavonne comme de nos jours le suggère H. Clavier[75].

---

73. L. CLÉDAT, p. 9 (*Matth.* 6, 13) et *Rituel provençal*, p. 470[a], l. 17-18. Cf. *supra*, p. 28, n. 55-56.

74. L. CLÉDAT, p. 155[b], l. 19 (*Jn* 1, 9) et *Rituel provençal*, p. 470[b], l. 17. Cf. *infra*, p. 80, n. 129.

75. Ch. SCHMIDT, *Histoire et doctrine de la secte des Cathares ou Albigeois*, 2 vol., Paris-Genève 1849 : cf. t. II, p. 274, n. 5. H. CLAVIER, « Les versions provençales de la Bible », p. 737-750 : cf. p. 748-749.

CHAPITRE I

LA « TRADITIO ORATIONIS SANCTE »

1. Le préambule liturgique

A l'origine, le Rituel latin devait probablement offrir des préliminaires aussi explicites sur la liturgie cathare que le Rituel provençal qui en est abondamment pourvu. Le manuscrit de Lyon relate en effet toutes les prières latines qui inaugurent la cérémonie. D'abord, les invocations : *Benedicite... Fiat nobis... Pater et Filius... Parcat... Adoremus* ; puis la récitation du *Pater* sans commentaire, suivi de la doxologie *Quoniam tuum est regnum* et de nouvelles invocations *Adoremus... Gracias... Benedicite*, etc. Les prières s'achèvent avec l'Évangile de Jean (1-17), que le document latin limite à l'*incipit* et reporte à la fin du consolamentum[1].

Le Rituel provençal expose ensuite les diverses phases de la liturgie. D'abord, entrecoupé de *Benedicite...*, le ' service ' ou *apparelhamentum*, confession générale des parfaits, « aveu mensuel des fautes vénielles » écrit Sacconi[2]; rite que les inculpés avouent aux tribunaux

---

1. Cf. *supra*, p. 17, n. 3, et *infra*, 14, 45 : « In principio erat verbum » etc.

2. *Rituel provençal* (éd. L. Clédat), p. 471ª, l. 14 et p. ix : « Nos em vengut denant Deu... per recebre servisi, e perdo, e penedensia, de tuit li nostri pecat. » Doat 23, fol. 215ʳ : « et ibi prefati heretici

de l'Inquisition[3]. Le texte de Lyon décrit aussi, entremêlés de multiples *Benedicite*, les détails préparatoires à la cérémonie qu'omet le manuscrit de Florence, soit l'accord des

fecerunt apparellamentum quod vocantur servicium ». Fol. 273[r] (1225) : « Dicit etiam se interfuisse pluries servicio hereticorum quod dicunt apparellamentum quod etiam faciunt de mense in mensem... » RAYNIER SACCONI, *Summa de Catharis* (éd. A. DONDAINE, *Un traité*, p. 67, 18-24) : « Item de venialibus fit confessio hoc modo... Et hoc modo confitentur semel in mense si commode possunt » ; (p. 69, 10-13) «... et appellatur istud servitium » éd. F. ŠANJEK, *AFP*, 44, 1974, p. 46, 12-18. Voir Ch. SCHMIDT, *Histoire*, t. II, p. 135-137 ; E. BROECKX, *Le catharisme* (*Universitas catholica Lovaniensis. Dissertationes*, Series II, t. 10), Hoogstraten 1916, p. 159-168. J. GUIRAUD, *Histoire de l'Inquisition*, 2 vol., Paris 1935 et 1938 ; cf. t. I, p. 185-194.

3. Nombreux exemples lisibles dans DOAT, t. 21, fol. 187[r]. Aveux faits en 1241 : « P. Peregrini adoravit totiens hereticos quod nescit (DOAT noscit) numerum et audivit predicationes eorum multotiens et interfuit hereticationi duorum credentium et duobus apareillamentis... (190[r]) Guillelma de Vina recepit hereticos in domo sua et interfuit cuidam appareillamento... (190[v]) Guillelmus de Maperier est hospes et receptator hereticorum et interfuit appareillamento... » Nous corrigeons l'orthographe. Voir aussi DOAT, t. 23, fol. 205[r], 215[r], 272[v], 273[r], etc. ; t. 24, 192[v], etc. ; et Cl. DEVIC-J. VAISSÈTE, *Histoire du Languedoc*, t. VIII, Toulouse 1879, p. 1017 : Acte de 1238 : « et consequenter ipsi heretici fecerunt apparellamentum... De tempore quod sunt VII anni etc. » (c. 1231). Voir *infra*, p. 173, n. 71. Voici d'autres exemples tirés des réponses faites aux notaires de l'Inquisition, d'après le ms. *609* de Toulouse (*ca* indique toujours une approximation : Fol. 5[v], *ca* 1233, au Mas Saintes-Puelles : « Johannes Cambiaire et socios suos... VIII hereticos... Et tunc dicti heretici fecerunt apparelhamentum suum ; et ipse testis et omnes alii adoraverunt ibi dictos hereticos. » Fol. 25[v], *ca* 1225, *ibid.* : « vidit M. Vitalem et socios suos hereticos qui fecerunt ibi apparelhamentum ». Fol. 46[r], *ca* 1239, à Montgaillard : «... vidit Bertrandum Martini cum VII aliis hereticis in area ipsius testis... Et dictus B. Martini intravit quoddam nemus et adduxit ibi duas hereticas. Et dicti heretici cum hereticabus fecerunt apparelhamentum ». Fol. 80[r], *ca* 1233, à Saint-Michel de Lanès ; *ibid.*, fol. 95[v], *ca* 1238, deux hérétiques ont ' consolé ' une femme en présence de treize assistants puis : « omnes et ipsa testis interfuerunt ibi apparelhamento dictorum hereticorum et acceperunt pacem ab eis ». Fol. 196[r]. Voir aussi fol. 163-169[v] ; 183[v]-195[r] ; 236[v]-252[v], etc. Voir *infra*, p. 175, n. 72.

' chrétiens ' pour livrer l'oraison (' liuro la ora o ') au candidat, déjà mis à l'épreuve et tenu en ab nence; le lavement des mains; les nombreuses révé ces à l'Ancien (officiant) de l'un des ' bos homes ' — seco dans la hiérarchie après l'Ancien (' aquel que es apres l'an ') — qui prépare la table (' desc '), la couvre d'une appe (tovala) et y dépose l'Évangile[4]. Le récipiendaire s' line alors ou fléchit le genou devant l'Ancien en lui re ant hommage : c'est le *melioramentum*, à la suite duqu le postulant prend le livre de la main de l'Ancien qui mence à l'admonester et à lui donner des avertissemen [5].

Privé de tout ce préambule, le Rituel de Florence e transmet qu'un fragment centré sur les cérémon s traditionnelles de l'oraison dominicale, du livre d Évangiles et du consolamentum : parties essentielles la liturgie cathare. Il débute avec la fin de l'admonition e une exhortation qui, parallèle dans les deux documents, est un encouragement aux fidèles prêts « à recevoir cette sainte prière que le seigneur Jésus-Christ confia à ses disciples et dans l'espoir de voir leurs supplications

---

4. *Rituel provençal*, p. 473[a], l. 3-12 et p. XI-XII. J. GUIRAUD ; *Inquisition* I, p. 118-119, donne une photographie du texte. A. DONDAINE, *Un traité*, p. 37 s., compare les deux rituels ; il écrit correctement ' tovala ', à l'inverse de J. DUVERNOY, « La liturgie et l'église cathares », dans *Cahiers d'études cathares*, 1967, IIe Série, n° 33, p. 3-16 (cf. p. 5 : ' toala ') et n° 35, p. 17-30. On ne peut comprendre J. Duvernoy qui, citant Sacconi, écrit (n° 33, p. 8) : « Les *Albanenses* (Albanistes ou Albigeois) » qu'il identifie ainsi aux Occitans. L'auteur paraît confondre les sectes cathares, ignorer leurs vrais noms et mépriser à tort la *Somme* de SACCONI, d'après lui « de valeur intellectuelle des plus réduites » (*ibid.*, p. 15 n. 23).

5. *Rituel provençal*, p. 473[a], l. 14-17 et p. XII : « E puis le crezent fasza so meloi <r> er e prenga le libre de la ma de l'ancia. E l'ancia deu lo amonestar. » E. BROECKX, p. 152-155. J. GUIRAUD, *Inquisition* I, p. 181-185. Voir S. HANNEDOUCHE, « Le Rituel cathare », dans *Cahiers d'études cathares*, 1967, IIe Série, n° 35, p. 31-40. En rendant hommage au Parfait, le croyant s'améliore, d'où les termes « so meloirer, melioramentum ».

exaucées ». L'invite à l'oraison rappelle la monition du célébrant dans la liturgie catholique avant la récitation du *Pater* : c'est le même appel pressant de formuler ses instances au Seigneur[6].

Donné par le Christ à ses apôtres (*Matth.* 6, 9-13, *Lc* 11, 2-4), le *Pater* était réservé dans la primitive Église aux seuls baptisés qui, selon la *Didachè*, recueil d'instructions des Apôtres, devaient le réciter trois fois par jour[7]. Même au IVe siècle, Augustin, prêchant plusieurs fois les données de cette prière, interdit de la prononcer avant le baptême et, sitôt le sermon terminé, exclut les futurs catéchumènes de l'assemblée des fidèles, seuls autorisés à rester pour l'oraison. Une fois baptisé, le catéchumène est tenu à la réciter chaque jour[8].

La même rigueur préside à l'entrée dans la communauté cathare où la *Traditio orationis* marque le premier acte. Aussi respectueux de cette prière, les dualistes ne la confèrent, avec l'approbation des assistants désignés ' chrétiens ', qu'aux impétrants jugés dignes de la recevoir et, après un examen qui rappelle celui imposé par la *Tradition apostolique* aux futurs baptisés, aptes à « l'honorer

6. *Infra*, 1, 13-16. A. G. Martimort, *L'Église en prière. Introduction à la liturgie*, Paris-Tournai 1961, p. 132.

7. *Didachè* VIII, 2-3, éd. H. Lietzmann (*Kleine Texte für Vorlesungen und Übungen* 6), 6e éd., Berlin 1962, p. 10. J. P. Audet, *La Didachè. Instructions des Apôtres* (*Études bibliques*, 13), Paris 1958, p. 234-235. St. Giet, *L'énigme de la Didachè* (*Publications de la Fac. Lettres, Univ. Strasbourg*, 149), Paris 1970, p. 172. « Πάτερ ἡμῶν... τρὶς τῆς ἡμέρας οὕτω προσεύχεσθε. » Étude du *Pater*, p. 199-203 ; voir *infra*, n. 13.

8. Augustin, *Sermones* 56-59 (*PL* 38, 377-402). Pour le sermon 56, voir éd. P. Verbraken, dans *Revue Bénédictine* 68, 1958, p. 5-40. Cf. *Sermo* 49, VIII, 8 (*PL* 38, 324) : « Ecce post sermonem fit missa catechumenis : manebunt fideles, venietur ad locum orationis » ; voir aussi *Sermo* 58, I, 1 (*ibid.*, 393) ; X, 12 (*ibid.*, 399) : « Oratio quotidie dicenda est vobis, cum baptizati fueritis. » R. de Latte, « Saint Augustin et le baptême. Étude liturgico-historique du rituel baptismal des adultes chez S. Augustin », dans *Questions liturgiques* 56, 1975 (4), p. 177-223 ; cf. p. 178-181, 187, 203.

par leurs bonnes œuvres ». Ils font d'ailleurs à leurs fidèles l'obligation de la réciter en maintes circonstances[9]. Pour initier les postulants au mystère de la foi, les éclairer, les préparer à la réception du ' Livre ', l'officiant prononce le *Pater* et l'interprète verset après verset. Cette pratique, ignorée du Rituel provençal, qui a déjà énoncé la prière du *Pater*, et propre au Rituel latin, n'est pas nouvelle.

En effet, l'ordonnance de la liturgie cathare se greffe sur toute une tradition catholique, bien connue par ses monuments, qui initient les clercs aux pratiques des fonctions sacrées et, pour le baptême, sont unanimes à concevoir, après un temps de probation, la cérémonie des scrutins ou examens *(ordo scrutiniorum)*. Tout candidat au baptême doit franchir trois échelons. Un premier sondage, attentif, décide de son admission au catéchuménat, période de formation et de catéchèse. Promu ainsi au rang des *audientes*, il peut ensuite solliciter d'accéder au groupe des *electi* ou *competentes*, en vue de franchir la dernière série d'épreuves qui relèvent de l'*ordo scrutiniorum*. Au cours de cet ultime examen, les élus sont soumis à divers exercices devant l'assemblée des fidèles qui jugent de l'efficacité de leur préparation et s'assurent la garantie de leur persévérance. Cette cérémonie se déroule en trois phases et comporte les Traditions des Évangiles, du Symbole et du *Pater*[10].

9. *Rituel provençal*, p. 473ª, l. 4, p. XI : « e li crestia so acordant que li livro la oracio ». *Rituel latin*, cf. *infra* 2, 4-8. B. BOTTE, *La Tradition apostolique de saint Hippolyte* (*Liturgiewissenschaftliche Quellen und Forschungen*, 39), Münster 1963 et 1972, § 20, p. 42, 1-4 : « Examinatur vita eorum (catechumenorum)... an fecerint omnem rem bonam. » Voir *infra*, 6, 13-16, et p. 100, n. 40-42.

10. Sur la préparation au baptême chrétien, voir L. DUCHESNE, *Origines du culte chrétien*, 5e éd., Paris 1925, chap. IX, cf. p. 315-322. Pour les comparaisons avec les cérémonies cathares, voir J. GUIRAUD, *L'albigéisme au XIIIe siècle*, dans *Cartulaire de Notre-Dame de Prouille*, t. I, Paris 1907, p. CLVIII-CCII ; étude reprise par l'auteur dans *Histoire de l'Inquisition*, t. I, p. 107-142, cf. p. 110-115. Pour

Or, pour la réception de ses nouveaux membres, l'église cathare exige une même sévérité d'investigation sur la personne du candidat, admis seulement avec l'assentiment de la communauté. Vu l'antagonisme des doctrines, les dualistes n'ont que faire du Symbole et n'auraient garde d'accepter celui de Nicée-Constantinople (325) contre Arius[11]. La tradition des Évangiles se limite pour eux à celui de Jean, récité au début ou à la fin des cérémonies, tandis que la tradition de l'Oraison dominicale leur importe au premier chef. Ils la font précéder, on l'a vu, d'une homélie qui, à l'instar de l'initiation chrétienne, devait être une sorte de catéchèse, d'instruction prémonitoire conservée dans le Rituel provençal après le *servicium* ou *apparelhamentum*, les invocations liturgiques et le *melioramentum*[12].

2. La Tradition du Pater

Absente de la *Tradition apostolique*, l'oraison dominicale citée par Matthieu 6, 9-13 figure sans explication dans l'un des plus anciens monuments de la littérature chrétienne primitive, la *Didachè*. Cet écrit, d'époque apostolique, vraisemblablement originaire de Syrie, n'est pas une œuvre homogène. Il est constitué d'un enseignement antérieur d'origine juive (les *duae viae*) et qui a été

les documents, voir M. ANDRIEU, *Les ordines romani du haut moyen âge* II (*Spicilegium sacrum Lovaniense*, 23), Louvain 1948, p. 382-383 et 392-394.

11. A. DENZINGER-A. SCHÖNMETZER, *Enchiridion Symbolorum*, 32e éd., Fribourg-en-Br.-Rome-New York 1963, § 150, p. 67 (anciennes éd., § 86). G. L. DOSSETTI, *Il simbolo di Nicea e di Costantinopoli*, éd. critique (*Testi e ricerche di Scienze religiose* 2), Rome-Fribourg-Bâle 1967, p. 226-241.

12. *Rituel provençal*, p. 473a, l. 18, p. XII-XIV : « E sil crezent a nom Peire diga enaissi : En Peire... », à p. 475b, l. 4. Le Rituel latin ne transmet que la fin de l'homélie, *infra*, 1, 1-17. Cf. *supra*, p. 18, n. 4.

christianisé. L'intervention du didachiste serait des dernières décennies du Ier siècle. « Les documents qu'il utilise sont susceptibles de s'échelonner sur un bon demi-siècle »[13] et le texte, sous sa forme définitive, a été l'objet d'aménagements divers.

Les *Constitutions apostoliques*, rédigées en Syrie vers 380-400, qui remanient et complètent la *Didascalie*, reprennent, à partir du livre VII, la *Didachè*. Cet apocryphe du IVe s., qui représente le plus ancien règlement ecclésiastique, retransmet ainsi l'Oraison dominicale[14].

Dès l'origine, cependant, le *Pater* a été l'objet de maints commentaires chez les Pères : Tertullien, Cyprien, Origène, Cyrille de Jérusalem, etc.[15]. L'auteur du Rituel latin n'a pourtant pas eu recours à eux, bien que tout au long de l'édition on ait pu signaler des parallèles avec la patristique et des écrivains médiévaux. A vrai dire, pour régler leur rite, les hérétiques se sont inspirés des normes habituelles à leur christianisme antérieur et fixées dans les Sacramentaires, les Missels, les *Ordines romani*.

Les Sacramentaires présentent les formules de prières consignées jusqu'aux VIIIe-XIIe siècles, avant d'être ensuite élaguées et réunies à des Épîtres, Évangiles, morceaux

---

13. *Didachè* VIII, 2, éd. Lietzmann, p. 10. J. P. Audet, *La Didachè*, passe sérieusement en revue (p. 1-21) toutes les interprétations récentes de cet écrit, paru, dit-il, à Antioche vers 50-70 (p. 219). Voir p. 197, 208-209 et, pour le texte du *Pater*, p. 234-235 et 370-371. St. Giet, *L'énigme*, p. 172 ; p. 199-201 : comparaison avec les textes de *Matthieu* 6, 9-13 et de *Luc* 11, 2-4 ; p. 153-161 : les deux voies ; p. 159-260 et 263-264. Pour la date, les opinions opposées de P. Audet et de St. Giet offrent un écart de trois quarts de siècle. Voir aussi la note de J.-E. Ménard, dans la *Revue des sciences religieuses*, t. 48, 1974, p. 170-172. Cf. *infra*, ch. II, p. 99, n. 35.

14. *Didascalia et Constitutiones apostolorum* III, 18, 2, éd. F. X. Funk, Paderbon 1905, réimpr. anast., Turin 1960, p. 213. Voir A. G. Martimort, *L'Église*, p. 262 et 272-273. St. Giet, *L'énigme*, p. 24-25 et 136-139.

15. Cf. *infra*, 2, 3 s. et notes. A. Hamman, *La Prière*. II. *Les trois premiers siècles*, Paris 1963, p. 275-279 ; 280-283 ; 297 et 308-314.

chantés, pour constituer les Missels ou livres de messe
(Libri missalis)[16]. Ce dernier terme ne peut convenir à
la liturgie cathare, malgré son emploi malencontreux à
ce sujet par A. Solovjev[17]. Signifiant à l'origine ' renvoi '
(des catéchumènes), l'expression ' messe ' *(missa)* apparaît
seulement en Occident vers la fin du IVe siècle avec saint
Ambroise (385), pour qui *missa facere* c'est faire l'offrande
(offero, in ipsa oblatione, Ép. 20, 4). Le terme traduit
une notion de sacrifice qui s'exprime par les paroles
sacramentelles de l'eucharistie, inconnue des dualistes[18].
Les *ordines romani* concentrent les formules de la liturgie
romaine employées pour célébrer la messe et les sacrements
et divulguées en chrétienté dès le haut moyen âge[19].

Même s'il n'est pas question de ' messe ' pour les cathares,
certains exemplaires de ces trois sortes de documents
offrent parfois des points communs avec la *Traditio*

16. H. Leclercq, article « Sacramentaires », dans *Dict. d'Archéologie chrétienne et de Liturgie* XV[1], Paris 1950, col. 242-285, cf. 243-
245. Pour la bibliographie concernant les travaux relatifs aux documents de liturgie, voir A. Kurzeja, « Die Liturgie von der Karolingerzeit bis zur tridentinischen Reform », dans *Archiv für Liturgiewissenschaft,* t. XIII, 1971, p. 296-326 ; sur les Sacramentaires,
cf. p. 296, 310.

17. A. Solovjev, « La doctrine de l'église de Bosnie », dans *Bulletin
de la classe des lettres et sc. morales et politiques de l'Acad. royale de
Belgique,* 5e série, t. 34, 1948, p. 481-534, cf. p. 523-526, expression
reprise par l'auteur dans « La messe cathare », dans *Cahiers d'études
cathares,* no 12 (1951), p. 199-206, *passim.* Comment A. Solovjev
peut-il parler de ' messe ' vu l'indifférence et même l'hostilité des
Bogomiles à cet égard? Voir H.-Ch. Puech-A. Vaillant, *Le traité
contre les Bogomiles de Cosmas le Prêtre (Travaux publiés par l'Institut
d'Études slaves* XXI), Paris 1945, p. 61, 63-64 et 220-221.

18. A.-G. Martimort, *L'Église,* p. 251-256. Ch. Mohrmann,
« *Missa* », dans *Vigiliae Christianae* 12 (1958), p. 67-92 et dans
Études sur le latin des chrétiens, t. III (*Storia e Letteratura,* 103),
Rome 1965, p. 351-376. E. Griffe, « La signification du mot
« *Missa* », dans *Bulletin de littérature ecclésiastique,* 1974 (2), p. 133-
138.

19. A.-G. Martimort, *L'Église,* p. 290.

orationis dominicae insérée dans leur cérémonie liturgique.
Parmi les Sacramentaires sont à éliminer celui de
Bergame du IXe s., ambrosien qui, pour l'année, renferme
seulement le temporal et le sanctoral[20]; le sacramentaire
personnel de Grégoire le Grand (590 † 604), dont Charlemagne obtient plus tard une copie du pape Hadrien Ier.
Dans son ordonnance, saint Grégoire inscrit le *Pater* après
le canon mais sans commentaire[21]. Seul est à considérer
le Sacramentaire Gélasien ancien que transmet l'exemplaire
Vatican Reginensis 316 compilé en Gaule, peut-être au
monastère de Chelles, près de Paris, vers 750[22]. Faussement
dénommée, cette compilation présuppose l'archétype d'un
ordo baptismal romain, prégélasien et prégrégorien (avant
600), et un ancêtre du *Regin. 316*, composé entre 628

20. *Sacramentarium Bergomense*, éd. A. PAREDI-G. FASSI (*Monumenta bergomensia*, VI), Bergame 1962.

21. C'est l'*Hadrianum*, ms. *Cambrai 159 (164)*, éd. H. LIETZMANN,
Das Sacramentarium Gregorianum nach dem Aachener Urexemplar
(*Liturgie-geschichtliche Quellen*, 3), Münster 1921, p. 4, non encore
supplémenté par Alcuin. Voir l'excellente édition de J. DESHUSSES,
Le Sacramentaire grégorien (*Spicilegium Friburgense*, 16), Fribourg
1971, p. 91. La prière, dépourvue de la doxologie, porte « panem...
cottidianum ». Voir A. CHAVASSE, *Le sacramentaire gélasien (Vat.
Regin. 316) (Université de Strasbourg. Faculté de théologie catholique*,
série IV, vol. 1), Strasbourg 1958, p. 683. A.-G. MARTIMORT, *L'Église*,
p. 285-286. Une édition assez récente, abrégée, du Sacramentaire
grégorien, s'en tient pour le propre du temps aux seules oraisons
d'où le *Pater* est exclu : *Sacramentarium Gregorianum* I, éd.
K. GAMBER (*Textus patristici et liturgici*, 4), Regensburg 1966. —
Voir C. VOGEL, *Introduction aux sources de l'histoire du culte au
Moyen âge (Biblioteca degli Studi medievali* I), Spolète 1966, p. 73-77 ;
78-83 ; et surtout J. DESHUSSES (éd. citée ci-dessus), p. 36, 50-55 ;
61-65 et ses études signalées p. 64, n. 1-2, notamment dans *Revue
bénédictine*, t. 80, 1970.

22. *Liber sacramentorum Romanae Aeclesiae ordinis anni circuli
(Sacramentarium Gelasianum)*, éd. L.-C. MOHLBERG-L. EISENHÖFER-
P. SIFRIN (*Rerum ecclesiasticarum documenta, Series maior; Fontes* IV),
Rome 1960. — PL 74, 1055-1244. A. CHAVASSE, *Gélasien*, p. VIII
et 18 ; C. VOGEL, *Introduction* (1966), p. 49.

et 715[23]. Au viiie s. des remaniements ont été apportés au Gélasien ancien avec des pièces d'origine gallicane, comme on peut le voir dans l'exemplaire d'Angoulême de la fin du viiie s., début ixe, plus restreint, où le temporal se mêle au sanctoral et dans le Sacramentaire de Gellone en cours de publication[24].

Certains missels indiquent seulement *Pater* ou *Pater noster* entre deux invocations, tel le *Missale Gothicum*[25]. Le *Gallicanum Vetus*, au contraire, introduit à la Messe de Noël l'*ordo scrutiniorum* en plaçant la tradition du Symbole avant celle de l'Évangile et de l'Oraison dominicale. Très proche du Gélasien, son texte, plus court, ne

---

23. A. CHAVASSE, *Gélasien*, p. 682 ; voir aussi p. 643, 685. A.-G. MARTIMORT, *L'Église*, p. 282-283. C. VOGEL, *Introduction* (1966), p. 55. Contre A. Chavasse, J.-D. THOMPSON, « The Ordination Masses in *Vat. Reg. 316* », dans *Studia Patristica* X (*Texte und Untersuchungen zur Geschichte der altchristlichen Literatur*, 107), Berlin 1970, p. 436-440, démontre que le *Reg. 316* vient de la tradition du *Vérone 85* et doute que, pour les messes d'ordination, il dépende d'un livre de messe gélasien romain du viie siècle. Voir *infra*, p. 112, n. 74.

24. P. GAGIN, *Le sacramentaire gélasien d'Angoulême*, Angoulême 1919. M. ANDRIEU, *Ordines*, II, p. 271. A. CHAVASSE, *Gélasien*, p. 40. C. VOGEL, *Introduction*, p. 58. D'après C.-R. BALDWIN, « The Scriptorium of the Sacramentary of Gellone », dans *Scriptorium* XXV, 1971, p. 3-17, ce sacramentaire aurait été écrit à la fin du viiie siècle, non pas à Cambrai comme le pense J. Deshusses, mais à Meaux, par un moine du monastère de Sainte-Croix, nommé David. Il a dû être à Gellone vers 812, où il aurait été apporté par Guillaume d'Aquitaine lorsqu'il quitta la cour de Charlemagne en 806, si l'on en croit l'inscription marginale du manuscrit *B. N. latin 12048*, fol. 123[v]-124[r] : *Gellonis Willelmi liber*. L'édition du sacramentaire de Gellone est en préparation par les soins de Dom A. Dumas, de Hautecombe. Voir G. VAN INNIS, « Un nouveau témoin du sacramentaire Gélasien du viie siècle », dans *Revue bénédictine*, t. 82, 1972, p. 169-187 ; cf. p. 179, n. 2.

25. *Missale Gothicum (Vat. Reg. lat. 317)*, éd. L.-C. MOHLBERG (*Rerum ecclesiasticarum documenta. Series maior, Fontes* V), Rome 1961, p. 4, 7, 11, 18, 26, 31, etc. C. VOGEL, *Introduction* (1966), p. 36.

dépend pas de lui pour l'homélie préparatoire[26]; sauf quelques variantes, il le suit pour les commentaires du *Pater*. On a ainsi la preuve que ces explications proviennent d'une source commune — où chacun a puisé indépendamment — témoin romain plus ancien qui a gagné la Gaule avant l'arrivée du Gélasien[27].

Après les Sacramentaires et les Missels, il convient d'examiner la longue série des *Ordines Romani*. Seul, l'*ordo* XI retient ici l'attention du fait qu'il imite l'ordonnance du Gélasien pour les trois phases de la cérémonie des scrutins : Symbole, Évangiles, *Pater*[28]. Pour la tradition de l'oraison dominicale, l'homélie préparatoire au *Pater*, écourtée, recopie un texte voisin du sacramentaire que suivent, à quelques variantes près, les périphrases accompagnant l'oraison. La question assez discutée concerne l'antériorité de l'un des documents par rapport à l'autre.

Selon M. Andrieu, l'*ordo scrutiniorum* du Gélasien (§ XXIX-XXXVI) n'a été incorporé au sacramentaire, dont il brise la continuité, qu'après la mise en usage de l'*ordo* XI. Ce serait une « longue interpolation tardive qui reproduit l'essentiel de l'*ordo* XI, un des plus anciens

---

26. *Missale Gallicanum Vetus (Vat. Palat. lat. 493)*, éd. L. C. MOHLBERG (*Rerum ecclesiasticarum documenta. Series maior, Fontes* III), Rome 1958, p. 15 : Messe de Noël ; p. 17-21, Tradition du Symbole ; p. 21-22, Exposition des Évangiles ; p. 23 (17) : « Incipit praefatio orationis dominicae. » Au début, après ' Dominus et salvator noster ', om. ' Jesus Christus inter caetera salutaria praecepta ' etc. Le texte n'a que onze lignes (le *Gélasien*, éd. MOHLBERG, p. 51-52, seize). On lit à la fin : ' Ergo unde sermo est, id est sapientia ', au lieu de ' Ergo dei sermo et dei sapientia ', du *Gélasien*, p. 52, 7.

27. A. CHAVASSE, *Gélasien*, p. 634-636.

28. M. ANDRIEU, *Ordines*, II, p. 428-438 ; nos 44-68 ; et p. 438-440 ; nº 69 : *Pater*. Un fragment de l'*ordo* XI (ms. *Chigi C V 143*), vient d'être publié par Dom P. SALMON, *Analecta liturgica (Studi e Testi*, 273), Città del Vaticano 1974, p. 266-272 ; il ne transmet que les sections 45-67 du texte d'Andrieu, sans la tradition du *Pater*.

ordines romani parvenu jusqu'à nous et originaire du VIIe s., peut-être même de la seconde moitié du VIe ». Pour A. Chavasse au contraire, le rituel gélasien est antérieur à l'*ordo* XI. Le scribe de celui-ci recopie un texte du VIe siècle, très proche du futur Gélasien et qu'il incorpore à l'*ordo* XI. L'antériorité du premier est, de nos jours, admise. Selon C. Vogel, l'*ordo baptismal* du Gélasien serait de 650 environ, alors que l'*ordo* XI n'aurait apparu que vers 650-700[29].

Vu l'affinité qui existe entre les exemplaires de ces trois documents — non pas tant pour l'homélie que pour la glose du *Pater* — on en déduit que le Gélasien, comme le *Gallicanum Vetus* et l'*ordo* XI proviennent du même archétype romain diffusé en Italie comme en Gaule. A ce titre, le Gélasien *Vat. Regin. 316* serait l'un de ses premiers témoins — recension primitive — offrant une liturgie romaine non papale mais presbytérale, de la Vigile pascale. Les prêtres cardinaux ne célèbrent pas avec le pontife, mais chacun dans leurs titres respectifs[30].

L'étude minutieuse de l'*ordo scrutiniorum* décèle une dualité d'origine entre ses trois éléments. Dans le plus ancien, les rubriques à la deuxième personne du singulier concernent le célébrant principal : c'est le cas de la *Traditio orationis*; le plus récent est caractérisé par la troisième personne comme dans l'*Expositio evangeliorum*; le Symbole mêle les deux formes. Divers traits accentuent cette dualité. Ainsi la couche la plus ancienne du Gélasien comprend la tradition du *Pater*[31] qui, seule, nous intéresse

---

29. *Sacramentaire Gélasien* XXIX-XXXVI (éd. Mohlberg), p. 42-53. M. Andrieu, *Ordines*, II, p. 381 et 387, 396, 405, 413. A. Chavasse, *Gélasien*, p. 163, 166-168-171. C. Vogel, *Introduction* (1966), p. 139 ; seule la compilation du *Gélasien* est de c. 750, *supra*, p. 41, n. 22.

30. A. Chavasse, *Gélasien*, p. 99 et 229. Voir à ce sujet les réserves de J. D. Thompson, *supra*, n. 23.

31. A. Chavasse, *Gélasien*, p. 160-162 et 168-170.

ici. Des divers documents cités, quelle que soit la source
à laquelle ait puisé le cathare, les commentaires du *Pater*
étant identiques, il s'est de toutes façons inspiré, pour sa
liturgie, de l'*ordo scrutiniorum* dont le meilleur témoin
est celui du Gélasien ancien, d'où ont dérivé les sacramentaires divers, missels et *ordo* XI.

3. Le Pater et les pétitions

L'ordonnance rituelle chrétienne place généralement
au troisième rang la *Traditio orationis dominicae*, élément
le plus ancien. En effet, le prêtre expose d'abord les quatre
Évangiles. L'un après l'autre, quatre diacres en lisent les
premières péricopes (*Matth.* 1, 1-21; *Mc* 1, 1-8; *Lc* 1, 1-17;
Jn 1, 1-14) que l'officiant interprète chaque fois en
expliquant les figures symboliques attribuées aux quatre
évangélistes. Une courte exhortation clôt cette *Expositio
Evangeliorum*, pour ouvrir les oreilles des élus aux enseigne-
ments du Christ *(in aurium apertionum ad electos)*[32].
La deuxième cérémonie, ou *Praefatio Symboli*, débute
par une admonition exhortant les élus à confesser leur foi
par l'intermédiaire de l'acolyte, en grec (Πιστεύω) ou
en latin *(Credo)* et termine en expliquant la portée
doctrinale de chaque article[33].

---

32. *Sacramentaire Gélasien* XXXIV (éd. Mohlberg), p. 46-48;
PL 74, 1087-1088. *Sacramentaire d'Angoulême* CXI, 701-711 (éd.
P. Gagin), p. 47ʳ-48ᵛ. *Missale Gallicanum Vetus* 15 (éd. Mohlberg),
p. 21-22, en deuxième position, après l'*Expositio symboli*. *Ordo* XI,
44-60 (éd. M. Andrieu, *Ordines*, II), p. 428-433, voir p. 392.

33. *Sacramentaire Gélasien* XXXV (éd. Mohlberg), p. 48-51;
PL 74, 1088-1091. *Sacramentaire d'Angoulême* CXII, 717-723
(éd. P. Gagin), p. 49ᵛ-51ᵛ. *Missale Gallicanum Vetus* 13-14 (éd.
Mohlberg), p. 17-21 en première position. *Ordo* XI, 61-68 (éd.
M. Andrieu, *Ordines*, II), p. 433-437. Ce n'est pas le symbole des
Apôtres, mais celui de Nicée-Constantinople de 325 (*supra*, n. 11).
Le bilinguisme s'instaure à Rome pendant la domination byzantine :
550-750. M. Andrieu, *Ordines*, II, p. 394. A. Chavasse, *Gélasien*,
p. 107-109.

Enfin, commence la troisième séance ou dernière partie de l'*ordo scrutiniorum* : la *Praefatio orationis dominicae*, que le sacramentaire d'Angoulême place avant le Symbole. L'ordonnance du Gélasien ancien est plus conforme aux règles primitives de la *Didachè* et de la *Tradition apostolique* qui recommandaient, l'une de révéler aux Gentils les instructions du Seigneur sur les deux voies de vie et de mort avant le baptême, puis celles relatives au *Pater*; l'autre de conduire en premier « ceux qui se présentent devant les docteurs »[34]. Augustin ne prêchait-il pas : « Recevez d'abord le symbole pour acquérir les notions de la foi, puis l'oraison pour apprendre à prier[35] » ?

A défaut du symbole, les cathares, après instructions préalables pour justifier des qualités requises de l'impétrant, font de la *Traditio orationis* le rite d'entrée dans leur communauté avec des modalités qui rappellent celles des Gélasiens. Les commentateurs du *Pater* ont tous mis l'accent sur les diverses parties, les *petitiones*, de cette prière. Le dualiste n'a eu qu'à suivre leurs exemples. Après l'invocation au « Père qui est dans les cieux », l'oraison postule trois demandes visant la gloire du Seigneur et autant en faveur de l'orant. La patristique a

---

34. *Sacramentaire d'Angoulême* CXI, 712-716 (éd. P. GAGIN), p. 48ᵛ-49ᵛ. *Sacramentaire Gélasien* XXXVI (éd. MOHLBERG), p. 51-53 ; *PL* 74, 1091-1093. *Didachè* VII, 1 (éd. LIETZMANN, p. 9 = éd. GIET, p. 172) : «... οὕτω βαπτίσατε · ταῦτα πάντα προειπόντες, βαπτίσατε εἰς τὸ ὄνομα τοῦ Πατρός, etc. » ; éd. AUDET, p. 232, omet cette particularité et se limite à « οὕτω βαπτίσατε, εἰς τὸ ὄνομα, etc. » B. BOTTE, *La Tradition apostolique* 15, p. 32-33 : « Qui autem adducuntur noviter ad audiendum verbum, adducantur primum coram doctores. »

35. AUGUSTIN, *Sermo* 56, I, 1 : *PL* 38, 377-378 ; éd. P. VERBRAKEN, dans *Rev. Bén.* 68, 1958, p. 26 : « Non accepistis prius orationem, et postea symbolum ; sed prius symbolum, ubi sciretis quid crederetis, et postea orationem, ubi nossetis quem invocaretis. Symbolum ergo pertinet ad fidem, oratio ad precem : quia qui credit, ipse exauditur invocans. »

longuement interprété ces suppliques[36] que résume plus
succinctement le Gélasien sur lequel paraît se modeler
la liturgie cathare.

Le compilateur du sacramentaire avait, on l'a vu[37],
largement puisé dans un archétype romain qui, pour
l'exposé de l'*orationis Dominicae*, paraît avoir hérité des
églises d'Afrique et d'Italie du Nord où, de bonne heure
(ive s.), on a pratiqué la tradition du *Pater*, demeurée
longtemps inconnue à Rome et en Gaule (vie s.)[38]. D'après
une étude fort judicieuse de P. de Puniet, l'homélie
préfaçant le *Pater* dans le Gélasien reproduit parfois
textuellement des phrases éparses relevées dans le *De
oratione Dominica* que Cyprien a composé durant les
premiers mois de 250[39].

Sur les huit énoncés de l'homélie gélasienne seuls les
deuxième et troisième *(Audiat nunc dilectio vestra... ora
patrem tuum)* n'offrent avec le texte de Cyprien aucun
point commun; pour les autres, le parallélisme frappant
ne saurait être fortuit[40]. A la huitième et dernière pro-

36. Voir *supra*, p. 39, n. 15 et *infra*, 2, 3 et note.

37. Voir *supra*, p. 41, 43, n. 23 et 27.

38. P. DE PUNIET, « Les trois homélies catéchétiques du sacramentaire gélasien » dans *RHE*, 5 (1904), p. 505-521 ; 755-786 ; 6 (1905),
p. 15-32 et 304-318 ; voir t. 6 (1905), p. 316.

39. CYPRIEN, *De oratione dominica*, PL 4, 519-544 ; éd. M. RÉVEIL-
LAUD, *Saint-Cyprien. L'oraison dominicale* (*Études d'hist. et de philos.
religieuses. Fac. théologie protestante. Univ. Strasbourg*, 58), Paris
1964, p. 78-133 : le texte suit l'édition latine de G. HARTEL (*CSEL*, 3),
t. I, Vienne 1868, p. 267-294. Pour la date, cf. p. 39.

40. *Sacramentaire Gélasien* XXXVI (éd. MOHLBERG), p. 51-52 ;
PL 74, 1091 D-1092 A. Voir le tableau de comparaison dressé par
P. DE PUNIET, *RHE* 6 (1905), p. 19-20. A remarquer, notamment,
suivant l'ordre des phrases du *Gélasien*, les passages correspondants
chez CYPRIEN : *Gel.* p. 51, 27-29 = § 2, *PL* 4, 520 C = éd. RÉV.
(= R) 78, 14-16 ; *Gel.* p. 51, 32-34 = § 4, *PL* 4, 521 C-522 A ;
R. 80, 22-24.

Gel. p. 52, 3-4 = § 4, *PL*, 522 A ; R. 82, 6. *Gel.* p. 52, 4-5 = § 31,
PL 539 B ; R. 122, 17-18. *Gel.* p. 52, 6 = § 3, *PL* 521 B ; R. 80, 11-14.

position, l'expression *dei sermo*, assez rare pour traduire la personne du Verbe, est au contraire usuelle en Afrique, avec Cyprien qui lui consacre même un chapitre dans le *Liber Testimoniorum*, et avec Tertullien qui l'emploie en citant l'évangile de Jean 1, 1[41].

Qu'en est-il de la glose accompagnant, dans le Gélasien, chaque verset de l'oraison? Celle du *Pater noster qui es in celis* s'inspire à la fois de Tertullien et de Cyprien, sans en adopter la lettre[42]. Aux versets 2-3 *(Sanctificetur nomen tuum - Adveniat regnum tuum)*, le texte du sacramentaire est une transcription littérale de certaines phrases de Cyprien 12-13[43]. Le *Fiat voluntas tua...*, très simplifié, résume brièvement le long développement de Cyprien 14[44]. La demande du pain ' quotidien ' rappelle l'interprétation eucharistique des deux théologiens, en termes spécialement

---

Gel. p. 52, 7-8 = § 28, *PL*, 538 A ; R. 118, 22-23. *Gel.* p. 52, 8 = § 7, *PL* 523 B ; R. 84, 22.

41. *Sacramentaire Gélasien* (éd. Mohlberg), p. 52, 7 : « Ergo dei sermo et dei sapientia. » Cyprien, *De oratione* 28, *PL* 4, 538 A, éd. Rév., p. 118, 22 : « nam cum Dei sermo Dominus noster Iesus Christus ». *Liber testimoniorum* II, 3, *PL* 4, 698 A, « Quod Christus idem sit sermo Dei. » Tertullien, *Adversus Hermogenem* XX, *PL* 2, 210 A ; éd. A. Kroymann, *CC* 1, Turnhout 1954 (XX, 4), p. 414 : « In principio erat sermo... et sermo erat apud deum » ; *Adversus Praxeam* XXI, *PL* 2, 179 C ; éd. A. Kroymann-E. Evans, *CC* 2, Turnhout 1954 (XXI, 1), p. 1186. Voir Puniet, « Homélies » (*RHE* 6, 1905), p. 21-22.

42. *Sacramentaire Gélasien* (éd. Mohlberg), p. 52, 9-15. Tertullien, *De oratione* 2, *PL* 1, 1154 A, éd. G.-F. Diercks, *CC* 1, Turnhout 1954 (II, 1), p. 258. Cyprien, *De oratione* 9, *PL* 4, 525 A, éd. Réveillaud, p. 88-89. Puniet, « Homélies », tableau p. 23.

43. *Gélasien*, p. 52, 16-23. Cyprien, 12-13, *PL* 4, 526 C-528 B, éd. Réveillaud, p. 92-97. Puniet, tableau p. 24-25.

44. *Gélasien*, p. 52, 24-26. Cyprien, 14, *PL* 4, 528 B-531, éd. Réveillaud, p. 96-99. Puniet, tableau p. 26-27.

lapidaires chez Tertullien, que suit le Gélasien[45]. La pensée
de sanctification qui clôt la périphrase s'apparente à celle
de Cyprien, autant que l'explication sur le pardon des
fautes, sans qu'apparaisse ici une relation formelle entre
les deux textes[46]. La sixième requête de ne pas être induit
en tentation est, au début du Gélasien, un emprunt textuel
à Tertullien. En commentaire, la leçon très spéciale *ne
nos patiaris induci* est significative entre eux, alors que
Cyprien l'utilise seulement au verset même du *Pater*[47].

45. Comparer : TERTULLIEN,
De oratione 6, *PL* 1, 1160 A ;
CC 1, 261 :
Panem nostrum quotidianum
da nobis hodie spiritaliter
potius intellegamus
Christus enim panis noster est...

« Ego sum inquit panis vitae..
qui descendit de caelis... »

46. CYPRIEN, *De oratione* 18,
PL 4, 532 A, éd. R. 104-106 :
Et ideo panem nostrum id est
christum dari nobis cottidie
petimus, ut qui in Christo
manemus et vivimus a sancti-
ficatione eius et corpore non
recedamus.

Voir CYPRIEN 22-23, *PL* 4,
534 B-536 A, éd. RÉVEILLAUD,
110-115. Voir PUNIET, tableau,
p. 27-28.

47. TERTULLIEN,.
De oratione 8, *PL* 1,
1163 ; *CC* 1 (VIII, 1)
p. 262.
Ne nos inducas in
temptacionem, id est
ne nos patiaris induci,
ab eo utique qui
temptat.
PUNIET, tableau, p. 28-29.

Gélasien (éd. MOHLBERG),
p. 52, 27-29 :

Panem nostrum cotidianum
d. n. hodie Hic spiritalem
cybum intellegere debemus.
Christus enim panis est noster
qui dixit :
Ego sum panis vivus
qui de caelo discendi.

Gélasien (suite), p. 52, 29-31.

Quem cotidianum dicimus,
quod ita nos semper inmunita-
tem petere debemus peccati,
ut digni simus caelestibus
alimentis.

(suite) p. 52, 32-37.

CYPRIEN, *De ora-
tione* 25, *PL* 4, 536 C,
éd. RÉVEILLAUD,
p. 114.
Et ne patiaris nos
induci in tempta-
tionem..

Gélasien (suite),
p. 53, 1-2.

Et ne nos inducas
in temptacionem, id
est ne nos patiaris
induci ab eo qui
temptat, pravitatis
auctore.

La dernière considération sur la ' délivrance du mal '
est strictement personnelle, dans le Gélasien, au compilateur
du *Pater*. Toute la section du sacramentaire consacrée
à l'oraison ne laisse transparaître aucune influence romaine,
mais s'inspire nettement de Tertullien et de Cyprien.

Bien des passages de l'homélie gélasienne et de l'*expositio*
du *Pater*, différents des traités de ces deux théologiens
et sans rapport avec les explications des autres Pères,
offrent des résonances proches du commentaire de
Chromace d'Aquilée († 407) sur l'évangile de Matthieu,
rédigé après 398. Ils présentent des leçons similaires,
inconnues ailleurs. Par exemple, le cinquième article relatif
à la rémission des dettes, qui marquait une nette indé-
pendance littéraire vis-à-vis des textes africains, décèle
cette fois une ressemblance de termes lisibles dans l'écrit
du prélat[48]. Le compilateur gélasien aurait-il connu le
traité de Chromace ? Les deux écrits révèlent une dépen-
dance très marquée envers Cyprien et dénotent la
fréquentation de Tertullien[49]. Dans l'ensemble, la parenté
entre eux d'expression, moins décisive qu'à l'égard de
Tertullien et de Cyprien, jointe à une communauté de
pensées, trahirait une même origine. Des caractères

48. CHROMACE D'AQUILÉE,
Tractatus XIV in Matthaeum
7, 9, *PL* 20, 363 A, éd.
A. HOSTE, *CC* 9, Turnhout
1957, p. 435.
Quod si ... praedurata (perdu-
rata) mente delinquentium in
nos peccata teneamus, *nos* quoque *peccatorum veniam* accipere
non *mereri*, aperte Dominus
manifestat. Nous soulignons.
PUNIET, tableau, *RHE* 6
(1905), p. 308-309.

Gélasien (éd. MOHLBERG), p. 52,
33-35.

Et demitte nobis... debitoribus
nostris.
Hoc praecepto significans, non
nos aliter *peccatorum* posse
veniam promereri, nisi prius
nos in nobis delinquentibus
aliis relaxemus.

49. Voir les exemples donnés par P. DE PUNIET, « Homélies »,
RHE 6 (1905), p. 310.

similaires : analogie de style, de citations, d'expressions, et de nombreux points de contacts, démontrent un lien réel entre les deux documents, qui sortiraient d'une même plume. L'auteur de l'*expositio orationis Dominicae* introduite dans le sacramentaire gélasien où elle représente la couche la plus ancienne serait Chromace d'Aquilée, l'ami de saint Jérôme. Cette hypothèse, accréditée de nos jours auprès du monde érudit, l'est à tel point que le petit traité vient par deux fois d'être édité parmi les œuvres de ce prélat[50].

* * *

Dans ces conditions, quel rapport peut-on remarquer entre cette cérémonie de l'*ordo scrutiniorum*, ainsi identifié et la *traditio orationis* de la liturgie cathare ?

La tenue très sobre et rudimentaire du texte cathare s'inspire des formes du Gélasien sans qu'un rapprochement littéral soit à considérer. Toutefois, malgré les divergences doctrinales qui séparent les deux auteurs, certaines idées émergent, susceptibles d'être comparées.

Le ' Père qui est dans les cieux ' : c'est le père de ceux qui seront sauvés, dit le cathare — le père des fils de Dieu,

---

50. ID., p. 309, 311-313. M. OLPHE-GALLIARD, art. « Chromatius », dans *Dict. de Spiritualité* II, Paris 1953, c. 879. En 1957, Dom A. HOSTE n'hésite pas à publier la *Praefatio orationis dominicae* à la suite de l'*In Matthaeum* de Chromace : *CC* 9, p. 444-447. Et, malgré les hésitations de E. DEKKERS (*Clavis Patrum latinorum*, *Sacris Erudiri* 3, 1961, n° 219, p. 51), qui la qualifie encore de ' Dubia ', cette tradition déjà succincte dans le *Missale Gallicanum Vetus* (*supra*, n. 26) apparaît parmi les sermons de l'évêque sous le n° 40. A part deux variantes : ' veniat, remitte ', le *Gélasien* XXXVI du *Vatican Reg. lat. 316* (éd. MOHLBERG), longuement étudié ici, la reproduit littéralement. CHROMACE D'AQUILÉE, *Praefatio orationis dominicae*, éd. A. HOSTE (*CC*, 9, Turnhout 1957), p. 444-447 = *Sermo* 40 dans *Sermons*, t. II, éd. J. LEMARIÉ - H. TARDIFF (*SC* 164), Paris 1971, p. 224-229.

frères du Christ qui doivent se montrer dignes de cette adoption divine, traduit Chromace.

' Que ton nom soit sanctifié ' : le nom de Dieu c'est la loi du Christ tenue d'être affermie dans son peuple, selon l'hérétique opposé au Gélasien, pour qui le nom de Dieu doit être sanctifié en nous par le baptême.

' Qu'advienne ton règne ' : soit le Christ qui vient sauver son peuple, écrit le premier, pensée très proche des visées du second : c'est le règne promis par Dieu, et obtenu par le sang et la passion du Christ.

' Que ta volonté soit faite ' : désir chez les dualistes, peuple de cette terre, d'accomplir ici-bas la volonté du Père comme elle est exécutée dans le royaume supérieur; — que ce que tu veux dans le ciel, déclare le prélat, nous le réalisions sur terre d'une manière irrépréhensible[51].

' Le pain supersubstantiel ', c'est la loi du Christ donnée à l'ensemble du peuple : nourriture spirituelle, pain vivant, que l'on consomme en observant les préceptes du Fils de Dieu et du Nouveau Testament, ceux de la Loi et des prophètes, commente longuement le cathare. A l'inverse, Chromace identifie le pain ' quotidien ' à l'eucharistie, selon Tertullien, Cyprien : c'est le pain vivant qui, chaque jour, préserve du péché et rend digne des aliments célestes[52].

Le terme *épiousios* (ἐπιούσιος) seul adjectif du *Pater*, n'apparaît guère en dehors du contexte de cette prière, si ce n'est dans un papyrus grec, sur une liste d'achats de provisions d'un maître de maison. Mais ce fragment publié en 1889, puis en 1915, égaré au département des

---

51. Voir *infra*, **2**, 9-35 et notes. *Sacramentaire Gélasien* XXXVI (éd. MOHLBERG), p. 51, 25-34 et p. 52, 1-26 = CHROMACE D'AQUILÉE (*SC* 164), p. 224-226, 1-42.

52. Voir *infra*, **3**, 1-3 et notes ; **3**, 42-44, 62. *Supra*, p. 48, 49, n. 45, 46. CHROMACE, p. 226, 42-47. Voir M.-A. FAHEY, *Cyprian and the Bible: a Study in Third-Century Exegesis* (*Beiträge zur Geschichte der Biblischen Hermeneutik*, 9), Tübingen 1971, p. 279-281.

manuscrits du British Museum, est devenu introuvable[53].
Inconnu des Grecs, selon Origène, inventé par les tra-
ducteurs des évangélistes, le mot a provoqué, tout au
long des siècles, des interprétations différentes en fonction
des contextes de *Matthieu* 6, 11 qu'adopte la *Didachè*
VIII, 2 et de *Luc* 11, 3[54]. Le premier à se prononcer en
faveur de ' substantiel ' (et supersubstantiel) est Origène,
suivi de certains Pères grecs, alors que les Pères latins
utilisant la vieille latine écrivent *quotidianum*. En révisant
le Nouveau Testament (c. 382-383), Jérôme garde *quotidianum* pour Luc et le remplace en Matthieu par ' supersubstantiel ', s'il est vrai que le texte de Matthieu soit
plus proche de l'original, comme le signalera plus tard
Abélard[55]. Pendant tout le moyen âge, les théologiens
opteront pour l'une ou l'autre formule : les uns en accord
avec Origène, acceptent ' supersubstantiel ' et le sens
spirituel, tels : Cyrille de Jérusalem, Marius Victorinus Afer,
Hilaire de Poitiers, Ambroise, etc. ; les autres lui préfèrent
quotidianum, qu'ils interprètent dans le sens matériel
prôné par l'Église d'Antioche, ainsi : Basile de Césarée,
Grégoire de Nysse, Jean Chrysostome, etc., tandis qu'un
troisième courant donne au mot pain la valeur à la fois
spirituelle et matérielle, reconnue par Tertullien, Cyprien,
Chromace d'Aquilée, Augustin[56], etc. L'arien qui,

---

53. Bruce M. Metzger, *Historical and Literary Studies, Pagan,
Jewish and Christian* (*New Testament Tools and Studies*, VIII),
Leyde 1968, p. 64-66. Le texte du papyrus a été réimprimé par
Fr. Preisigke, *Sammelbuch Griechisher Urkunden aus Ägypten*, I,
Strasbourg 1915, n⁰ 5224.

54. *Matth.* 6, 11 et *Didachè* VIII, 2 : Τὸν ἄρτον ἡμῶν τὸν ἐπιούσιον δὸς ἡμῖν σήμερον. *Lc* 11, 3, diffère à la fin : Τὸν ἄρτον... δίδου
ἡμῖν τὸ καθ' ἡμέραν. Cf. J. Carmignac, *Recherches sur le « Notre
Père »*, Paris 1969, p. 118, 121. Pour la *Didachè*, cf. *supra*, n. 7.

55. Cf. *infra*, 3, 1 et note sur Origène, Abélard. Voir Henri Crouzel,
Bibliographie critique d'Origène (*Instrumenta Patristica* VIII),
Steenbrugge 1971. J. Carmignac, *Recherches*, p. 118, 121-127.

56. Voir ci-dessus, n. 45-46. Chromace, p. 226, 42-47. A. Hamman,

entre 429 et 450, aurait composé en grec l'*Opus imper-fectum in Matthaeum*, longtemps attribué à Chrysostome et dont il reste la traduction latine, « parle d'un pain ἐπιούσιον, qui peut se traduire par ' essentiel '[57] ».

Depuis les découvertes de Qumrân, qui traduisent l'ambiance essénienne à l'époque où vécut Jésus, le sens de ' manne ' donné à ' pain ' dans l'Ancien Testament semble prévaloir sous ses deux valeurs. L'ἐπιούσιος, traduction grecque de *lemâḥâr* (*Ex.* 16, 23), écrit dans le *Pater* sémitique avec le sens réel de « jusqu'au lendemain », s'appliquerait à la manne tant spirituelle que matérielle dont parle maintes fois le Christ[58].

Et la pensée dualiste, hostile à l'idée de l'eucharistie exprimée par Chromace dans le contexte du Gélasien, n'en adopte pas moins le sens primitif authentique de l'enseignement spirituel donné dans les deux Testaments.

Pour les deux commentateurs, la ' remise des dettes' consiste à espérer de Dieu le pardon des fautes, comme on les remet à ses persécuteurs[59].

' Ne permets pas que nous soyons induits en tentation ', disent-ils tous deux : par le tentateur ou diable, auteur de la perversité définit l'évêque; — puisque nous désirons observer ta loi, explique le cathare, qui n'a probablement pas vu le dilemme posé par cette phrase ambiguë, qualifiée

La Prière II, *Les trois premiers siècles*, Paris 1963, p. 277-282. I. Furberg, *Das Pater noster in der Messe* (*Bibliotheca theologiae practicae*, 21), Lund 1968, p. 5-13. J. Carmignac, *Recherches*, p. 145-163, tableau p. 163-166 et p. 185-191. J. Angénieux, « Les différents types de structures du Pater dans l'histoire de son exégèse », dans *Ephemerides Theologicae Lovanienses* 46 (1970), p. 40-77. Voir *infra*, p. 58-59, n. 72.

57. Ps. - Chrysostome, *Opus imperfectum in Matthaeum* XIV, *PG* 56, 713. P. Nautin, « L'*Opus imperfectum in Matthaeum* et les Ariens de Constantinople », dans *RHE*, LXVII, 1972, p. 381-408, 745-766. Cf. p. 393 et 746-747.

58. J. Carmignac, *Recherches*, p. 191, 195, 214-215, 218-220.

59. Cf. *infra*, 4, 5-10. *Gélasien* (éd. Mohlberg), p. 52, 32-37. Chromace, *Sermo* 40 (*SC* 164), p. 228, 48-53.

de « redoutable », car si Dieu autorise la tentation, il n'est plus le Dieu saint et bon. Le dualiste atténue déjà la portée d'une causalité positive en distinguant la tentation diabolique procédant du cœur : erreur, pensées iniques, haine, de la tentation charnelle relevant de l'humain : faim, soif, etc., deux modes connus d'Abélard. Surtout, il en appelle à Paul pour qui la tentation est inhérente à la nature humaine et Dieu qui est fidèle, connaissant les limites de celle-ci, l'aide à la supporter (*I Cor.* 10, 13). C'est la « théologie de la tentation », ignorée des sacramentaires et de Chromace, mais mise en évidence dans la liturgie cathare[60].

' Mais délivre-nous du mal '. Prions le Dieu tout-puissant de suppléer dans sa miséricorde aux carences de la fragilité humaine par l'intermédiaire de Jésus-Christ, termine le catholique; délivre-nous du mal : c'est-à-dire du diable tentateur des fidèles et de ses œuvres, insiste à son tour le dualiste[61].

Le commentaire ne va pas plus loin dans la liturgie de l'*ordo scrutiniorum*, s'arrêtant à la fin même du Sermon de Chromace. L'hérétique au contraire continue par la doxologie proclamant : le règne de Dieu qui doit agréer la demande de son peuple, la force ou puissance capable de le sauver, la gloire ou louange et honneur que le Seigneur en retirera pour les siècles. Une dernière paraphrase sur le *Pater* (*Matth.* 6, 15) exhorte les croyants à se repentir de leurs péchés et à pardonner pour obtenir la rémission de leurs propres fautes. La recommandation ultime de s'engager chacun dans leur cœur à observer la sainte oraison pour leur salut, rejoint celle du prêtre, conseillant

---

60. Cf. *infra*, 4, 11-22 et notes. *Gélasien* (éd. MOHLBERG), p. 53, 1-5. CHROMACE, p. 228, 54-58. J. CARMIGNAC, p. 236, 239.

61. Cf. *infra*, 4, 23-24. *Gélasien* (éd. MOHLBERG), p. 53, 6-11. CHROMACE, p. 228, 59-65.

aux fidèles d'innover en eux-mêmes les mystères de la sainte oraison pour parvenir au royaume céleste[62].

Des gloses relatives aux neuf sections du *Pater*, cinq d'entre elles présentent certaines affinités de pensée entre les deux auteurs ; notamment celles qui commentent le règne, la volonté de Dieu, le pardon des fautes, la tentation, la délivrance du mal. Si l'on admet les démonstrations précédentes, le cathare, s'inspirant de la liturgie catholique à travers le Sacramentaire Gélasien, s'est pénétré des directives spirituelles que l'évêque d'Aquilée donnait à ses fidèles au début du ve siècle. On a vu combien le prélat s'était nourri de Tertullien et de Cyprien et on en déduit que la *traditio orationis* cathare, loin de remonter à quelque origine romaine, plonge au contraire ses racines dans le substratum chrétien des églises primitives d'Afrique et de Haute Italie[63].

4. La Doxologie

A. *Ses éléments*.

La doxologie ne répond pas d'ailleurs à la liturgie occidentale qui, généralement, par une formule différente, unit les trois personnes : Père, Fils et Saint-Esprit, dans un hommage que le dualiste ne rend pas à la Trinité[64].

---

62. Cf. *infra*, 4, 25-34 : doxologie ; 5, 1-15. *Gélasien* (éd. MOHLBERG), p. 53, 14-21.

63. Cf. *supra*, p. 47-51 et notes.

64. *Sacramentaire Gélasien* XXXVI (éd. MOHLBERG), p. 53, 7, 10-11. CHROMACE, *Sermo* 40 (*SC* 164), p. 228, 60, 63-65, termine, après « Sed libera nos a malo » le commentaire du *Pater* par : « Iesus Christus dominus noster, qui vivit et regnat deus in unitate spiritus sancti per omnia saecula saeculorum. » Variantes dans l'*Ordo* XI (éd. M. ANDRIEU, *Ordines romani* II), p. 440 : « Iesus Christus... et regnat cum Deo patre et spiritu sancto per om. s. s. ». L'« in unitate spiritus sancti » est la formule du canon romain, le « cum spiritu sancto » celle de saint Ambroise. Cf. A.-G. MARTIMORT, *L'Église*, p. 411.

Celui-ci se déclare conforme « aux livres grecs ou hébreux »
parus probablement avant les corrections apportées par
Jérôme dans l'établissement de la Vulgate. Ces clausules
de louange, fort simples dans la prière juive, se développent
dans le Nouveau Testament, surtout avec Paul, en faveur
de la Trinité. Toutefois, la doxologie énoncée par le cathare
reste inconnue de la Vieille latine et des plus anciens
Pères d'Orient et d'Occident ; « l'usage chrétien de δόξα
(gloire) remonte à l'usage des LXX, où il traduit *kabod* »
et il faut attendre le IIe siècle pour que le couple δόξα-
κράτος, d'origine alexandrine, se développe avec Origène
qui lui donnera son nom[65].

Dans la *Didachè*, au cours du Ier siècle et sans allusion
à la Trinité, des strophes réduites à deux éléments :
puissance et gloire (δύναμις-δόξα) achèvent le *Pater*[66].
On les voit vers la fin du IVe siècle dans les *Constitutions
apostoliques*, presque avec le même laconisme, seulement
agrémenté du ' règne ' et de l'" Amen '[67]. Plus fournies,
elles apparaissent au IIIe siècle dans la *Tradition apostolique*
d'Hippolyte — pourtant démunie de l'oraison dominicale — aux oraisons qui terminent le sacre épiscopal « à
la gloire, puissance et honneur de la Trinité », sans
mentionner le ' règne '[68]. Plusieurs prières de ce recueil

65. Ch. Mohrmann, « Les relations judaïsme, antiquité, christianisme reflétées dans la langue des chrétiens », dans *CC* 50 (*Sessio
academica*, 16 janvier 1969, Steenbrugge), Turnhout 1971, p. 11-22,
cf. p. 13-17. A.-G. Martimort, *L'Église*, p. 129-130 ; J. Carmignac,
Recherches, p. 320-321. J.-M. Hanssens, *La Liturgie d'Hippolyte.
Documents et Études*, Rome 1970, p. 184, 192, 241-242, 247, 254.
Cf. *infra*, 4, 25-26. Prière juive, ex. I *Paralip*. 29, 11-12.

66. *Didachè* VIII, 2, éd. Lietzmann, p. 10 ; éd. Audet, p. 234,
9-10 ; éd. S. Giet, p. 172 : « Πάτερ ἡμῶν ... ὅτι σοῦ ἐστιν ἡ δύναμις
καὶ ἡ δόξα εἰς τοὺς αἰῶνας. » Cf. *supra*, p. 36 et 38, n. 7 et 13.

67. *Constitutions apostoliques* III, 18, 2, éd. Funk, p. 213, 16-17 :
« Ὅτι σοῦ ἐστιν ἡ βασιλεία καὶ ἡ δύναμις καὶ ἡ δόξα εἰς τοὺς
αἰῶνας 'Αμήν. »

68. B. Botte, *La tradition apostolique de saint Hippolyte* 3, p. 10 :
« μεθ' οὗ σοι δόξα, κράτος, τιμή, σὺν ἁγίῳ πνεύματι, νῦν καὶ ἀεὶ καὶ

pour des ordinations ou des offrandes évoquent, de même, en faveur des trois Personnes et toujours dans les siècles : *gloria, potentia* et *laus* (ou *honor*)[a]; parfois seulement *gloria* et *virtus*, ou *gloria* et *honor*[b], « couple caractéristique de la doxologie oratoire latine et romaine », écrit J.-M. Hanssens; ou même uniquement *gloria*[c][69].

La version éthiopienne de la *Tradition* renferme une collection de prières appartenant à des rituels qui représentent « les plus anciennes liturgies baptismales connues ». Douze d'entre elles répondent aux mêmes critères. Une mentionne seulement la ' gloire ', deux indiquent ' louange et puissance '[a]; six ' gloire et puissance '[b] auxquelles deux ajoutent, l'une la ' louange ', l'autre ' l'honneur '[c]. Aucune ne signale le ' règne ', seule la bénédiction de l'eau fait état de la ' grandeur '[70].

Dans le patriarcat d'Antioche, où il enseigne de 386 à 397, Jean Chrysostome prépare les catéchumènes à recevoir le baptême. A cet effet, il prononce de nombreuses catéchèses dont huit nous sont restées. Toutes se terminent en hommage à la Trinité à qui soit « gloire, puissance, honneur (δόξα, κράτος, τιμή) », sans indication de ' règne ' (βασιλεία)[71]. Au contraire, dans une homélie sur Matthieu

---

εἰς τοὺς αἰῶνας τῶν αἰώνων. Ἀμήν. « Voir J. M. HANSSENS, *La liturgie d'Hippolyte* (*Orientalia christiana analecta* 155), Rome 1959, p. 346, 2e éd. anastatique 1965, avec quelques modifications dans la préface (*Infra*, p. 100, n. 39).

69. B. BOTTE, *La tradition*, a) p. 26, 64 ; b) p. 22, 16 ; c) p. 18, 52, 76. — J. M. HANSSENS, *La liturgie*[1], p. 349, 351, 350. Voir les tableaux dressés par l'auteur (p. 346-351), qui signale toujours le couple δόξα, κράτος, ce dernier terme rendu par *potentia* ou *virtus* en latin. On ne lit jamais le ' règne ' (βασιλεία). J. M. HANSSENS approfondit la question dans *Liturgie... Documents* (1970), p. 259.

70. A. SALLES, *Trois antiques rituels du baptême* (*SC* 59), Paris 1958, p. 35 ; a) p. 47, 41 ; b) p. 45, 47, 49, 53, 63 ; et c) p. 58 b, 59.

71. JEAN CHRYSOSTOME, *Huit catéchèses baptismales*, éd. A. WENGER (*SC* 50), Paris 1957, p. 22, 132, 167, 199, 214, 228, 246, 260. La troisième, p. 167, inverse l'ordre : δόξα, τιμή, κράτος. J. M. HANSSENS, *Liturgie... Documents* (1970), p. 255, 256, 258 ; et aussi p. 185-186.

et le *Pater* qui lui est attribuée et où l'auteur traduit déjà
le pain « *epiousios* id est quotidianum », il termine la
prière par une doxologie laconique, semblable à celle des
Constitutions apostoliques (avec βασιλεία, mais sans indication trinitaire)[72].

Bien que, suivant Chromace, le Missel *Gallicanum
Vetus*[a], les Sacramentaires Gélasien et d'Angoulême
paraphrasent le *Pater* sans doxologie, les deux derniers
achèvent plusieurs oraisons soit à la ' louange et à la gloire
du Dieu tout puissant '[b], soit à ' l'honneur et à la gloire
du Père et du Fils '[c], ou de la Trinité[73].

Or, le cathare ne traduit-il pas ' gloire ' par honneur et
louange (*laus* et *honor*) selon les gloses de Paul (*Rom.* 16, 27 ; *I
Tim.* 1, 17 *honor* et *gloria*) et les expressions fréquentes dans
la liturgie orientale[74] ? Les recensions palestiniennes, antio-
chienne ou byzantine en font foi autant que les versions
gothique, syriaque, arménienne, etc. Plus près de lui,
d'anciens évangéliaires transmettent la même doxologie
tels le *Bobiensis* du ive ou ve siècle, le codex de Brescia
du vie siècle, le *Monacensis* du viie, le codex gréco-latin
Sangallensis et le *Sangermanensis*, tous deux du ixe siècle.
Ignorée en Occident pendant tout le moyen âge, de la
Vetus Latina et de la Vulgate, la formule reprise en
honneur par les humanistes de la Réforme, vient à nouveau
d'être reconsidérée dans le monde catholique par Vatican II.

---

72. JEAN CHRYSOSTOME, *In Matthaeum* 19, 5 et 6, *PG* 57, 280 :
« Τί ἐστι ' τὸν ἄρτον ἐπιούσιον ' ; Τὸν ἐφήμερον ... τὸν ἄρτον τὸν
ἐπιούσιον, τουτέστι, τὸν ἐφήμερον » et 282 : « Ὅτι σοῦ ἐστιν ἡ
βασιλεία, καὶ ἡ δύναμις, καὶ ἡ δόξα εἰς τοὺς αἰῶνας. Ἀμήν ». Voir
supra, n. 67, et J. CARMIGNAC, *Recherches*, p. 125, 153 ; et 321.

73. a) *Missale Gallicanum vetus* (éd. MOHLBERG), p. 24-25 ;
b) *Sacramentaire Gélasien* (éd. MOHLBERG), p. 53, 10-11, p. 67, 11 =
Sacramentaire d'Angoulême (éd. P. GAGIN), p. 49ᵛ, fin de 714 ;
p. 44ᵛ, 678 ; c) *Gélasien*, p. 106, 4-5 = *Angoulême*, p. 139ᵛ, 2013 ;
d) *Gélasien*, p. 186, 13-15 = *Angoulême*, p. 119ʳ, 1767.

74. Cf. *infra* 4, 25-31 et note. J. M. HANSSENS, *La liturgie
d'Hippolyte*, p. 355-370.

S'il est vrai, selon des travaux récents, que cette doxologie,
loin d'être authentique, serait « une création liturgique
très ancienne du Ier ou IIe siècle, insérée dans l'Évangile de
Matthieu au IIIe par un copiste de la région d'Antioche »,
le cathare n'en serait pas dupe quand il s'autorise de
« livres grecs ou hébraïques » pour étayer ses affirmations[75].
De toutes façons il est dans la norme de l'orthodoxie,
quoi qu'en dise Moneta de Crémone qui fait grief à la secte
d'ajouter des « Constitutions » au *Pater*[76].

Ce qui, pour l'Occident, est objet de critiques, semble au
contraire apprécié de l'Orient, où l'absence de doxologie
provoque des suspicions. En l'empire byzantin, fort secoué
jadis par les hérésies autant que par les factions[77], la
période iconoclaste (VIIIe-IXe s.) a laissé des traces : bogomiles et néomessaliens ont, dès le Xe siècle, pris la relève
des pauliciens[78] et la liturgie des sectes hérétiques suscite
l'alarme. Non seulement, entre 933-944, le patriarche de
Constantinople, Théophylacte et, peu après, vers 972,
Cosmas le prêtre, dénoncent les fausses doctrines[79] mais,

---

75. J. WORDSWORTH-J. WHITE, *Novum Testamentum*, t. I, Oxford
1889, p. 60-61, n. 13. Pour les codex, voir p. XXXI-XXXIII. J. CAR-
MIGNAC, *Recherches*, p. 321-322, 327 s., 333. Cf. *infra*, 4, 26.

76. MONETA DE CRÉMONE, *Adversus Catharos et Valdenses*, éd.
Th.-A. RICCHINI, Rome 1743, p. 445ᵃ : « Habes enim o Cathare plures
Constitutiones, quas unde habeas, testimonio Scripturae ostendere
non potes. V. G. in oratione enim constat... Tu autem huic orationi
addis ' quoniam tuum est regnum, et virtus, et gloria in secula.
Amen '. »

77. J. JARRY, *Hérésies et factions dans l'empire byzantin du IVe
au VIIe siècle* (*Recherches d'archéologie, de philologie et d'histoire*,
XIV), Le Caire 1968. Voir la première partie, p. 1-94.

78. Voir les études de J. GOUILLARD, « L'hérésie dans l'empire
byzantin des origines au XIIe siècle », dans *Travaux et Mémoires* 1
(Centre de recherche d'histoire et civilisation byzantine), Paris 1965,
p. 299-324. « Les origines de l'iconoclasme : le témoignage de
Grégoire II », *ibid.*, 3, Paris 1968, p. 243-307.

79. I. DUJČEV, « L'epistola sui Bogomili del patriarca Costantinopolitano Teofilato », dans *Mélanges E. Tisserant* II (*Studi e Testi,*

à leur tour, les moines Euthyme de la Péribleptos vers 1050 et un demi-siècle plus tard (c. 1111, 1118) Euthyme Zigabène, favori de l'empereur Alexis Comnène († 1118), font connaître à leurs compatriotes de Phrygie et de Constantinople les dangers des Phoundagiagites en Anatolie, des Bogomiles à Constantinople et dans les Balkans. Chacun d'eux mentionne brièvement que, méprisant les autres prières, les hérétiques se limitent au *Pater*, répété maintes fois nuit et jour.

Selon Périblentos, ces hérétiques affectent de croire aux paroles de la Sainte Écriture, mais enseignent secrètement à leurs disciples de ne pas y ajouter foi. Ils abusent ainsi de leur ignorance. Quand ils récitent le *Pater*, « Adorons, disent-ils, le Père, le Fils et le Saint-Esprit et ceux qui prient avec eux répondent : ' c'est digne et juste ' (ἄξιον καὶ δίκαιον). » « Ils demandent le pain ἐπιούσιον », écrit Zigabène[a], qui poursuit : « Ils répètent l'oraison sept fois le jour, cinq fois la nuit et aussi souvent qu'ils se disposent à prier, en méprisant les autres prières[b80]. » C'est tout ce

---

232), Città del Vaticano 1964, p. 63-91 ; texte, p. 88-91. Id., « I Bogomili nei paesi slavi e la loro storia », dans *Problemi attuali di scienza e di cultura* (*L'Oriente cristiano nella storia della civiltà. Academia Nazionale dei Lincei*, 62), Rome 1964, p. 619-641. Voir les considérations socio-économiques qui auraient provoqué l'expansion du bogomilisme d'après D. Angelov, « Le mouvement bogomile dans les pays slaves balkaniques et dans Byzance », *ibid.*, p. 607-616. L'auteur reprend ces idées dans les *Actes du premier congrès international des études balkaniques et sud-est européennes* III, Histoire, Sofia 1969, cf. Bulgarie, p. 27-36. Pour M. Loos, « La question de l'origine du bogomilisme (Bulgarie ou Byzance ?) » dans *Actes... des études balkaniques, ibid.*, p. 265-270 : « les débuts du bogomilisme seraient à chercher sur le territoire de l'Asie mineure byzantine ». H. Ch. Puech-A. Vaillant, *Le traité contre les Bogomiles de Cosmas le Prêtre*, p. 83-85, 222-223, 245-250 ; et p. 24, 132. Cf. *infra*, p. 128-131, n. 102-106.

80. a) Euthyme de la Péribleptos, *Epistula invectiva contra Phundagiagitas sive Bogomilos*, éd. G. Ficker, *Die Phundagiagiten*, Leipzig 1908, p. 1-86 ; cf. p. 77, l. 20-22. Voir *infra*, Append. nᵒˢ 5 et 20, p. 266 et 287[b] ; Euthyme Zigabène, *De haeresi bogomilorum narratio*,

que les hérésiologues de l'époque nous apprennent sur la
Traditio orationis de ces hérétiques.

Le synodikon primitif de l'orthodoxie, énoncé le 11 mars
843 en l'honneur de la restauration des images et renouvelé
ensuite chaque premier dimanche de carême en fonction
de nouvelles hérésies, est muet à cet égard. Divers
anathèmes connus, les formules d'abjuration récemment
éditées, ne sont pas plus révélateurs, si ce n'est la lettre du
patriarche Cosmas, prélude au synodique du tsar Boril
(1211), qui signale au baptême la simple récitation du
Pater, unique oraison admise pour prier et chanter « dans
le lieu que l'on voudra[81] ». Seul, jusqu'ici, le synodikon
« d'Hellade » destiné à un évêché suffragant d'Athènes et
que Migne a publié sous le nom de Zigabène, est autrement
explicite. Émanant peut-être d'un synode tenu sous
Alexis Ier lors du procès de Basile, vers 1117-1118, il
prononce l'anathème contre les Phoundagiagites et les
Bogomiles qui « ne se signent pas en récitant le *Pater* »,
et formulent cette prière « sous prétexte qu'elle nous a été
transmise par notre Seigneur Jésus-Christ, pour invoquer
leur père exécré Satan ». Bien plus, loin d'admettre en

éd. G. Ficker, *ibid.*, p. 87-111, cf. p. 100, l. 21-22 ; *Panoplia dogmatica* XXVII, 19, *PG* 130, 1313 B : « Τὸν ἄρτον γάρ, φησί, τὸν
ἐπιούσιον » que le latin traduit (1314 B) : « *Panem* enim, ınquit,
quotidianum ». b) Id., *ibid.*, 1313 D (19). Nous donnons le texte latin :
« Solam precationem appellant, quam Dominus tradidit in Evangeliis
id est *Pater noster*. Et ea sola utuntur septies quidem die, quinquies
autem nocte. Sed quoties ad precandum accedunt, toties eam adhibent,
alii decies et quinquies, alii saepius, alii rarius. Reliquas precationes
contempnunt... » Voir *infra*, p. 80, n. 131-132 et p. 133, n. 109.
Appendice, n° 6, p. 266.

81. J. Gouillard, « Le ' synodikon ' de l'orthodoxie », dans
Travaux et Mémoires 2, Paris 1967, p. 1-316. Cf. p. 1-3, 138-168 ;
texte p. 45 s. « Les formules d'abjuration », *ibid.*, 4, Paris 1970,
p. 185-207. « Une source grecque du sinodik de Boril : la lettre inédite
du patriarche Cosmas », *ibid.*, 4 (1970), p. 361-374. Cf. p. 370-371,
l. 40, 42-43 : anathèmes 4 et 5. Pour le Synodique du tsar Boril,
voir Puech-Vaillant, *Cosmas*, p. 344-346.

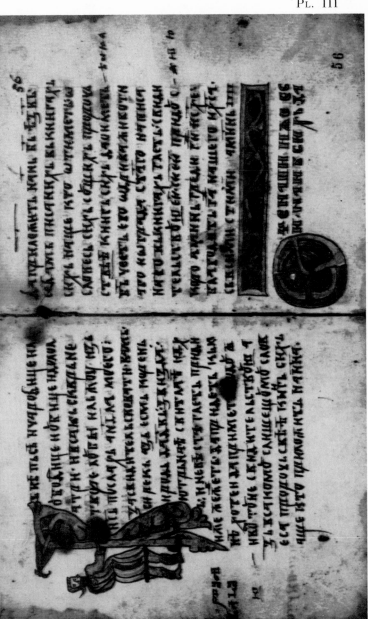

Rituel slavon. Vatic. Borgiano Illirico 12 ; fol. 56r

Pl. III

priant « le corollaire final, ajouté par les lumières divines
de l'Église et ses chefs à la gloire de la Trinité consubstan-
tielle et indivise : ' A Toi appartient le règne, *la puissance
et la gloire* ', ces hérétiques ne supportent même pas de
l'entendre[82]. »

Conforme à la tradition de l'Église orientale, qui
reproche aux Bogomiles de ne pas employer la doxologie,
le cathare se défend donc à juste titre : son tort serait
l'omission relative à la Trinité. Mais, n'en est-il pas ainsi
dans les Évangiles grecs ? certains évangéliaires anciens
et les *Constitutions apostoliques*[83] ?

B. *Le Rituel slavon*

Malgré les réserves des moines Euthyme de la Périblepos
et Zigabène, la formule a cependant obtenu gain de cause
dans certains milieux dualistes slaves, si l'on en croit un
document du xve siècle susceptible de reproduire une source
bien antérieure.

Un rituel slavon, écrit en cyrillique, découvert au
siècle dernier par F. Racki, se trouve inclus dans le recueil
de Radoslav ' le chrétien ' (Bibl. Vaticane, ms. *Borgiano*

---

82. Ps. - Euthyme Zigabène, *Confutatio et eversio*, *PG* 131, 39-48,
cf. *Anath.* 7, col. 44 C. Nous donnons la traduction latine (43 C) :
« revera autem, ut exsecrandum patrem suum Satanam invocent
(hujus enim gratia a sanctae crucis signaculo abhorrent, et illud
a divinis Ecclesiae luminibus ac ducibus additum extremum, quod
orationi dominicae in gloriam consubstantialis et individuae Trinitatis
in precando subjicitur corollarium : ' quia tuum est regnum, et
potentia, et gloria, Patris et Filii et Spiritus sancti ' ne audire quidem
sustinent) ». Le texte grec de Migne, qui ne mentionne pas la puissance
(δύναμις), s'en tient à « Ὅτι σοῦ ἐστὶν ἡ Βασιλεία, καὶ ἡ δόξα τοῦ
Πατρὸς καὶ τοῦ Υἱοῦ, καὶ τοῦ ἁγίου Πνεύματος (οὐδὲ ἀκοῦσαι
ἀνέχονται). » Au contraire, le texte du *Synodikon* édité par
J. Gouillard (*Travaux et Mémoires*, 2 (1967), p. 67, 338-339), contient
les trois formules Βασιλεία, δύναμις, δόξα. Voir *ibid.*, p. 237 ; et
p. 27-28, n. 153.

83. Cf. ci-dessus, p. 57-58.

Illirico 12, fol. 56^r-58^v)[84], achevé sous le règne d'Étienne Thomas, roi de Bosnie entre 1443-1461. Bien connu des historiens yougoslaves[85], ce document transmet, après une Apocalypse, un ensemble liturgique comparable au Rituel provençal, suivi de deux versets de Paul à Tite (2, 12-13), en caractères glagolitiques. Pour permettre la lecture du texte paulinien, le copiste Radoslav a inséré deux fois, avant et après le *Pater* suivi d'invocations, aux fol. 55^r et 57^r, l'alphabet glagolitique. Ignorant cette écriture, il a dessiné les lettres selon un type de graphie tombé en désuétude au xiiie siècle. L'examen paléographique en fait foi.

En effet de l'avis des spécialistes slavisants MM. Marin Tadin[86a] et Košuta, l'alphabet du fol. 57^r et le haut du

84. Le manuscrit Borgiano Illirico ne contient que l'Apocalypse et le Rituel, en caractères cyrilliques, éd. F. RACKI, « Dva nova priloga za poviest bosanskih patarena », dans *Starine Jugoslavenske Akademija Znanosti i Umjetnosti* (Acad. yougoslave des sciences et des beaux-arts), XIV, Zagreb 1882, p. 1-29, cf. p. 25-27. L'écriture du texte latin dans les marges du fol. 58^v (*infra*, planche VI), serait de M. Sović, chanoine de Ossor (Nord-Dalmatie, vers 1750-1760). Celui-ci aurait donné le document soit à un italien, l'abbé Fortis († 1774), qui a fait le voyage en Dalmatie et parlait croate, soit à un clerc du Vatican. Selon Vjekoslav ŠTEFANIĆ, « Glagoljski zapis u Čajničkom evandelju i u Rdosavljevu Reikopisu », dans *Zbornik Historijskog Institute jugoslavenske Akademije*, vol. 2, Zagreb 1959, p. 5-16, Radoslav aurait lui-même écrit le haut du fol. 59.

85. A.-V. SOLOVJEV, « La doctrine », p. 524, reproduit en tableau le texte slavon confronté au rituel provençal emprunté à la copie qu'Ivanov a faite de l'édition CLÉDAT (*infra*, Ivanov, n. 89). Il redonne ce tableau, encore plus abrégé, dans « La messe cathare » (*Cahiers d'études cathares*, n. 12, 1951), p. 201-202. Autre édition abrégée, par D. MANDIĆ, *Bogomilska crkva bosanskih Krstjana*, Chicago 1962, p. 88-89. Fr. ŠANJEK a repris la question, *Les chrétiens ' bosniaques ' et le mouvement cathare aux XIIe-XVe siècles*, Thèse de IIIe cycle, dactylographiée, Paris 1971, p. 352-353, 367-371 ; éd. (Public. Sorbonne, " N.S. Recherches " 20), Paris 1976, p. 185-191. Voir un aperçu du sujet dans *Revue de l'histoire des religions*, t. 182, 2, 1972, p. 131-181, cf. p. 174.

86a). Professeur à l'Institut catholique, que nous remercions,

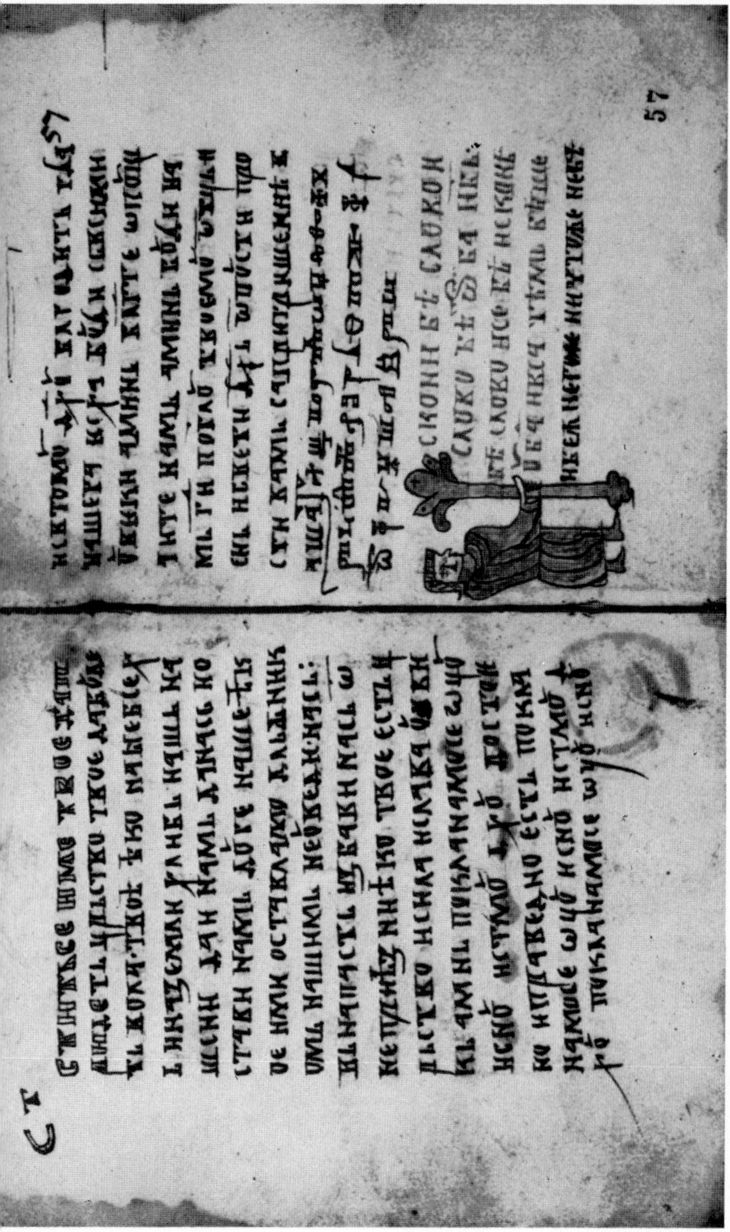

Vatic. Borgiano Illirico 12 ; fol. 56v-57r

fol. 59[r] montrent une graphie très ancienne, vraisemblablement de la fin du XIe ou, au plus tard, du début du
XIIe siècle[86b]. D'autre part le fol. 55[r] porte aussi l'alphabet
glagolitique. Celui-ci se trouvait déjà dans l'exemplaire
que Radoslav a copié, mais il montre un ductus postérieur

ainsi que M. Košuta, de la Bibliothèque Nationale. Voir M. TADIN,
« La Glagolite (' Glagoljica ') en Istrie, Croatie et Dalmatie depuis
ses débuts jusqu'à son approbation, limitée et bien définie par le
Saint-Siège (1248 et 1252) », dans Κυρίλλου καὶ Μεθοδίου, *XI[e] centenaire*, t. I, Thessalonique 1966, p. 292-329 ; cf. p. 301, 306 s. 318,
322-323, 327.

86[b]. Ex. la demi-voyelle de ' e ' ou jer (jór) dur ᴏ~8 ᴏ~⧖ est
encore visible à la fin du XI[e] s. (Voir Append., p. 286-287, n° 20, et
pl. VI, fol. 59, l. 1, signes 7 et 12 et, pl. IV, l'alphabet, fol. 57, l. 10,
signe 6). Cette demi-voyelle se transforme ensuite en jer (jór) mou
●~8 ●~⧖, puis en ' a ', avant de disparaître au début du XIIIe s.
Remarquer déjà fol. 59 l. 2, signe 7, le jer mou ●~⧖. — Une particularité du manuscrit est la représentation de la figurine plusieurs
fois répétée en marges du *Rituel* (fol. 55[v], 57[r], 58[v]). A première
vue la miniature — qui rappelle si bien Picasso — évoque, d'après
M. J. Vezin (Conservateur à la B. N., Directeur à l'É.P.H.É., IVe),
une image qui illustre un lectionnaire original espagnol du début
du XIe siècle (1009), où l'écriture copie celle si caractéristique appelée
« wisigothique ». Il s'agit du ms *5 (D)* de l'abbaye de Santo Domingo
de Silos, près de Burgos. Cf. Jesús DOMÍNGUEZ BORDONA, *Manuscritos con pinturas*, t. 1, Madrid 1933, p. 92, fig. 90 ; Augustín
MILLARES CARLO, *Manuscritos visigóticos. Notas bibliográficas*,
Barcelona-Madrid 1963, n. 160 (*Monumenta Hispaniae Sacra.
Subsidia* I). Mais les rinceaux du codex cyrillique (Planche III),
fol. 56[r], large cadre en rectangle couché, horizontal, et les lettres
ornées de palmes avec les parties supérieures anguleuses dénotent
les caractères des manuscrits slaves. Malgré l'aide avisée de
M. Vezin et le concours aimable de M. Vodoff (professeur aux
Hautes Études), que nous remercions également, nos recherches
pour identifier les rapports de ces figurines entre les deux documents
sont pour le moment demeurées vaines. [c]) Josip HAMM, *Staroslavenska
gramatika*, *Skolska knjiga*, Zagreb 1958, p. 18-23. Voir, p. 20, la
reproduction du fol. 57. ID., « Apokalipsa bosanskih krstjana »,
dans *Slovo* 9-10, 1960, Zagreb, p. 71, où l'auteur adopte l'opinion
de V. JAGIĆ, « Analecta Romana », dans *Archiv für Slavische Philologie*, 25, 1903, p. 20-36. Voir V. JAGIĆ, « Glagoličeskoe pis'mo »,
dans *Enciklopedija Slavjanskoj filologij* III, Saint-Pétersbourg 1911.

à celui de l'alphabet du fol. 57 et du passage paulinien.
D'après V. Jagić et J. Hamm (qui reproduit le folio 57ʳ)
cette forme de glagolite était encore en usage au xvᵉ siècleᶜ.
Cet alphabet est probablement une fantaisie du copiste
qui prévoyait la transcription d'un texte glagolitique
ancien, comme langue et comme graphie tel qu'on le voit
en haut du fol. 59 dont la deuxième partie est au contraire
en glagolite du xvᵉ. Les textes en cyrillique de l'Apocalypse
et du Rituel sont copiés d'après un modèle glagolitique
susceptible de remonter à la fin du xiᵉ siècle ou au début
du xiiᵉ. La présence de l'alphabet glagolitique très ancien
du fol. 57 en serait une preuve, surtout si on le compare
à celui du fol. 55 de graphie plus récente.

On peut donc supposer que Radoslav avait sous les
yeux un modèle primitif. Ce rituel comprend le *Pater*,
une invocation *(Adoremus)*, le répons « cela est juste et
bon » (Dostoino i pravedno est) — déjà remarqué par
Euthyme de la Péribleptos —, deux autres *Adoremus*...,
les *Gracia... Benedicite. Fiat nobis... Pater et Filius...
Parcat vobis*..., suivi, après l'alphabet glagolitique ancien,
de l'Évangile de *Jean* 1-17 et s'achève avec la recommandation de l'Apôtre à Tite (2, 12-13) de renier l'impiété,
mener une vie austère dans l'attente « de la bienheureuse
espérance et de l'illumination de la gloire du grand Dieu ».
Le *Pater* adopte non seulement l'expression de pain
' supersubstantiel ' (našusni), mais encore la doxologie
complète « règne, puissance et gloire dans les siècles,
Amen » (sans mention trinitaire) méconnue des Phoundagiagites et acceptée par les dualistes occidentaux.

Ces formules, on l'a vu, constituent tous les éléments
de prières contenues dans le rituel provençal fidèle au terme
' supersubstantialis ' et à la clausule incriminée en
Occident[87]. Or, dans le même codex du Rituel provençal,

---

87. A. Solovjev, « La doctrine », p. 524-528. Cf. *supra*, p. 28, 60,
n. 76, et *infra*, p. 200, 201-203, n. 3, 1 et p. 215, n. 4, 25, Appendice nᵒ 20, p. 287ª.

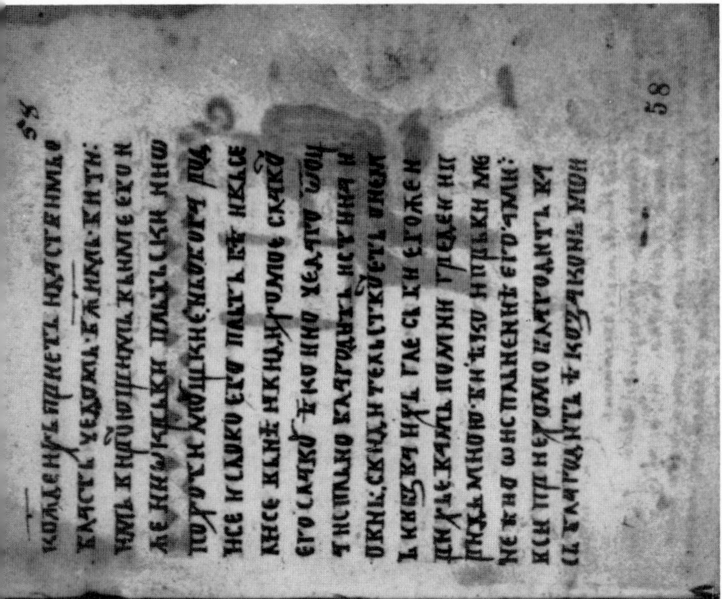

Vatic. Borgiano Illirico 12 ; fol. 57v-58r

le Nouveau Testament qui le précède, fort répandu dans
les milieux cathares languedociens du XIIIe siècle, garde
bien dans *Matthieu* 6, 11, 13, l'expression du pain ' supersubstantiel ', mais ignore la strophe finale. Les deux sections
du codex ne proviennent donc pas d'une même tradition
et l'on sait que l'Évangile provençal suit comme modèle
la Bible latine du *B.N. latin 342*[88].

Le Rituel slavon offre des analogies diverses : une seule
évoque un peu le répons des Phoundagiagites (' cela est
juste et bon '), les autres, nombreuses, rappellent tout
le préambule liturgique du Rituel provençal. A tel point
que J. Ivanov a pu éditer, dans son recueil de textes
bogomiles (1925), le Rituel cathare du manuscrit de
Lyon[a], que Soloviev a retranscrit face à ce Rituel de
Bosnie, en les abrégeant tous les deux. Ivanov affirme
même que le Rituel provençal « représente la version
occidentale du texte bulgare », affirmation qu'il atténue
ensuite : « ce serait une traduction ou un remaniement
du rituel bogomile[b] », opinion que Th.-S. Thomov[c] ne
trouve pas convaincante[89].

Expression d'une réalité spirituelle, tout rituel présuppose l'existence de groupes qui en assurent l'emploi.
En dehors de quelques différends entre les partisans de

---

88. *Rituel provençal*, éd. L. CLÉDAT, p. 470[a], l. 11 : « panem
nostrum super substancialem » ; l. 17 : « Quoniam tuum est regnum
et virtus et gloria in secula amen. » Cf. Append. n° 20, p. 287[a].
Comparer avec le N.T. (éd. CLÉDAT), p. 9[a], 7-8 : « pa qi es sobra tota
causa... Mais delivra nos de mal ». La doxologie manque. Voir
A. DONDAINE, « L'origine de l'hérésie médiévale », dans *Rivista di
Storia della Chiesa in Italia*, 6, 1952, p. 47-78 ; cf. p. 71-72.
Ch. THOUZELLIER, *Catharisme* (1969²), p. 440. Le *B.N. lat. 342*,
fol. 4rb, porte « supersubstancialem » et omet la doxologie.

89. J. IVANOV, *Bogomilski knigi i legendi*, Sofia 1925 ; [a]) sur le
Pater, cf. p. 106 ; le *Rituel cathare provençal*, p. 113, édition traduite
en slave, p. 116-118 ; [b]) p. 55 et 115. Traduction française par
M. RIBEYROL, *Livres et légendes bogomiles* (*Les littératures populaires
de toutes les nations.* Nouv. Sér., XXII), Paris 1976, [a]) p. 123, 124s.
Voir suite de la note aux Addenda, p. 295.

liturgie slave et latine, la Slovanie (synonyme alors de
Dalmatie, Croatie, Bosnie) ne paraît connaître encore, au
xiᵉ siècle, aucune hérésie doctrinale. Cependant, le concile
de Saint-Félix-de-Caraman (1167), si l'on en accepte
les données, fait état d'une église cathare de Dalmatie qui
serait en bons termes avec ses voisines de Bulgarie,
Romanie, etc.[90]. En 1186, Urbain III recommande à
l'archevêque de Split d'interdire certains conventicules[91].
Le prélat expulse de sa région les éléments douteux qui,
nous l'apprend Innocent III par une lettre du 11 octobre
1200, vont se réfugier en Bosnie auprès du ban Kulin[92].
Ces patarins, confirme le pontife peu après, sont suspects
de l'hérésie des cathares[93]. L'enquête menée par Jean de
Casamari, chapelain d'Innocent III, aboutit à la soumission
des inculpés qui, dans leur fraternité, avaient la prérogative
de s'appeler ' chrétiens ' et ne nient pas d'avoir suivi
l'hérésie dépravée (« si aliquo tempore deinceps sectati

90. Sur l'existence de l'hérésie en Bosnie à la fin du xiiᵉ s., cf.
A. V. Solovjev, « La doctrine », p. 481-487. Ch. Thouzellier,
Traité cathare, p. 35-39. A. Dondaine, « Les actes du concile albigeois de
Saint-Félix-de-Caraman », dans Miscellanea Giovanni Mercati V
(Studi e Testi, 125), Città del Vaticano 1946, p. 324-355, cf. p. 326, 34.
La question a été reprise par Fr. Šanjek, « Le rassemblement héré-
tique de Saint-Félix-de-Caraman (1167) et les églises cathares au
xiiᵉ siècle » dans RHE, t. 68, 1972, p. 767-799. Voir infra, p. 85,
n. 143, et p. 148, n. 22-23.

91. Urbain III, Epist. 66, PL 202, 1446-1449 : 11 novembre 1186.
T. Smičiklas, Codex diplomaticus regni Croatiae, Dalmatiae et
Slavoniae, t. II, Zagreb 1904, nᵒ 197, p. 202-204. Fr. Šanjek, « Le
rassemblement hérétique », p. 796.

92. Innocent III, Epist. III, 3, PL 214, 871-873. T. Smičiklas,
Codex II, nᵒ 324, p. 350-352. Ch. Thouzellier, Catharisme, p. 158-
159. Fr. Šanjek, « Les ' chrétiens bosniaques ' et le mouvement
cathare au Moyen Age », dans Revue de l'Hist. des religions, t. 182, 2,
1972, p. 131-181, cf. p. 139.

93. Innocent III, Epist. V, 110, 21 novembre 1202, PL 214,
1108 C. T. Smičiklas, Codex III, Zagreb 1905, nᵒ 11, p. 14-15 :
« qui de damnata Catharorum heresi sunt vehementer suspecti et
graviter infamati ». Ch. Thouzellier, Hérésie, p. 216-217. Fr. Šanjek,
« Le rassemblement hérétique », p. 797.

Pl. VI

Vatic. Borgiano Illirico 12; fol. 58v-59r

fuerimus hereticam pravitatem »). L'acte d'abjuration, auquel ils souscrivent le 30 avril 1203[94], n'est pas un statut que ces frères ont rédigé eux-mêmes d'après la règle basilienne, comme on a pu le dire[95], c'est un règlement, une constitution promulguée par le légat et imposée par Rome, sur le modèle de certains instituts basiliens, monastères d'origine double. Ils s'engagent en outre à ne point recevoir dans leur demeure de Manichéen notoire ou quelque autre hérétique[96].

Au début du XIIIe siècle, l'hérésie patarène (ou cathare) est ainsi attestée en Dalmatie, d'où elle serait passée en Bosnie. Rien n'interdit de penser que ses adeptes utilisaient pour leurs prières un simple recueil d'invocations, jointes au *Pater* et au prologue de Jean. L'une d'entre elles évoque le répons employé chez les hérétiques d'Asie Mineure au XIe siècle, selon Euthyme de la Péribleptos et que, seul parmi les hérésiologues occidentaux, Anselme d'Alexandrie mentionnera près de deux siècles plus tard (c. 1260-1270), dans son exposé du Consolamentum cathare[a]. Le formulaire liturgique adopte en outre la doxologie usuelle en Orient, que l'on retrouve dans les rituels latin et provençal, mais proscrite par les Bogomiles. Les dualistes d'Occident ne l'ont pas empruntée aux bibles courantes du monde latin, plutôt aux quelques rares évangéliaires qui la mentionnent et, disent-ils[b], « ces paroles sont écrites dans

94. INNOCENT III, *Epist.* VI, 141, *PL* 215, 154-155. T. SMIČIKLAS, *Codex* III, p. 24-25. L'acte d'abjuration a été spécialement étudié par Fr. ŠANJEK, *Les chrétiens bosniaques* (Thèse dactylographiée), p. 83-95 et dans *Revue de l'Hist. des religions*, t. 182, 2, 1972, p. 140-141 ; Thèse, éd. 1976, p. 45-50.

95. M. MILETIĆ, *I ' Krstjani ' di Bosnia alla luce dei loro monumenti di pietra* (*Orientalia Christiana Analecta* 149), Rome 1957, p. 55-66 ; spécialement p. 56-57, 64. Voir nos considérations dans *Hérésie*, p. 217-219, et *infra*, p. 188, n. 104.

96. INNOCENT III, *Epist.* VI, 141, *PL* 215, 154. T. SMIČIKLAS, *op. cit.*, t. III, p. 25 : « et nullum deinceps ex certa scientia manicheum vel alium hereticum ad habitandum nobiscum recipiemus ».

les livres grecs ou hébreux[97] ». Leur aveu justifie dans l'ensemble l'authenticité de leurs prières par rapport à la liturgie latine de l'Occident chrétien, sans dédaigner une doxologie d'origine grecque ou hébraïque. Dans leurs relations avec les hérétiques de Dalmatie, ont-ils connu le texte slavon primitif ? L'ont-ils reçu déjà élaboré de leurs émules slaves ? C'est très possible vu les rapports fréquents entre les sectes de Slavonie et de Lombardie[98]. Pourquoi dans ce cas n'auraient-ils pas intégré aussitôt le répons « cela est juste et bon », absent des deux rituels occidentaux et que, selon Anselme d'Alexandrie, ils utiliseront plus tard ? En l'état actuel de la documentation, vu la pénurie de sources, on ne peut mieux élucider le problème qui reste posé.

C. *Le recueil roman de Dublin.*

Dans les documents relatifs à l'hérésie, la doxologie n'est pas exclusive aux Rituels latin, provençal et slavon. On la retrouve dans la prière latine du *Pater*, qu'expose le recueil cathare roman de Dublin qui appartenait à un fonds vaudois du Piémont[99].

Le manuscrit irlandais n'offre pas un rituel mais d'abord une ' Apologie ', longtemps prise pour être d'inspiration vaudoise et qui est un résumé « de croyance et de morale de l'église de Dieu »; ensuite l'Oraison dominicale énoncée en latin, divisée en versets, chacun faisant l'objet d'un commentaire en dialecte roman. La prière latine demande

97. a) Cf. *supra*, p. 61, *infra*, p. 164-165 ; Append. n° 16, p. 277. b) Cf. *supra*, p. 60, *infra*, 4, 25-26. Voir *Liber*, p. 105-106.

98. *De heresi catharorum*, éd. A. DONDAINE, dans *AFP* XIX, 1949, p. 308, 8-11 ; 312, 7-10. Cf. *infra*, p. 152, n. 31, p. 155, n. 38.

99. M. ESPOSITO, « Sur quelques manuscrits de l'ancienne littérature religieuse des Vaudois du Piémont », dans *RHE*, t. 46, 1951, p. 127-159. Cf. p. 131, 138, 140. A. JOLLIOT, *Les Livres des Vaudois*, Thèse dactylographiée des Hautes Études, V^e section, Paris 1973, p. 129-132.

au chapitre V le pain *supersustancialem* et subdivise
ensuite la doxologie (ch. IX-XI) selon les thèmes de
Regnum, Virtus, Gloria qu'elle clôture par A.M.E.N.[100].

Il y a, on le voit, conformité avec les rituels déjà cités,
ce qui porte à quatre le nombre de témoins actuellement
connus d'origine cathare qui, dans leurs prières, optent
pour le texte de *Matthieu* 6, 9-13, de préférence à celui de
Luc 11, 2-4 et admettent la doxologie[101].

Vu le laconisme des oraisons slavones et provençales
dépourvues de gloses, les comparaisons des commentaires
du *Pater* se limitent aux textes latin de Florence et roman
de Dublin. Le recueil irlandais rédigé bien après 1225,
à une période voisine de la composition du *Liber de duobus
principiis* (c. 1235-1240), offre pour la glose du *Pater* un
exposé peu semblable à celui de son homologue florentin[102].
On ne relève guère entre eux de correspondance parmi les

---

100. Th. VENCKELEER, « Un recueil cathare, le manuscrit *A.6.10*
de la ' collection vaudoise ' de Dublin. § I Une apologie », dans
Revue belge de Philologie et d'Histoire, t. 38 B, 1960, n° 3, p. 815-834 ;
cf. p. 817 ; § II « Une glose sur le *Pater* », *ibid.*, t. 39 B, 1961, n° 3,
p. 759-793 ; cf. p. 773, 783-784. Voir les traductions de
W. L. WAKEFIELD, *Hérésies*, Commentaire p. 592 ; Apologie p. 596-
606 ; *Pater* p. 607-630 ; les notes de D. ROCHÉ, « Un recueil cathare :
le Manuscrit *A.6.10* de la ' Collection Vaudoise ' de Dublin », dans
Cahiers d'Études cathares, XXIe année, 1970, IIe Série, n° 46, p. 3-40 ;
et les commentaires de S. HANNEDOUCHE, « A propos de la glose
cathare sur le *Pater* », *ibid.*, 1970, n° 48, p. 3-11 et 1971, n° 49, p. 3-11.

101. WORDWORTH-WHITE, *Novum Testamentum* I, p. 60 et 383,
comparer *Matth.* 6, 9-13 avec *Lc* 11, 2-4 qui omet « in coelis... ; Fiat
voluntas tua... et in terra ; Sed libera nos a malo », la doxologie et
garde « panem quotidianum ». Voir G. SCHWARZ, « *Matthäus* VI,
9-13/*Lukas* XI, 2-4 », dans *New Testament Studies* XV, 1969, p. 233-
247 ; R. FREUDENBERGER, « Zum Text der zweiten Vaterunserbitte »,
ibid., p. 419-432.

102. *Liber*, p. 62. Pour Th. VENCKELEER, « Recueil cathare »,
II, p. 792, n. 3 et p. 789-792, la glose romane « serait certainement
issue d'une partie des Albanenses ». Voir J. GONNET, « Les ' Glosa
Pater ' cathares et vaudoises », dans *Cahiers de Fanjeaux* 3, 1968,
p. 59-67.

citations bibliques si ce n'est pour deux de l'Ancien
Testament et six du Nouveau[103]. En outre, les commentaires du *Pater* diffèrent totalement.

Au premier verset, le texte latin distingue le Père céleste
du père du diable, menteur et père des mauvais. Le roman
au contraire, expose le système des sept substances :
le Seigneur est le père des lumières ou charités, des
miséricordes ou visitations, des esprits; il est aussi le père
des autres substances : vies, âmes, cœurs et corps. On
ne peut voir aucun rapport de cette théorie avec les essences
dont parle le disciple de Lugio[104].

Pour l'un, le nom du Père c'est la loi du Christ; pour
l'autre « le nom du Père a été lésé : c'est la visitation du
Père; visitation qui pécha en volonté, non en fait, et qui
s'appelle Jacob[105] ». Tous deux définissent le règne de
Dieu : c'est le Christ[106]. Que dans le ciel et sur la
terre s'accomplisse la volonté du Seigneur, expriment-ils

103. Les deux de l'Ancien Testament sont : *Lam.* 4,4 (*Rit.* 3, 19 ;
Glose II, 773), *Ps.* 140, 2 (*Rit.* 1, 16 ; Gl. II, 762). Celles du Nouveau
sont : *Matth.* 6, 9-13, d'un seul tenant ; 6, 15 (*Rit.* 2, 9-3, 1 ; 4 ;
Gl. II, 762-784) ; *Jn* 6, 38 ; 6,51 (*Rit.* 2, 34 ; 3, 30 ; Gl. II, 772, 774) ;
I Cor, 10, 13 ; 10, 17 (*Rit.* 4, 19-22 ; 3, 80 ; Gl. II, 778, 773). Les
parallélismes sont indiqués en notes d'éditions. Nous y avons joint,
pour le Consolamentum, les concordances moins rares avec les citations de l'Apologie.

104. Cf. *infra*, 2, 13-14. *Recueil cathare* II, p. 763 (I), 6-20 ; 20-23 :
« aquel Segnor que es paire dels lumes e de las misericordias, ço es de
las caritas e de las visitanças e dels sperit, es atresi paire de totas
las aotras sustancias : ço es a-saber de las vitas e de las armas e
dels cors e dels corses. » — Cf. *Liber*, 23, 11, 19 ; 25, 6, 7, etc.

105. Cf. *infra*, 2, 17-18. *Recueil cathare* II, p. 765 (II), 17-18 :
« Mas aquest nom lo cal fo laiza de quest poble es visitança del Paire
que peque en volonta e no en laideça. » p. 766, 34-35 : « lo nom del
Paire, ço es la visitança la cal, sanctificadoira del Paire, es apelada
Jacob. »

106. Cf. *infra*, 2, 20-21. *Recueil cathare* II, p. 768 (III), 2-4 :
« Aquest regnes per aveniment del cal aquest poble prega lo sio Paire
es fill de David, lo cal es fill de Dio, ço es lo nostre Segnor Yesu
Christ. »

ensemble. Le second expose en outre sa théorie : le ciel est l'esprit; la visitation et la charité sont appelées cieux; la terre est la vie soumise au ciel ou esprit[107]. Les trois substances : esprit, vie et âme, fortifiées par la grâce et la miséricorde, doivent louer le Seigneur[108].

D'après le Rituel latin, on l'a vu, le pain supersubstantiel c'est la loi du Christ; selon le roman, le pain est d'abord le Christ, qui se déclare pain vivant *(pan vio)*. Il y a aussi un pain supersubstantiel qui est la charité superposée à toutes les autres substances indépendantes : visitations, esprit, vie, âme, cœur, corps[109]; la supérieure aidant l'inférieure[110]. La charité est le lien de la perfection, la perfection même, et le peuple la demande au Seigneur afin d'être jugé parfait à ses yeux[111].

L'auteur latin, semblable à celui du Sacramentaire Gélasien, donc à l'instar de Chromace d'Aquilée, sollicite

---

107. Cf. *infra*, 2, 31-34. *Recueil cathare* II, p. 772 (IV), 36-37 : « E aquel cel es l'esperit : car l'esperit es apela cel. Atresi la visitança e la carita son apeladas cels. » 40-41 : « Mas la terra en la cal la volenta de Dio deo esser faita es la terra de vita, la cal es sot posada al cel, ço es a l'esperit. »

108. *Recueil cathare* II, p. 773 (IV), 64-66 : « E aisi aquestas .III. sustancias, ço es l'esperit e la vita e l'arma, receopua gracia e misericordia del sio Paire, son tengudas ab una bocha laovar e beneizir e alegrar se al Segnor. »

109. *Recueil cathare* II, p. 774 (V), 13 et 15 : « Yo soy pan vio lo cal deisendei del cel... » 18-20 : « car la carita per ço es apela pan sobresustancial car es sobre totas las aotras sustancias, ço es a-saber visitança, sperit, vita, arma, cor, cors. » Pour le rituel latin, cf. *supra*, p. 52, n. 52.

110. *Recueil cathare* II, p. 774 (V), 23-33 : « Mas acertas aquesta carita totas cosas sostenent... garda e sosten la visitança ; mas la visitança ajudada de la caritat, garda e sosten l'esperit... Mas lo sperit sosten e garda la vita... » etc.

111. *Recueil cathare* II, p. 775 (V), 83-84 : « ela (carita) es liam de perfecion ; enanz ela es meysma la perfecion. » p. 776, 92-95 : « Per ço aquest poble prega aquest pan sobresostancial, ço es la carita, esser dona a si del Paire, per ço que, cant ille la haoran recebua ille sian troba perfeit en l'esgardament del lor Dio. »

la rémission des fautes dans la mesure où l'on pardonne
à ses persécuteurs. L'écrivain roman reconnaît la culpa-
bilité, narrée à travers l'Ancien et le Nouveau Testament,
du premier être *(primer forma)* Adam et de son peuple.
Le pardon de Dieu est acquis aux pécheurs enclins à la
mansuétude et, depuis le début, redevables de charité au
Seigneur[112], sans que soit précisée la qualité des offenses.

La tentation, double chez les deux commentateurs,
répond à des concepts différents. Pour l'un, elle est soit
diabolique, soit charnelle; pour l'autre elle provient
soit de Dieu et conduit à la vie, soit du diable et mène
à la mort[113]. Le Christ « nostre evesque », dit le glossateur
roman, a éprouvé la tentation. Dieu, que son peuple
a tenté, soumet celui-ci à la même épreuve pour le rendre
digne de la couronne de vie. Ce peuple ne refuse pas cette
tentation, bénéfique; il demande que celle du diable lui
soit épargnée[114].

112. Cf. *infra*, 4, 5-7 et *supra*, p. 54, n. 59 *Recueil cathare* II,
p. 776 (VI), 6, 8-9 : « Per ço aquel paire, ço es l'esperit del primer
forma, confessant los sios pecat al sio Dio, dis en lo vangeli (*Lc* 15, 18,
21) » ; p. 776-777, 16-40, 41 : « ... Per ço lo Saint Paire mande a aquel
poble lo cal havia peca l'un en l'aotre... » 41-53 ; 53-56 : « Per ço
aquest poble... prega lo sio Paire que perdon a-lor los debitz aisicom
els perdonan a tot devent a lor. E deven saber que els eran debitor
de lo començament, ço es a-saber l'un l'aotre que se amesan entre
lor » ; p. 778, 60-74 : « Atresi aquel meysme poble... es debitor d'aquel
debit, ço es de la carita entrecanbiabla... »

113. Cf. *infra*, 4, 11-18 et *supra*, p. 55, n. 60. *Recueil cathare* II,
p. 779-780 (VII), 56-59 : « E es a-saber que la dobla tentacion que
deven al poble de Dio, ço es a-saber la tentacion de Dio e la tentacion
del diavol, per doas coasas es faita a lor : la tentacion de Dio a vita
e la tentacion del diavol a mort. » 60-74.

114. *Recueil cathare* II, p. 778 (VII), 5-7 : « Per ço nostre evesque
Yesu Christ fo tenpta per totas cosas per senblança, sença peca per
ço que el poghes ajudar al sios fraires en las tentacions; » p. 779
(VII), 37-38 : « la tentacion es faita del Segnor al sio poble per doas
razons ; la una es car aquel poble tente lo sio Segnor als ancians dias
e lo prove... » ; 44-47 : « E per ço lo Segnor volc provar e tentar
aquest poble : car lo poble tente luy. La aotra caosa de la tentacion

' Délivre nous du mal ', implorent tous les cathares,
c'est-à-dire du diable qui nous a emprisonnés, continue
l'auteur roman. Celui-ci énumère les diverses appellations
attribuées par l'Écriture au mal : Satan, diable, homme
ennemi, félon, hypocrite, roi Assur surnommé fort,
puissant[115].

La doxologie non trinitaire termine les deux gloses :
l'une rudimentaire, l'autre plus développée, qui traduit
' règne ' par esprit d'Adam : règne racheté par le Christ
qui en a fait le règne de Dieu. L'*esperit del primier* (ou
primar) *forma* s'entend, comme dans les chapitres précé-
dents, de l'une des substances, non de l'esprit dans le sens
actuel[116]. La ' *Virtus* ' est la vie de ce premier *forma* qui
relève du Seigneur auquel toutes les autres vies sont
soumises[117]. La ' gloire ' qui n'est point définie *laus* et

del Segnor es per ço que, cant aquel poble sara prova en las tentacions,
el recepia corona de vita ; » p. 780 (VII), 74-78 : « aquest poble non
prea pas lo sio Paire que no lo tente... mas pregan lo saint Paire
que no los mene en la tentacion del diavol e de la mort per lor peccaz. »

115. Cf. *infra*, 4, 23 et *supra*, p. 55, n. 61. *Recueil cathare* II,
p. 780 (VIII), 2-8 ; 8-12-14 : «... E, cant aquel poble fo paosat en
aquela carcer, ille cridan al Segnor, dizent ' Desliora nos de mal '
(*Matth.* 6. 13) » ; 14-16 : « Aquest mal del cal lo poble de Dio prega
esser desliora, entendem que es lo diavol. Car en las Sanctas Scrituras
el es apela mal e Satanas e diavol. » ; 781, 17-37, *passim* : « El es
apela mal ... es apela Satanas... es apela diavol... es apela hom enemic
...home felon... ome ypocrita... » ; p. 782, 55-58 : « aquest ennemic...
es apela rey Assur... » etc.

116. Cf. *infra*, 4, 25-34 et *supra*, p. 56-57 *Recueil cathare* II,
p. 783 (IX), 2-18 : « D'aquest regne entenden l'esperit del primier
forma e atresi lo ajostament de li sperit sotmes a luy ... Mas lo beneyt
regne del nostre paire David... ço es a-saber lo nostre Segnor Yesu
Christ... Mas sobre aquest regne el meysme, Yesu Christ, se deo
seyr, pois que el lo hara liorat a Dio e al Paire... », etc. Voir *supra*,
p. 73-74 et sur « l'esperit del primer forma » : les chap. I, 61 ; II,
88-89 ; IV, 45 ; VI, 6.

117. Cf. *infra*, 4, 29 : « ' virtus ', quasi dicat : potestatem salvandi
nos habes tu. » *Recueil cathare* II, p. 784 (X), 2-3 : « D'aquesta vertus
nos entenden que es la vita del primer format, lo cal es del Segnor e
la aotras vitas sot paosadas a luy. »

honor, comme dans le rituel latin, réside dans l'âme de
David et dans celles de sa postérité. Le règne, la vertu
et la gloire, c'est-à-dire les trois substances : esprit, vie,
âme, appartiennent au Père pour les siècles. Les siècles
ou charités sont pères des visitations, elles-mêmes pères du
primer forma ou ' Amen ', et de sa postérité pour les
péchés desquels est mort le Christ[118].

Les deux gloses sont, au début, amputées d'une partie
de l'exhortation prémonitoire qui, en terminant, recommande l'oraison dominicale : l'une, comme moyen le plus
sûr d'être exaucé; l'autre parce que cette prière soutient
dans la souffrance et assure le salut du peuple exilé[119].
A part de rares similitudes concernant : le règne de Dieu
qui est le Christ, le pain supersubstantiel, loi du Christ
pour l'un, Christ lui-même pour l'autre, la définition du
mal qui est le diable et la doxologie non trinitaire, aucun
rapport n'existe entre les deux commentaires[120]. En fait,
l'oraison, identique, appartient à la tradition dualiste,
mais les paraphrases divergent : celle du cathare latin
serait plus proche du Sacramentaire gélasien, c'est-à-dire
de Chromace d'Aquilée.

Dès le premier verset, l'auteur roman amorce tout un
symbolisme inconnu de son confrère. La trame de son

118. Cf. *infra*, 4, 31. *Recueil cathare* II, p. 784 (XI), 2-3 : « Entenden
que aquesta gloria es l'arma del nostre paire David e atresi las armas
de li fill de luy » ; p. 785, 14-17 : « Per ço aquestas .III. sustancias,
ço es a-saber lo Regne e la Vertus e la Gloria, ço es l'esperit e la Vita
e l'arma, son del Saint Paire als segles, ço es a-saber als paires, ço
es a-saber en la visitanças... » ; 27-29 : « ço es en la caritas las cals
son paires de la visitanças ; las cals visitanças son paires de amen,
segont que nos entendem ; lo cal es sperit del primer forma lo cal es
apela amen... » ; 31-33 : « Car aquest amen ... per los sios pecatz
nostre Segnor Yesu Christ fo passionat e mort... »

119. Cf. *infra*, 1, 15 et *supra*, p. 17-18. *Recueil cathare* II, p. 762,
Introduction.

120. Contrairement à l'opinion de Th. VENCKELEER, II, p. 759-760,
789. Cf. ci-dessus, n. 116 et voir p. 72, n. 104 ; et p. 73.

exposé repose essentiellement sur le système des sept
substances dont, quelle que soit leur hiérarchie, Dieu est
le Père ; les premières dans les cieux : charités, visitations,
esprits ; les secondes sur terre : vies, âmes, cœurs et corps.
Face à certaines données apparaissent leurs contraires :
à Dieu le Père s'oppose Satan ou diable ; aux charités
véritables nommées ' lumières ', celles étrangères appelées
' nuit '[a] ; et aux visitations du Seigneur ' cordes ' de la
charité, les visitations étrangères désignées aussi ' cordes '
et ' liens '[b] que le Seigneur a rompus[c][121].

Faudrait-il en déduire qu'il y aurait, à tous les échelons,
deux séries de substances, dualisme dérivant des deux
principes ? Si, pour les dualistes, le Christ est bien ' evesque '
ou *episcopus*, les ' substances ' que décrit le liturgiste
roman ne correspondent guère aux ' essences ' évoquées
par le disciple de Jean de Lugio et l'on ne peut conclure,
chez le premier, à une tendance cathare voisine de la
doctrine lombarde[122]. En admettant que la *Traditio
orationis* latine ait paru bien avant le commentaire roman
de Dublin connu après 1225, et même plus tard, précédant
cependant le rituel provençal écrit après 1250, on ne
relève aucune concordance profonde entre les deux
discours sur le *Pater*, seuls documents cathares de l'instruc-

---

121. *Recueil cathare* II, [a]) p. 764 (I), 69-72 : « stragnas caritas,
la cals son apelas noit aisicom las nostras caritas son apeladas lumes ...
de las caritas las cals son lumes de las visitanças : car las enlumenan... » ;
[b]) p. 767 (II) 81-82 : « Enaisi la visitança es cordeta de la caritat per
la cal ela tira a-si l'esperit... » ; 87-88 : « E dereco es de saber que las
visitanças estragnas son atresi apela cordetas e liams... » ; [c]) 91-92 :
« E aquel meysme profeta, fazent gracias al sio Dio, car li havia
ronpudas las cordas sobretidas. »

122. Cf. *supra*, p. 72, n. 104, *Liber*, 23, 11, 19 ; 25, 6, 7 ; 26, 3 ;
27, 3. RAYNIER SACCONI, *Summa de Catharis*, éd. A. DONDAINE,
Un traité néo-manichéen du XIIIᵉ siècle, Rome 1939, p. 64-78 ; cf.
p. 73, ne parle pas d'essences (l. 4-5, 9-10, 16), mais de créatures
(l. 19-21). Dernière édition F. ŠANJEK, dans *AFP*, 44, 1974, p.
31-60 ; cf. p. 53, l. 15-17, 20 ; p. 54, 1, 5-6.

tion des parfaits connus jusqu'à ce jour[123]. Rédigé dans un dialecte d'oc qu'il faut situer dans le domaine dauphinois, le texte du manuscrit de Dublin diffère totalement du dialecte parlé dans les régions de l'Aude, Tarn, Haute-Garonne, Ariège, et qui est celui du Rituel provençal[124] : entre ces deux témoins d'une prière dualiste il n'y a — en dehors de l'énoncé latin — aucun rapport.

D'autre part, le symbolisme particulier qu'exprime le cathare roman s'écarte de la spiritualité manifestée par son émule latin. L'analyse sérieuse du document conduit à la « conclusion irréfutable que ce manuscrit, le plus ancien sans doute des collections vaudoises européennes, est un recueil de textes théologiques cathares[a] ». A l'inverse de ce que pense R. Cegna, il n'a rien à voir ni avec le valdéisme[b], ni avec la Kabbale (Sefer-ha-Zohar) qui, vers la fin du XIII[e] siècle, s'en serait inspirée[c]. L'hypothèse de G. Gonnet que, par ses symboles, la tradition romane « remonterait directement à l'Orient manichéen et gnostique », n'est peut-être pas à écarter[d]. Ces gloses proviennent, en effet, d'un milieu hétérodoxe, mais où prévalent les idées néoplatoniciennes et mystiques. On y verrait plutôt quelque influence tardive des ' Hiérarchies ' de Denys l'Aréopagite[e] et le processus de l'illumination par ordre hiérarchique des essences[125].

---

123. Cf. *supra*, p. 23 et 71.

124. Th. Venckeleer, *Un recueil cathare* I, p. 815-834 ; cf. p. 820. Pour le Rituel provençal, cf. *supra*, p. 23-24.

125. [a]) A. Jolliot, *Les livres des Vaudois*, p. 129. [b]) R. Cegna, « Il manoscritto A. 6. 10 di Dublino », dans *Bollettino della Società di Studi Valdesi*, 1972, n° 132, p. 31-33 : « ... un testo valdese organizzi una teologia cristiana su basi catare... ». Il est aussi difficile d'accepter que « les typiques doctrines hérétiques vaudoises (serment, purgatoire), soient de dérivation cathare ». Id., p. 33. [c]) Id., p. 31-32. G.-G. Scholem, *Les origines de la Kabbale* (Pardès), Paris 1966, p. 167, 202, 204, 207, a montré les contrastes des conceptions cathares avec la doctrine du Bahir paru en Languedoc au XII[e] siècle et, p. 249-253, précisé que « toute connexion » des théories cathares « avec les spéculations kabbalistiques se trouve réduite à néant » (p. 250),

Il en est tout autrement de la paraphrase du manuscrit florentin. Comparé au Gélasien ancien, seul document liturgique auquel on puisse le confronter, et qui n'est autre qu'un sermon de Chromace d'Aquilée, le commentaire latin du *Pater* ne dépend en rien d'un archétype romain. Il reflète une tradition, originaire des Églises d'Afrique, inspirée de Tertullien et de Cyprien aux premiers siècles de notre ère et que l'évêque d'Aquilée a diffusée, plus tard, en Italie du Nord. Quant à sa doxologie, elle obéit aux normes des Églises grecques d'Antioche et de Syrie occidentale[126].

5. Le cérémonial

Qu'en est-il de tout le cérémonial qui accompagne la transmission du *Pater* aux candidats désireux d'entrer dans la communauté ?

Ici, la comparaison s'établit entre les trois rituels : slavon, provençal et latin. Si ce dernier, on l'a vu[127], est démuni des prières préparatoires, on constate au contraire que, à l'exception des préambules : *Benedicite*, *Fiat nobis*, *Parcat nobis...* et trois *adoremus*, exclusifs au texte provençal, des analogies apparaissent en un ordre identique, entre celui-ci et le document de Bosnie.

Tous deux transmettent un simple *Pater*, sans commen-

malgré certaines ressemblances sur « des détails incohérents » et « d'un intérêt secondaire » (p. 251). A un résultat assez confus aboutit Sh. SHAHAR, qui ne considère pas le recueil irlandais et s'en tient aux seuls rapports entre le Bahir, les livres bogomiles et les traités cathares languedocien et lombard : « Le catharisme et le début de la cabale », dans *Annales, économies, sociétés, civilisations*, t. 29, 1974, p. 1185-1210. L'auteur devait reprendre le sujet au colloque de Fanjeaux (juillet 1976). d) G. GONNET, « Les ' Glosa Pater ' » (*supra*, n. 102), p. 66. e) R. ROQUES - G. HEIL - M. DE GANDILLAC, *Denys l'Aréopagite, La hiérarchie céleste* (*SC* 58), Paris 1958, p. XLIII-XLVIII, 109, 153-154.

126. Cf. *supra*, p. 56, 59 et 60.
127. Cf. *supra*, p. 17 et 33.

taire, avec les mêmes leçons que les autres rituels (*super-substancialem*, doxologie)[128] et font suivre l'oraison de trois *adoremus* que le slavon interrompt, seul, par : « Cela est juste et bon ». Ensemble ils disent les *Gracia*, et les invocations *(Benedicite, Fiat nobis, Pater et Filius, Parcat nobis)* que le provençal avait déjà prononcées. Ils récitent ensuite l'évangile de Jean 1, 1-17, où le provençal agrémente le verset 1, 9 du qualificatif *bonem (bonem hominem)*, au lieu du *tot home* que porte l'évangéliaire[129]. En final, le texte slavon rappelle, seul, l'enseignement de Paul à Tite (2, 12-13) d'austérité, justice et piété : principes que les autres rituels recommanderont aux élus au cours de la cérémonie. Là s'arrête la ressemblance du rituel de Bosnie, déjà remarquée par les écrivains yougoslaves, avec le Rituel provençal[130].

Les Phoundagiagites pratiquaient certains rites. A défaut de sources directes, le témoignage d'Euthyme de la Péribleptos nous apprend que l'officiant commençait l'office par un *Adoremus* auquel les assistants répondaient : « Cela est juste et bon. » Probablement, malgré leur refus de la doxologie, leurs cérémonies ressemblaient à celles de leurs voisins de Bosnie, si l'on en croit le ' répons ' presque identique signalé par le moine[131]. D'autre part, on l'a vu, il est difficile de souscrire à l'opinion de J. Ivanov

128. Cf. *supra*, p. 66-67. Pour les comparaisons voir le tableau de l'Appendice, n° 20, p. 287 s.

129. *Nouveau Testament provençal*, éd. L. CLÉDAT, p. 155 b, l. 18 : « Era lutz vera que enlumena tot home venent en aquest mon. » Cf. *supra*, p. 32, n. 74. *Infra*, Appendice n° 20, p. 287ᵇ.

130. F. RAČKI, A.-V. SOLOVJEV, D. MANDIĆ, Fr. ŠANJEK, voir *supra*, p. 64, n. 84-85.

131. Cf. *supra*, p. 61, n. 80 et p. 67 n. 89. EUTHYME DE LA PÉRIBLEPTOS, *Epistula invectiva*, éd. G. FICKER, p. 77, l. 19-22 : « Ἵσταται ὁ πρόκριτος τῶν ἀσεβῶν καὶ ἄρχεται λέγων : προσκυνοῦμεν πατέρα καὶ υἱὸν καὶ ἅγιον πνεῦμα. Καὶ ἀποκρίνονται οἱ συνευχόμενοι : ἄξιον καὶ δίκαιον. Καὶ ἄρχεται τὸ πάτερ ἡμῶν... ». Voir Appendice, n° 5, p. 266.

pour qui « le Rituel provençal serait une version occidentale
d'un livre bogomile bulgare », sinon une traduction. Trop
de différences essentielles, comme on le verra plus loin,
apparaissent avec la première cérémonie des Bogomiles
décrite par Zigabène[132]. L'absence de documents ne permet
pas à ce sujet de plus amples considérations.

On ignore si les chrétiens bosniaques s'adonnaient à la
confession générale appelée ' Service ' ou *apparelhamentum*,
suivie d'une première exhortation entremêlée de *Benedicite*,
procédaient au lavement des mains, faisaient les révérences, préparaient la table disposant l'Évangile pour
l'office, rendaient hommage à l'ancien ou *melioramentum*,
écoutaient l'homélie. Cet ensemble rituel, que confirment
d'ailleurs les aveux recueillis dans les registres des
inquisiteurs, appartient au seul texte provençal[133].

Quelques similitudes ont déjà été relevées entre les
manuscrits de Florence et de Lyon, à la fin de l'homélie
que suit, dans les deux documents, une exhortation de
même style. Momentanément distincts par tout l'exposé
latin du *Pater*, expliqué plus haut, ils offrent, sitôt le
sermon achevé, un parallélisme quasi littéral dans le
déroulement immédiat de la cérémonie.

L'*ordinatus*, ou ministre officiant, prône au croyant
le repentir de ses fautes, le pardon à autrui et le soin de
garder cette sainte oraison toute sa vie avec obéissance,
chasteté < et vérité >. Il prie lui-même le bon Seigneur
de lui donner la force de la recevoir avec fermeté à l'honneur
de Dieu et pour son salut[134].

Puis, le rituel latin continue seul, reprenant le formulaire
déjà énoncé, cette fois à l'adresse du récipiendaire. Désigné
Jean, celui-ci remet le livre des Évangiles au ministre

132. Cf. *supra*, p. 67, n. 89 et *infra*, p. 131.
133. *Rituel provençal*, éd. L. CLÉDAT, p. 471ᵃ-473ᵃ, p. IX-XI :
voir Appendice, n° 21, p. 289, voir *supra*, p. 33-35.
134. *Infra*, 5, 1-15. *Rituel provençal*, p. 475ᵃ, l. 6, 17-21 : « ... gardar
aquesta sancta oratio... ab castetat et ab veritat... » Tableau,
Appendice, n° 21, p. 290-291.

qui l'interpelle : « Voulez-vous recevoir cette sainte oraison et la tenir avec chasteté, vérité, humilité ? » Si l'on assimile l'humilité à l'obéissance, la répétition du rite introduit dans la cérémonie latine, outre la promesse de chasteté, le vœu de vérité, signalé déjà dans le rituel provençal[135].

Malgré la brièveté de ce dernier, qui mentionne seulement la récitation du *Pater* par l'Ancien que suit le croyant, le texte latin, moins laconique, poursuit : « L'officiant dit l'oraison que mot à mot répète le postulant avec celui qui assiste l'*ordinatus*. » Cet ' assistant ' est le ' bos homes ' du texte provençal pour qui l'*ordinatus* ou officiant est l'*Ancia*[136]. Alternativement le célébrant et le croyant prononcent le *perdonum*, puis l'oraison selon l'usage. Finies la prière et les grâces, le néophyte se prosterne devant l'officiant qui le bénit en invoquant le Père, le Fils et le Saint-Esprit pour la rémission de ses péchés. Le croyant se lève alors et, selon les deux rituels, reçoit du ministre le pouvoir de dire cette oraison de jour et de nuit, seul et en société, selon la coutume de l'église de Jésus-Christ et avant de manger et de boire. En cas de manquement, il devrait se confesser et faire pénitence. Le nouvel adepte fait ensuite trois révérences en demandant la bénédiction du ministre et prie Dieu de le récompenser pour le bien qu'il lui a fait. Ce dernier rite, non défini dans le texte latin est appelé *melioramentum* par son corollaire provençal qui, en finissant, recommande aux chrétiens « de faire double avec *veniae* et le croyant après

---

135. *Infra*, 5, 16-25. *Rituel provençal*, p. 475 b, l. 4 : « E puis l'ancia diga la oracio el crezentz que la seguia. » Append. n° 21, p. 291.

136. Comme le fait remarquer le P. A. Dondaine, *Un traité*, p. 44, il y a interversion des noms :

Rituel provençal —	Rituel latin
Ancia	= Ordinatus
bos homes	= ancianus

eux »[137]. Il s'agit de réciter seize *pater* en s'inclinant *(veniae)*. Si le croyant ne doit pas être consolé, il lui convient de recevoir le *servicium* et d'aller en paix.

Conclusion

Ainsi s'achève la *Traditio orationis*, maintes fois exposée chez les Pères et au moyen âge[138] mais ici de facture cathare, similaire entre ses divers témoins. Les concordances, indubitables, sont unanimes entre les quatre textes connus du *Pater* dualiste : slavon, provençal, latin, roman, non dénués de rapport avec la prière bogomile. Seul, un hiatus profond sépare les deux commentaires latin et roman d'inspiration totalement opposée[139].

Dans la cérémonie de la Tradition du *Pater* chez les dualistes, quatre phases sont à considérer. Les deux premières, pénitentielles, l'une avec invocations, *Pater*, nouvelles invocations, Évangile de Jean 1, 1-17, également attestée par les documents slavon et provençal. Il n'est pas dit que le manuscrit de Florence n'en ait pas offert l'équivalence dans un début demeuré inconnu. La seconde comprend le ' service ' ou *apparelhamentum*, spécial au document de Lyon. La troisième serait un exposé du *Pater* avec gloses ou considérations frisant le sermon, tel qu'on

---

137. *Infra*, 6, 1-27 et notes. *Rituel provençal*, p. 475[b], l. 16 : « E puis fassa so miloirer e reda gracias. E puis li crestia fasan dobla ab venias el crezent detras els. »

138. Pour ne pas allonger l'Introduction, nous avons reporté en notes d'édition les rapports du rituel de Florence, non seulement avec ses corollaires, mais avec la Patristique et divers auteurs du moyen âge. Il suffira de s'y reporter. Bien des questions sont ainsi à peine ébauchées : exemple : le ' pain ' défini : « corpus meum » 3, 71-75 s. ; la tentation 4, 11 s. et *supra*, p. 54-55, le problème du mal, etc., qui peuvent susciter chez le lecteur des investigations fructueuses et plus étendues.

139. Cf. *supra*, p. 66 et 71 s.

le voit bref ou étendu dans les textes latin et roman. Enfin, une fois les prières et prêches terminés, le rite proprement dit de la transmission de l'oraison à l'impétrant. Ici, laconique chez l'un, plus explicite chez l'autre, l'accord est complet entre les deux sources provençale et latine.

Il resterait à découvrir si leur homologue slavon n'existerait pas dans des fonds d'archives inexplorés. Le simple formulaire connu s'adapte aussi bien aux litanies du Consolamentum qu'aux invocations de la cérémonie du *Pater*. Toutefois, la parité avec le texte provençal, la quasi-similitude d'un ' répons ' relevé dans le peu que l'on sait de la prière des Phoundagiagites[140], la dissemblance avec le final du Consolamentum qui place le *Pater* entre deux séries d'invocations, alors que le document slavon reproduit seulement les premières, qu'il intercale entre l'oraison et l'Évangile : tout autorise à penser que le fragment appartient plutôt à la *Traditio orationis* qu'à la cérémonie du Consolamentum. Son analogie avec les prières du Rituel provençal est telle que la question se pose d'une source commune, à laquelle le texte latin ne serait pas étranger. Si l'on admet que le Rituel de Florence est antérieur à celui de Lyon et que — hypothèse gratuite — tous deux aient eu pour modèle un archétype puisé à un fond d'antique latinité chrétienne[141], il resterait à déterminer le rapport entre ce modèle primitif et le texte de Bosnie.

Les transmissions d'Orient en Occident et vice-versa, les échanges multiples entre les côtes dalmates et italiennes de l'Adriatique permettent l'extension des idées, la propagation des hérésies et des liturgies qu'elles impliquent. Grâce à Anselme d'Alexandrie, on connaît d'une manière certaine les relations des croisés français (c. 1147) avec

---

140. Cf. *supra*, p. 60-70 et 79 s.
141. Cf. *supra*, p. 23-25.

l'église hérétique de Constantinople[142] et, par le concile de Saint-Félix (1167-1172), les rapports de Nicétas, 'pape' de Constantinople, avec les églises lombardes et languedociennes[143]. Si le consolamentum, que Nicétas administre aux évêques désireux d'entrer dans sa secte, est un rite d'ordination, il est aussi une cérémonie liturgique permettant au croyant d'accéder au grade de Parfait. Faut-il au moins que le candidat ait déjà obtenu la *Traditio orationis*. A défaut de certitude plus fondée, il est loisible de penser que les hérétiques de Lombardie et du Languedoc ont en commun avant la fin du xiie siècle un formulaire analogue à celui des hérétiques de Bosnie et de Constantinople. Le parallélisme des sources atteste une affinité réelle entre les groupes dualistes qui, fractionnés en ordres divers, observent un rite identique.

Le Rituel latin édité ici permet de considérer en outre tout un cérémonial qui, semblable à celui du manuscrit de Lyon, suit les règles de la plus ancienne liturgie chrétienne. Ses gloses sur le *Pater* s'apparentent au commentaire du Gélasien rédigé par Chromace d'Aquilée, nourri de Tertullien et de Cyprien et, de ce fait, rappellent, on l'a vu, la tradition spirituelle des premières églises d'Afrique.

---

142. ANSELME D'ALEXANDRIE, *Tractatus de hereticis*, éd. A. DONDAINE, « La hiérarchie cathare en Italie », II, dans *AFP* XX, 1950, p. 308-324 ; Ch. THOUZELLIER, *Hérésie*, p. 24-30.

143. A. DONDAINE, « Les actes », p. 324-355, texte, p. 326-327 ; Y. DOSSAT, « A propos du concile cathare de Saint-Félix : les Milingues », dans *Cathares en Languedoc* (*Cahiers de Fanjeaux* 3), Toulouse 1968, p. 201-214 ; Ch. THOUZELLIER, *Catharisme*, p. 13-14 ; Ph. WOLFF, « Une discussion d'authenticité, le concile de Saint-Félix en 1167 ; histoire ou légende? » dans les *Documents de l'histoire du Languedoc*, Toulouse 1969, p. 100-105 ; Fr. ŠANJEK, « Le rassemblement hérétique », *passim*, cf. *supra*, p. 68, n. 90 et *infra*, p. 148, n. 22-23. Sur les rapports entre les communautés de Lombardie et celles d'Europe orientale, voir *infra*, p. 152 et n. 31 ; p. 155, n. 38.

CHAPITRE II

LE CONSOLAMENTUM

1. Le cérémonial

Le deuxième acte de la liturgie cathare nous est transmis par les deux seuls manuscrits de Lyon et de Florence et suit aussitôt la cérémonie du *Pater*. Il consiste à conférer au postulant le baptême de l'Esprit, initiation à la Vie du Parfait. Les cathares, en effet, dénient toute valeur au baptême d'eau conféré par Jean-Baptiste avec une matière créée par le diable et qui fait obstacle au baptême du Christ ou don de l'Esprit-Saint[1]. Ils administrent ce sacrement *(ordinamentum)* en imposant à la fois le Livre et les mains sur la tête du récipiendaire qui reçoit ainsi l'Esprit-Paraclet ou Consolateur, c'est-à-dire l'esprit que l'âme déchue a abandonné au ciel[2].

Ce baptême est précédé de toute une cérémonie que le Rituel latin décrit en détail.

Le croyant et l'Ancien de son *hospitium* qui l'accompagne font leur *melioramentum*, soit trois révérences devant l'*ordinatus* ou ministre, en priant[3]. Celui-ci et toute

---

1. MONETA DE CRÉMONE, p. 278-279-283.
2. E. BROECKX, *Le catharisme*, p. 170. J. GUIRAUD, *Inquisition*, t. I, p. 109-110.
3. *Rituel provençal*, éd. L. CLÉDAT, p. 475ᵇ, l. 20 : « E si deu esser cossolatz ades, fasa so milhoirer. » On lit aussi *ibid.*, l. 16 só miloirer, p. 473ᵃ, l. 15 so meloier : déformation de milhor milhour-ra, et melhorar. *Dict. prov. fr.* (*infra*, p. 93, n. 17), p. 548, 621, 622. Cf. *infra*,

l'assemblée de chrétiens et de chrétiennes disent sept oraisons afin d'obtenir que les faveurs du ciel se répandent sur l'officiant qui s'humilie et invoque le pardon de ses fautes. L'*Ancianus* qui l'assiste l'absout au nom du Père saint, juste et vrai, etc. « Amen » répond le célébrant. L'assemblée fait alors trois révérences en disant chaque fois *Benedicite* et en implorant aussi la miséricorde divine. A son tour, l'officiant absout le groupe des fidèles en répétant les mêmes formules. Il s'agit, on le voit, de rites purificatoires exceptionnels de la part du ministre et de l'assemblée qui vont ensemble procéder au baptême.

A cet effet, l'*ordinatus* (l'égal de l'Ancien) prépare lui-même la table avec le Livre. Le récipiendaire s'approche de lui, reçoit le Livre de ses mains et fait trois révérences, comme pour le *Pater*. De même, le ministre l'interpelle et l'interroge : « Veut-il recevoir le baptême spirituel de Jésus-Christ et le pardon de ses péchés à l'aide des instances des bons chrétiens, avec l'imposition des mains et le garder toute sa vie avec chasteté et humilité ? » A l'acquiescement du croyant qui implore le secours de Dieu, le ministre, répétant les mêmes formules de la *Traditio orationis*, demande au Seigneur la grâce d'accorder cette faveur à l'impétrant et commence son admonition. Muet sur tout ce cérémonial prémonitoire[4], le Rituel provençal

---

7, 1-24. L'*ancianus*, c'est le ' bon homme ' qui dirige probablement l'hospice ou maison de la communauté. On lit en effet dans les registres d'Inquisition, Doat 21, fol. 185ᵛ : « Huga ... fuit receptatrix hereticorum, audivit multotiens predicationem eorum et multotiens adoravit eos et dedit eis de bonis suis et venit ad eos pluries ad *hospitia*, in quibus erant, ubi audivit pluries predicationem eorum et credebat tunc quod essent boni homines et interfuit hereticationi dicti viri sui. » 186ʳ : « Alazais de Laguiebra... pluries adoravit eos (hereticos) et venit ad *hospitia* eorum pluries. » Moneta de Crémone, p. 278ᵃ : « Et proprium habent *hospitium*, in quo Fratres extraneos qui superveniunt hospitalitatis causa recipiunt. »

4. *Infra*, 8, 1-15. Le *Rituel provençal*, p. 475ᵇ, l. 21 se limite à : « e pre<n>ga le libre de la ma de l'ancia ». Voir Appendice, nº 22, p. 293ᵃ.

transmet aussi un sermon, plus restreint d'ailleurs que celui du manuscrit de Florence, mais tous deux s'appuient sur bon nombre d'autorités scripturaires communes[5].

Dans une courte introduction, chacun avertit le récipiendaire (Pierre chez l'un, Jean chez l'autre), de la solennité de l'acte que le texte latin commente largement. Ensemble ils insistent sur le don du Saint-Esprit dans l'église de Dieu avec la sainte oraison, l'imposition des mains des *bos homes*[6]. Alors que le premier s'en tient à une énumération de versets bibliques, le second (latin) explique le sens de ce baptême de l'esprit et de feu, renaissance spirituelle grâce au Christ venu purifier de leurs fautes les âmes des apôtres, celles du peuple de Dieu, et qui a ensuite confié cette mission purificatrice aux disciples[7a]. Or, l'église de Jésus-Christ procède à ce baptême par imposition des mains au nom de l'Écriture; l'église de Dieu lui en a conféré le pouvoir après les Apôtres qui, selon les Actes et les lettres de Paul, ont accompli ce ministère[b]. Comme l'a dit *Pierre* (I, 3, 21), cet *ordinamentum* est « la demande à Dieu d'une bonne conscience par la résurrection de Jésus-Christ[c] ». « Les vrais chrétiens instruits par l'Église primitive accomplissent ce ministère de l'imposition des mains qui est le baptême d'esprit de charité, seul gage de salut[8]. » Une même déclaration du texte provençal fait écho à cet aveu et renchérit sur l'origine apostolique de l'église cathare : « Les apôtres imposaient les mains pour transmettre le Saint-Esprit;

---

5. On relève dans les deux textes les versets : *Matth.* 3, 11 ; 16, 18-19 ; 18, 18-20 ; 28, 19-20 ; *Mc* 16, 15, 17, 18 ; *Jn* 3, 5 ; 20, 21-23 ; *Act.* 8, 14-17 ; 9, 17-18.

6. *Rituel provençal*, p. 475[b], *in fine:* « En Peire voletz recebre lo bab(476[a])tisme esperital, per loqual es datz Sant-esperit en la gleisa de Deu, ab la santa oracio, ab l'empausament de las mas dels bos homes ; » p. xvi. Cf. *infra*, 9, 1-10.

7. Cf. *infra*, a) 9, 4-91 ; b) 10, 1-13-57 ; c) 11, 1-7.

8. Cf. *infra*, 12, 26-29.

ce saint baptême, l'église de Dieu l'a gardé depuis les apôtres jusqu'à maintenant; il est venu de *bos homes* en *bos homes* jusqu'ici et le sera jusqu'à la fin des siècles[9]. »

Cette justification du baptême spirituel est aussi le fait de l'Apologie cathare contenue dans le manuscrit de Dublin et où l'on retrouve la plupart des autorités bibliques citées dans les deux Rituels[10].

Fort d'appartenir à l'authentique église du Christ, le célébrant, selon le rituel de Lyon, rappelle au récipiendaire les commandements qui, dans le Nouveau Testament, prohibent l'adultère, l'homicide, le mensonge, le serment, le vol, le mal à autrui; recommande le pardon, l'amour des ennemis, la prière pour les calomniateurs, le support des injures et la haine de ce monde : ce que fera plus loin le texte latin et que développe amplement le codex roman de Dublin[11].

Le rituel latin explique seul la suite de la cérémonie.

9. *Rituel provençal*, p. 476ᵇ, l. 24 : « Adoncas (li apostols) pausavan las mas sobrels e recebio Sant esperit. Aquest Sanh (477ᵃ) baptisme per loqual Sant esperit es datz a tengut la gleisa de Deu dels apostols en sa, et es vengutz de bos homes en bos homes entro aici, e o fara entro la fi del segle ; » p. xvii.

10. *Recueil cathare* I, *Apologie*, éd. Th. Venckeleer, dans *Revue belge de Philologie et d'Histoire*, t. 38, 1960, n° 3, p. 815-834. Cf. ch. 1-2, p. 820-823 ; et ch. 11, p. 829-831 : « Aquesta gleisa fay lo saint batism sperital, ço es lo enposament de las mans, per lo cal es donat lo Saint Sperit... » Les concordances sont chaque fois indiquées en notes d'édition.

11. *Rituel provençal*, p. 478ᵃ, l. 6-22 : « E sapiatz que el (Christ) a comandat... », p. xviii-xix. *Recueil cathare* I : *Apologie*, cf. ch. 3, p. 823 : « Aquesta gleisa se garda de aocire, ni a aotre non o consent... » 4, p. 824 : « Aquesta gleisa se garda de avotrar e de tota soçura... » 5, p. 824 : « Aquesta gleisa se garda de far furt ni laironici... » 6, p. 825 : « Aquesta gleisa se garda de mentir e de dire fals testimoni... » 7, p. 825 : « Aquesta gleisa se garda de jurar... » 8, p. 826 : « Aquesta gleisa se garda de blastemar e de maleisir... » 9, p. 827 : « Aquesta gleisa garda e ten totz los comandament de la ley de vita... ». *Rituel latin, infra*, 9-10-11-12. Pour la règle morale, cf. 13. Voir Appendice, n° 22, p. 293ᵇ.

Le ministre s'adresse personnellement au croyant, comme il l'avait fait pour le *Pater*, mais cette fois en fonction même du sacrement à conférer et de l'homélie qu'il vient de prononcer. En présence de l'église de Jésus-Christ, le croyant va recevoir ce baptême de l'imposition des mains et le pardon de ses péchés vu la demande d'une ' bonne conscience ' adressée à Dieu en sa faveur par les ' bons chrétiens '. Mis en demeure, en l'instant même, de comprendre qu'il est devant l'église de Dieu en qui habitent le Père, le Fils et le Saint-Esprit, le néophyte doit spirituellement, avec son âme, se mettre devant Dieu, le Christ et l'Esprit Saint, prêt à recevoir ce sacrement *(ordinamentum)* de Jésus-Christ. Et comme il a reçu en mains le Livre qui renferme les préceptes et les conseils du Christ, obligation lui est faite de pratiquer en son âme la loi du Christ et de l'observer toute sa vie[12].

En divers paragraphes, le Rituel de Florence enseigne au récipiendaire la règle morale qu'il doit s'engager à suivre : aimer Dieu avec vérité, générosité, humilité, miséricorde; être fidèle et soumis à la loi dans les choses temporelles et spirituelles; faire le vœu de ne jamais commettre ni homicide, adultère, vol public ou privé; ni serment volontaire ou occasionnel ni par sa vie ni par sa mort; s'abstenir de certains aliments; supporter au nom de la justice du Christ la faim, la soif, les scandales, la persécution et la mort, par amour de Dieu et pour son salut; obéir à Dieu et à l'église, accomplir leur volonté et ne jamais rejeter ce don (du consolamentum) que Dieu lui accorde la grâce d'acquérir, mais de le garder sa vie durant avec pureté de cœur et d'esprit[13]. Nul ne doit supposer que ce baptême qu'il va obtenir l'amène à mépriser l'autre baptême, à renier son christianisme antérieur et le bien qu'il a fait jusqu'ici, mais il lui convient

12. Cf. *infra*, **13,** 1-19.
13. Cf. *infra*, **13,** 20-71.

de recevoir ce saint sacrement du Christ pour suppléer
à celui reconnu insuffisant au salut[14]. Après cette longue
et ultime exhortation se déroule la cérémonie du
consolamentum.

L'*ordinatus* prend le livre des mains du croyant, lui
demande à nouveau s'il veut recevoir ce saint baptême dans
les conditions prévues. A la réponse affirmative, l'officiant
le lui accorde au nom du Seigneur vrai Dieu. Le récipiendaire se tient avec révérence devant le ministre et répète
la formule que prononce l'Ancien qui assiste le célébrant :
c'est une invocation pour la remise de tous les péchés
antérieurs et l'intercession du ministre. A sa requête,
le célébrant lui accorde le *perdonum* au nom de Dieu, en
son nom personnel, celui de l'église et de son saint ordre
avec la miséricorde divine. « Amen », répond le croyant.
Joint à celui-ci (d'après le texte provençal), l'un des
bons hommes fait avec lui son *melioramentum* devant
l'officiant et dit à tous : *Parcite nobis...*, geste et invocation
que le croyant répète à son tour. C'est en fait une absolution
générale donnée au récipiendaire, qui la reçoit de toute
l'assemblée des chrétiens présents et non seulement du
célébrant comme dans le rituel latin[15].

Après tous ces préambules propitiatoires, qui témoignent
de la rigidité morale de l'ordre cathare, le moment solennel
est arrivé. Le croyant se lève, pose la main sur la table
devant l'*ordinatus* qui lui impose le Livre sur la tête et tous
les autres clercs *(ordines)* et les chrétiens présents imposent
sur lui la main droite, tandis que le célébrant prononce
la parole rituelle : « Au nom du Père, du Fils et du Saint-
Esprit. » « Amen », répondent l'Ancien qui assiste l'officiant

14. Cf. *infra*, 13, 72-81.

15. Cf. *infra*, 14, 1-26. *Rituel provençal*, p. 478[b], *in fine* : « E puis
la us dels bos homes fasa so miloirer ab le crezentz a l'ancia... » 479[a],
l. 10 : « E li crestia digan ' De deu, e de nos, e de la gleisa vos sian
perdonat e nos preguem Deu que les vos perdo ; » p. xx. Sur « miloirer»,
cf. *supra*, n. 3. Voir Appendice n° 22, p. 293 [a-b].

et l'assemblée. Le ministre récite ensuite les prières latines du *Benedicite... Fiat nobis... Pater et filius... Parcat omnia* et trois *Adoremus*, qui rappellent les invocations pénitentielles préludant à la *Traditio orationis* et communes aux textes slavon et provençal[16]. Celui-ci reproduit le rituel latin presque littéralement, ajoute à son exemple la supplique *Pater sancte*, suivie chez tous deux du *Pater noster*, de cinq ou six oraisons ('sezena') à voix basse (ecelar), trois *Adoremus*, une autre oraison à voix haute, écrit le provençal ('en auzida'), trois *Adoremus* et l'Évangile de Jean que termine encore deux fois trois *Adoremus* entrecoupés d'une oraison. Le Rituel de Lyon se contente, après l'Évangile, d'une seule fois trois *Adoremus*, qu'il fait suivre de *gratia* et *parcias*. Le texte latin s'en tient seulement à *gratia (et levet gratiam)*. Le nouveau « chrétien » embrasse le Livre, fait trois révérences en disant trois fois *Benedicite*, témoigne sa reconnaissance à l'officiant. Et tous : clercs de l'ordre, chrétiens et chrétiennes, reçoivent le 'service' selon l'usage[17].

Si la cérémonie est, à peu de variantes près, semblable dans les deux témoins qui nous la transmettent, celle que décrit le manuscrit de Lyon fait davantage participer l'assemblée des chrétiens aux prières, que tous récitent avec le célébrant. Celui-ci dit seul la 'sixaine', les invocations et l'Évangile, la communauté reprend en commun pour finir les *Adoremus*, *gratia* et *parcias*. Surtout, fait inconnu du codex de Florence, les assistants se donnent tous mutuellement et avec le livre le baiser de paix;

---

16. Cf. *infra*, **14**, 26-39. Cf. Appendice nos 20 et 22, p. 287[a], 293[d].

17. Cf. *infra*, **14**, 39-48-54. *Rituel provençal*, p. 479[a], 12, 13 s. : « E puis devo lo cossolar... *in fine :* e can l'avangeli es ditz devo dire. III. adoremus e la gratia (479[b]) e las parcias. » p. xx-xxi. D'après un ancien glossaire occitanien, repris dans la nouvelle édition anast. de S. J. HONNORAT, *Dictionnaire provençal-français (ou de langue d'oc)*, I, Marseille 1971, « Auzida » vient de « auzir », entendre et « celar » = cacher, cf. p. 182, 193 et 453.

les croyants, s'il y en a, font de même entre eux et les
croyantes avec le livre.

Le Rituel provençal indique ensuite assez longuement
les conditions dans lesquelles le chrétien doit prier, ' tenir
l'oraison '. Puis il transmet le ' Consolamentum des mourants ' : autant d'éléments ignorés du Rituel latin[18].

La liturgie cathare montre à quel point la secte dualiste
se considère comme un ordre spécial, une fraternité
représentant l'église de Jésus-Christ qui est celle de Dieu.
Ses membres sont composés des ministres ou hiérarchie
ecclésiastique *(ordinati* et *ordines)*, des *bos homes* ou
Parfaits, c'est-à-dire de ' chrétiens ' authentiques ayant
reçu le consolamentum, et des croyants ou fidèles qui,
admis à réciter le *Pater*, aspirent au baptême. Seuls les
' ordines ' et les ' chrétiens ' ou parfaits sont autorisés
à entourer le ministre dans la cérémonie baptismale;
et leur assemblée joue un rôle par ses intercessions et sa
participation au rite d'imposition des mains.

L'initiation exige l'abstinence, des privations dures et
sévères, la soumission à des principes rigoureux de vie
morale. La longue préparation liturgique insiste sur
l'intégrité totale du célébrant, l'absolution des fautes

---

18. *Rituel provençal*, p. 479[b], 1 : « E puis devo far patz entre lor
et ab lo libre... 7 s. Mesagaria de tenir dobla ni de dire la oracio, etc... »;
p. 480[a], 13 : Consolamentum des malades, voir App. n⁰ 22, pl.
viii-ix. Il résume les trois éléments essentiels du rite : 1) L'obligation
de l'abstinence et l'engagement à suivre les coutumes de l'église que
l'on expose au malade (p. 480[a], 13 - 481[a],6) ; 2) la cérémonie de l'oraison
(p. 481[a], 6 s.) qu'on lui passe : *li passar la oracio* (l. 25) après s'être
assuré qu'il a tenu sa promesse ou *covenesa*, l. 21 ; 3) la cérémonie
du consolamentum, pour l'homme et pour la femme avec les mêmes
formules liturgiques (p. 481[b], 15 - 482) ; l'imposition des mains, par
tous les ' bos homes ' avec la différence qu'ici, le texte dit *las mas*
(482[a], 6) soit : les deux mains et pas seulement la main droite (cf.
supra, p. 92, 2⁰ alinéa). En cas de mort du consolé ses legs sont remis
à la disposition de l'ordre ; s'il survit, les ' chrétiens ' doivent
l'amener à refaire le consolamentum (482[b], 10-18). Traduction dans
L. CLÉDAT, p. XXII-XXV.

tant des membres présents que de l'impétrant. Il y a chez tous une recherche réelle de pureté profonde de l'être intérieur, forme d'ascèse spirituelle qui, une fois reçu le baptême du Saint-Esprit, garantit le salut. On a vu à quel point la *Traditio orationis* plongeait ses racines dans la haute antiquité chrétienne. La liturgie du consolamentum en appelle de même à l'église primitive des apôtres dont, de *bos homes* en *bos homes*, ils assurent la pérennité[19].

En dehors des renonciations imposées, les deux actes essentiels de la cérémonie demeurent l'imposition des mains et l'imposition du Livre.

2. L'imposition des mains

L'imposition des mains est un rite très en usage dans la Bible (Pentateuque), où il se pratique sur la tête des victimes destinées aux sacrifices[20]. Comme tel, il existe aussi chez les Babyloniens, les Cananéens et les Hittites. Chez les Sémites assyro-babyloniens, le rôle et la position de la main qui tient la tête de l'agneau sont minutieusement réglés pour le sacrifice. On exige une grande pureté du prêtre qui officie, de son assistant, de tous ceux qui prennent part au sacrifice et de la victime : l'agneau doit être intact[21].

19. Cf. *supra*, p. 79, n. 126 ; p. 90, n. 9. J. IVANOV, *Bogomilski knigi i legendi*, Sofia 1925, p. 120, n. 5, interprète le terme *boni homines*, comme « parfaits bogomiles de l'Europe occidentale » ! Trad. française, p. 353, n. 163.

20. Notamment *Ex.* 29, 10, 15, 19 ; *Lév.* 1, 4 ; 3, 2, 8, 13 ; 8, 14, 18, 22 ; *Nombr.* 8, 12. Voir G. LEONARDI, « ' Imposizioni delle mani ' e ' unzioni ' nella Sacra Scrittura », dans *Studia Patavina (Rivista di Filosofia e Teologia)*, VIII, 1961, p. 3-51 ; cf. p. 7-10.

21. G. FURLANI, « Il sacrificio nella religione dei Semiti di Babilonia e di Assiria » (*Memorie della Reale Accad. Naz. dei Lincei*, 6e série, t. IV, fasc. 3), Rome 1931, p. 171, 178-179, 339-340 et 349. R. DUSSAUD, *Les religions des Hittites et des Hourites, des Phéniciens et des Syriens* (*MANA, Les Anciennes religions orientales*, II), Paris 1949, p. 384.

On le rencontre comme geste de bénédiction de Jacob sur la tête des deux fils de Joseph : Manassé et Éphraïm (*Gen.* 48, 14-18)[22], ou de consécration des Lévites (*Nombr.* 8, 10); en signe de transmission de l'autorité d'un chef à un autre promu à cette fonction, ex. le cas de Josué successeur de Moïse qui lui impose les mains[23]. Dans le Nouveau Testament il traduit, notamment dans les Évangiles et les Actes, le geste de guérison maintes fois opéré par le Christ et ses apôtres[24], ou celui de bénédiction (*Matth.* 19, 13, 15; *Mc* 10, 16, etc.).

L'imposition des mains ne fait pas partie du baptême primitif proprement dit, elle le complète. Le baptême de Jean dans l'eau du Jourdain (*Jn* 1, 26) n'est selon *Matthieu* (3, 11) et Paul qu'un baptême de repentance (*Act.* 19, 4-5), auquel supplée le Christ qui baptise avec l'Esprit-Saint, écrit *Jean* (1, 33). Une fois ressuscité, Jésus insuffle à ses disciples le Paraclet ou Esprit de Vérité (*Jn* 20, 22-23; 14, 16-17, 26; 16, 13) et leur donne le droit de lier et de délier. Après la Pentecôte (*Act.* 2, 4), les apôtres ayant reçu le Saint-Esprit le confèrent par imposition des mains aux Samaritains nouvellement baptisés (*Act.* 8, 16-17); Paul agit de même à l'égard des Éphésiens (*Act.* 19, 1-6)[25].

---

22. J. COPPENS, *L'imposition des mains et les rites connexes dans le Nouveau Testament et dans l'Église ancienne* (*Universitas catholica Lovaniensis Dissert.* II, 15), Paris 1925, p. 2-3. « La bénédiction de Jacob », dans *Vetus Testamentum*, Supplément IV, 1957, p. 97-115.

23. *Nombr.* 27, 18-23 ; *Deut.* 34, 9. Cf. J. COPPENS, *L'imposition*, p. 162-164. K. HRUBY, « La notion d'ordination dans la tradition juive », dans *La Maison-Dieu* 102, 1970, p. 30-56, cf. p. 31-32, 51.

24. *Matth.* 9, 18 ; *Mc* 5, 23 ; 6, 5 ; 7, 32 ; 8, 23, 25 ; *Lc* 13, 13 ; *Act.* 5, 12 ; 9, 12, 17 ; 19, 11 ; 28, 8-9. Voir P. GALTIER, art. « Imposition des mains », *DTC* VII[2], Paris 1923, p. 1302-1425 ; F. CABROL, art. « Imposition des mains », dans *Dict. d'Archéol. chrétienne et de Liturgie* VII[1], Paris 1926, c. 391-413 ; J. COPPENS, *L'imposition*, p. 28, 35-48, 61-82 ; G. LEONARDI, « Imposizioni », p. 14-15.

25. Le Rituel latin s'appuie sur ces autorités, *infra*, **10**, 16-37.

Faut-il y voir un rite de confirmation? Très probablement[26]. Parfois même l'Esprit-Saint se manifeste chez bien des Gentils non encore baptisés comme le constate Pierre (*Act.* 10, 44-46). Ce don de l'Esprit-Saint qui requiert des dispositions morales de pureté, droiture, humilité — telles que l'exigeaient les cathares soucieux d'agir selon l'esprit de vérité[27] — « passe à travers Jésus-Christ[28] » que, chez les dualistes, représentent les ministres, ses assistants et tous les chrétiens. Bien des analogies, on le voit, confirment les prétentions des hérétiques à se réclamer de l'église primitive, surtout lorsqu'ils invoquent les Actes et les lettres de Paul à Timothée[29].

Selon la Bible, l'imposition des mains est une cérémonie donnant lieu à diverses interprétations. Elle est aussi un rite d'ordination. Les apôtres accordent les pouvoirs de juridiction en rappelant le geste de Moïse sur Josué. A Jérusalem, ils instituent ainsi sept élus choisis par l'assemblée (*Act.* 6, 6). A Antioche, Paul et Barnabé reçoivent de même l'ordre de mission (*Act.* 13, 1-3) et, à leur tour, établissent divers Anciens en certaines églises de leur ressort (*Act.* 14, 23)[30]. Dans son code pastoral, Paul recommande à Timothée d'entretenir en lui le don spirituel ou don de Dieu, qu'il a reçu par l'imposition des mains du *presbyterium* (II, 1, 6 et I, 4, 14) et de ne jamais le transmettre trop précipitamment à personne (I, 5, 22)[31].

---

26. Voir J. Coppens, *L'imposition*, p. 184-193, et la discussion des critiques formulées, ch. III, p. 220-248.

27. Cf. *supra*, p. 81, n. 134 ; p. 90-91 ; *infra*, 5, 9-10, 19-21.

28. J. Coppens, « Le don de l'esprit d'après les textes de Qûmran et le quatrième Évangile », dans *L'Évangile de Jean* (*Recherches bibliques*, III), Paris 1958, p. 210-223, cf. p. 222.

29. Voir *infra*, 10, 16-37 et 51-57 : *Act.* 8, 14-17 ; 19, 1-7 ; — *I Tim.* 5, 22 ; *II Tim.* 1, 6 ; *Hébr.* 6, 2.

30. Cf. p. 96, n. 23. G. Leonardi, « Imposizioni », p. 15, 17-19. J. Colson, « Désignation des ministres dans le Nouveau Testament », dans *La Maison-Dieu* 102, 1970, p. 21-29, cf. p. 28.

31. G. Leonardi, « Imposizioni », p. 19-22. Sur tout ceci, voir

Ces divers témoignages d'imposition des mains confirment l'installation de diacres, prêtres, même d'évêque, dans le cas de Timothée, par les apôtres, soit « la diffusion universelle du rite d'ordination[32] ».

C'est l'objectif essentiel des dualistes. Leur prédicateur énonce d'abord les arguments scripturaires qui définissent le sens du mot baptême : purification[33a]; baptême non pas d'eau mais d'esprit, au nom duquel les ' vrais chrétiens ' actuels, héritiers des disciples, peuvent remettre les péchés[b]. S'il mentionne les rites de confirmation et de guérison par l'œuvre du Saint-Esprit[c], il fait peu de cas des gestes de sacrifice, de bénédiction, de réconciliation des hérétiques et des pénitents dans la primitive Église : il recourt plutôt à ceux qui révèlent la fonction apostolique attribuée par imposition des mains[d]. Il remonte ainsi à l'origine du rite d'ordination et place son église au cœur même de la *Vita apostolica* : celle qui, selon le texte provençal de *bos homes* en *bos homes* est parvenue jusqu'à présent[e]. Ce baptême d'esprit de charité est le baptême des ' vrais chrétiens ' instruits par l'église primitive et qui demandent à Dieu une bonne conscience[34].

*
* *

J. COPPENS, *L'imposition*, p. 120-136. J. COLSON, « Désignation », p. 28-29.

32. J. COPPENS, *Ibid.*, p. 136 et 170. Voir aussi J. DAUVILLIER, *Les temps apostoliques, Ier siècle* (*Histoire du Droit et des Institutions de l'Église en Occident* II), Paris 1970, p. 306-310.

33. Cf. *infra*, a) 9, 20-43 ; b) 9, 45 s., 10, 9-13 ; c) 10, 16-51 ; d) 10, 1-9, 51-57 ; e) Cf. *supra*, p. 90, n. 9. Voir Fr. DE SAINT-PALAIS D'AUSSAC, *La réconciliation des hérétiques dans l'Église latine* (*Études de science religieuse*, 2), Paris 1943, p. 69, 78-88-89, 99-101, 113, 118-122, 140-146, 152, 167, 172-175.

34. Cf. *infra*, 11, 5-6 ; 12, 13, 15-16, 27-28 ; *supra*, p. 89, n. 7-8.

La présomption des cathares à tenir leur baptême (consolamentum) des origines du christianisme se trouve justifiée par les documents liturgiques primitifs. L'imposition des mains n'apparaît pas dans la *Didachè* ou Instructions des Apôtres écrite en Syrie au Ier siècle et qui recommande le baptême d'eau avec jeûne préalable[35]. Elle est pour la première fois signalée comme rite, d'abord d'ordination, puis de baptême, dans la *Tradition apostolique* du IIIe siècle et dont l'auteur reste encore un personnage assez discuté. Les historiens modernes sont d'accord pour attribuer l'œuvre à Hippolyte dont le nom était assez répandu au début du IIIe siècle. M. P. Nautin en distingue au moins trois dans le martyrologe, auxquels s'ajoute celui indiqué par Eusèbe comme ayant porté à Rome une lettre de Denys d'Alexandrie[36]. L'Hippolyte non identifié, auteur de la *Traditio*, aurait « écrit au milieu du IIIe siècle et ailleurs qu'à Rome[37] ». Il serait à ne pas confondre avec l'antipape Josipe, auteur d'autres œuvres et que représenterait la statue découverte en 1551 à l'Agro Verano, dressée aujourd'hui à l'entrée de la Bibliothèque Vaticane et sur le socle de laquelle figurent un cycle pascal et une liste d'ouvrages[38].

Le P. J.-M. Hanssens signale quatre Hippolyte en

---

35. *Didachè* VII, 1-4, éd. J.-P. Audet, *La Didachè*, p. 232-233 ; St. Giet, *L'énigme*, p. 172. Cf. *supra*, p. 36 et 39, n. 7 et 13. L'absence de l'imposition des mains, remarque W. Rordorf, « Le baptême selon la ' Didachè ' », dans *Mélanges liturgiques offerts au R. P. dom B. Botte*, Louvain 1972, p. 499-509, dénote le caractère archaïque de la *Didachè* qui se rattache à une tradition répandue à l'origine du christianisme.

36. P. Nautin, *Hippolyte et Josipe (Études et textes pour l'histoire du dogme de la Trinité* I), Paris 1947, p. 91 et 96, n. 4.

37. Id., p. 99-100, 102.

38. Id., p. 17-18. Voir G. Bovini, *Sant'Ippolito dottore e martire del III secolo*, Citta del Vaticano 1943. Le comput pascal est aux p. 103-119 ; la liste des œuvres (et photographie) inscrites sur le socle, au siège de la statue, p. 97-102.

Occident, dont l'un écrivain, né en Égypte, devenu prêtre à Rome, où il a séjourné longtemps et qui a voulu « constituer une liturgie d'origine apostolique à l'usage de l'Église universelle » et pas seulement romaine. Cet écrit dénote les traditions de l'Église d'Alexandrie auxquelles il aurait emprunté des éléments[39]. Pour Dom B. Botte enfin, Hippolyte, loin d'être d'origine alexandrine est bien le prêtre romain, martyr, titulaire de la statue romaine sur le socle duquel est gravé le titre de la *Traditio*. L'ouvrage, d'où n'est peut-être pas exclue toute influence orientale, « est un règlement ecclésiastique écrit à Rome par un prêtre romain pour une communauté romaine[40] ».

Quel que soit son auteur, la *Traditio*, composée originellement en grec au IIIe siècle et dont on a une version latine du dernier quart du IVe s. (ms. *Veronensis LV*), « est le plus ancien règlement ecclésiastique connu[41] ». Elle a pour but de prévenir tout schisme, susceptible d'engendrer l'hérésie en s'éloignant des avis des apôtres[42]. Or, dès après le prologue (§ 1), le rite fixe l'ordination des évêques : « L'élu doit être choisi par tous et irréprochable. Le dimanche, en présence du peuple, du *presbyterium* et des évêques réunis, ceux-ci seuls lui imposent les mains

39. J.-M. HANSSENS, *La liturgie d'Hippolyte* (*Orientalia Christiana Analecta*, 155), Rome 1959, p. 289-291 ; tout le chapitre VII sur *les* Hippolytes (p. 283-340) ; p. 506-510. Dans la seconde édition (1965), l'auteur renforce et rectifie sa position, cf. p. XIX-XX. Voir aussi ID., *La liturgie d'Hippolyte, Documents et Études*, Rome 1970, p. 206, 208-209. Voir *supra*, p. 57-58, n. 68-69.

40. B. BOTTE, *La Tradition*, p. XIII-XIV, XVI. Dom Botte précise sa position dans son article « Les plus anciennes collections canoniques », dans *L'Orient syrien* 5, 1960, p. 331-348, cf. p. 339-348.

41. B. BOTTE, *La Tradition*, p. XVII, XVIII-XX, XXXIII. C. VOGEL, « L'imposition des mains dans les rites d'ordination en Orient et en Occident », dans *La Maison-Dieu* 102, 1970, p. 57-72, cf. p. 59.

42. *Tradition apostolique*, § 1 et 43, éd. B. BOTTE (1963, 1972), p. 2-5 et 102-103. L'édition récente de Münster (1963, 1972) est plus complète que celle parue aux *SC* 11, 1946, reproduite en 2e éd. 11 *bis* (1968) ; voir *supra*, p. 37, n. 9.

pendant que l'assemblée prie en silence pour la descente
de l'Esprit. Ensuite, à la demande de tous, un des évêques
présents, en imposant la main, formule les prières » :
cas typique de « chirotonie » employé dans son sens
technique, souligné par l'éditeur et, jusqu'à la fin du
XIIe siècle-début du XIIIe, lié par l'Église d'Occident à
l'octroi d'un ministère effectif. En fait, il y a double
imposition des mains[43].

Chez les dualistes il y a, de même, assentiment unanime
pour conférer le consolamentum ou don de l'Esprit au
croyant jugé méritant. Mais toute l'assistance formée
des *ordines* (équivalent du *presbyterium*) et des chrétiens,
impose la main droite, pendant que l'*ordinatus* — qui lui,
impose le livre — prononce la prière. Celle-ci n'offre
aucun parallèle avec celle de la *Tradition* qui insiste sur
l'esprit de gouvernement ou grâce sacerdotale de chef
dévolue au nouveau prélat. Juste quelques résonances
dans la doxologie du *Pater* rappellent l'invocation finale :
' Gloire, puissance, honneur ' de l'ordination épiscopale[44].

A vrai dire, pour l'imposition des mains, la liturgie
cathare se rapproche davantage de l'ordination du prêtre.
Ici, l'évêque impose la main sur la tête du récipiendaire

---

43. *Tradition apostolique*, 2-3, p. 4-11. D. Botte, p. 4[b], souligne
l'expression Χειροτονεῖν. Voir C. Vogel, « L'imposition », p. 58
et 60. Id., « *Vacua manus impositio*. L'inconsistance de la chirotonie
en Occident », dans *Mélanges liturgiques... oom B. Botte*, p. 511-524.
W. Rordorf, « L'Ordination de l'évêque selon la Tradition apostolique d'Hippolyte de Rome », dans *Questions liturgiques*, t. 55, 1974,
p. 137-150.

44. Voir note précédente et comparer avec *infra*, 14, 28-30, 40-41.
Voir J. Coppens, « Épiscopat et presbytérat dans les écrits d'Hippolyte
de Rome », dans *Recherches de science religieuse* 41, 1953, p. 30-50 ;
cf. p. 31-41. B. Botte, « L'ordre d'après les prières d'ordination »,
dans *Études sur le sacrement de l'ordre* (*Lex orandi*, 22), Paris 1957,
p. 13-41 ; cf. p. 14-15. J. Lécuyer, « Le sens des rites d'ordination
d'après les Pères », dans *L'Orient syrien*, 2, 1960, p. 463-475 ; cf.
p. 465. J.-A. Jungmann, *La liturgie des premiers siècles* (*Lex orandi*,
33), Paris 1962, p. 102-103.

que le *presbyterium* entoure et touche *(tangere)*, pendant
que le prélat dit la prière qui remémore le geste de Moïse
sur les Anciens remplis de l'Esprit par Dieu[45]. En fait,
à part l'*ordinatus* qui procède avec le Livre, le groupe
dualiste participe au rite manuel à l'exemple du collège
presbytéral. Hippolyte différencie nettement le cas des
diacres de celui des prêtres « tenus à imposer les mains sur
l'un des leurs » écrit-il au chapitre 8, « à cause de l'Esprit
commun et semblable de leur charge », mais pas sur le
diacre, admis non au sacerdoce mais au service de
l'évêque[46]. L'acte du prêtre envers son semblable est un
geste de communication exprimant la solidarité, geste
pratiqué par l'assistance cathare assimilée au conseil du
clergé. En effet la sélection étant déjà faite, on peut
considérer les *ordines* et les *christiani* comme membres du
presbyterium : tous participent à l'*ordinamentum* et, pour
les dualistes, comme pour Hippolyte, l'imposition des
mains accompagnée de prières rituelles, signifie la descente
de l'Esprit-Saint. Toutefois les cérémonies, toujours
publiques dans l'Église chrétienne, demeurent strictement
privées dans la communauté des hérétiques : en sont
exclus les simples croyants. Chez l'une, la *Traditio* fixe en
divers articles les cas où, avec ou sans ordination, le rite

45. *Tradition apostolique*, 7, p. 20-21. Selon le Fragment de Vérone
(LV), p. 20[a] : « contingentibus etiam praesbyteris » ; les autres
versions (SAE), p. 20[b] : « praesbyteris omnibus tangentibus eum ».
Cf. J. Coppens, « Épiscopat », p. 43. B. Botte, « L'ordre », p. 15,
38-39. J. Lécuyer, « Le sens des rites », p. 466. Voir *supra*, p. 96,
n. 23 et *Nombr.* 11, 24-25.

46. *Tradition apostolique*, 8, p. 22-25. Selon les Fragments de
Vérone *(LV)*, p. 24[a] : « super praesbyterum autem etiam praesbyteri
superinponant manus propter communem et similiter cleri spiritum.
Praesbyter... clerum non ordinat ; super praesbyteri vero ordinatione
consignat episcopo ordinante ». Dans les autres versions (SAE) on
lit, p. 24[b] : « Signat (σφραγίζειν) autem presbyterum tantum cum
episcopus ordinat. » Sur la collation des ordres, voir C. Vogel,
« L'imposition », p. 66.

est appliqué[47]; chez l'autre, celui-ci demeure le privilège de quelques élus.

Bien que différent par l'immersion, le rite du baptême primitif, soigneusement détaillé, permet quelques comparaisons avec le consolamentum, par exemple : sur le choix et l'examen des candidats; la période d'épreuves exigée des aspirants, notamment de trois ans pour les catéchumènes, un an chez les cathares; l'interdiction de l'homicide et du serment[48]. Si, en imposant la main, le célébrant catholique baptise trois fois par immersion le néophyte, en lui demandant successivement chaque fois s'il croit en Dieu, le Père; — en Jésus-Christ son Fils; — en l'Esprit saint dans la sainte Église, l'*ordinatus* hérétique interroge seulement le postulant sur sa volonté à recevoir le baptême spirituel de Jésus-Christ[49]. Dans les deux cas, les officiants implorent la miséricorde pour la rémission des péchés; le catholique sollicite en outre le secours de l'Esprit-Saint en faveur du nouveau baptisé[50]. Les deux cérémonies du baptême et de l'ordination s'achèvent, dans l'Église primitive, par le baiser de paix que, après le consolamentum, révèle seul le Rituel provençal[51].

---

47. *Tradition apostolique*, 8, 9, et 19, p. 22-25, 28-29, 40-41 pour les diacres, confesseurs et catéchumènes.

48. *Tradition apostolique*, 20, p. 42-43 ; 17, p. 38-39 : « Catechumeni per tres annos audiant verbum » ; 16, p. 36-37. J.-A. JUNGMANN, *La liturgie des premiers siècles*, p. 121-124. Cf. *supra*, p. 37 et 90.

49. *Tradition apostolique*, 21, p. 48[a]-51 : « Cum ergo descendit qui baptizatur in aquam, dicat ei ille qui baptizat manum imponens super eum... Et statim manum habens in caput eius inpositam baptizet semel... (p. 50[a]). Et cum ille dixerit : Credo, iterum baptizetur... Dicat ergo qui baptizatur : Credo. Et sic tertia vice baptizetur. » Cf. *infra*, 8, 6-7, et *supra*, p. 35-36.

50. *Tradition apostolique*, 21, p. 52[a] : « ... per lavacrum regenerationis spiritus sancti... » ; p. 52[b] : « fac eos dignos ut repleantur spiritu sancto ». Cf. *supra*, p. 102.

51. *Tradition apostolique* 21, p. 54[a]-55 : « Et cum oraverint de ore pacem offerant » 4, p. 10[a]-11 : « Quicumque factus fuerit episcopus,

On ne saurait, cependant, établir de rapport complet entre les deux baptêmes, d'autant que celui réglé par Hippolyte pratique en outre deux onctions : l'une d'exorcisme avant le sacrement, l'autre d'action de grâce après. On peut, en passant, signaler que la *Tradition apostolique*, comme plus tard la liturgie provençale, fixe aux articles 34 et 41 les moments où il faut prier[52].

Le consolamentum ou baptême de l'Esprit se rattache donc aux rites d'ordination épiscopale et presbytérale fixés par la *Tradition apostolique*. Si, on l'a vu, la prière de consécration épiscopale d'Hippolyte rappelle la descente de l'Esprit-Saint sur le Christ à son baptême et sur les Apôtres à la Pentecôte, celle pour le *presbyter* relie le symbole d'imposition des mains aux Institutions de l'Ancien Testament et au cas de Moïse choisissant les Anciens. Semblables à ces derniers, les prêtres assurent la continuité de la fonction sacerdotale, pérennité que de leur côté les *bos homes* ou parfaits cathares revendiquent avoir conservée, depuis le début, dans l'administration du saint baptême[53].

Cependant, les cathares n'accordent pas tous la même valeur à l'imposition des mains. Les *Albanenses*, écrit Raynier Sacconi en 1250, diffèrent des autres; à leurs yeux, la main créée par le diable n'a aucun effet, seule opère l'oraison que prononcent ceux qui imposent les mains. Pour l'ensemble des dualistes, toutefois, l'imposition des mains et la prière du *Pater* sont toutes deux nécessaires et requises, elles justifient la validité de ce baptême spirituel. A cet égard, le manuscrit de Florence ne se sépare

omnes, os offerant pacis. » *Rituel provençal*, éd. L. CLÉDAT, p. 479[b], l. 1. Cf. *supra*, p. 93-94, n. 18.

52. *Tradition apostolique* 21, p. 46-47, 50-51 ; 35, p. 82-83 ; 41, p. 88-97. *Rituel provençal*, p. 479[b], l. 7 - 480[a], l. 12 ; p. XXI-XXII, cf. *supra*, p. 94, n. 18.

53. Cf. *supra*, p. 101-102, n. 44-45. *Rituel provençal*, p. 479[a], l. 1-5, p. XVII, et *supra*, p. 90, n. 9 et p. 95, n. 19.

pas de la croyance commune, pas plus que celui de Lyon, mais les rituels de Bosnie et de Dublin ne révèlent rien à ce sujet. L'opinion exprimée par l'inquisiteur appartient probablement à la branche inflexible de Belesmanza de Vérone dont s'est détaché Jean de Lugio et son groupe[54].

3. L'imposition de l'Évangile

La *Tradition apostolique*, dont l'influence s'est étendue en Orient comme en Occident au début de la chrétienté, ne suffit pas à expliquer seule certaine forme de la liturgie cathare. Le consolamentum fait aussi acte de l'imposition de l'Évangile par l'*ordinatus* sur la tête du récipiendaire. Or, le rite romain fixé par la *Tradition* et fidèle à sa règle ignore pendant plusieurs siècles ce cérémonial connu des orientaux très sensibles à tout ce qui est relatif au Saint-Esprit.

En Syrie, la *Didascalia* écrite en grec par un évêque d'origine juive, dans la première moitié du IIIe siècle, nous est parvenue à travers deux traductions syriaque et latine. Ce recueil pénitentiel, muet sur l'ordination, établit cependant un parallèle entre le baptême et l'imposition des mains qui, l'un ou l'autre, transmet le Saint-Esprit au pénitent[55].

---

54. RAYNIER SACCONI, *Summa de Catharis*, éd. A. DONDAINE, p. 65, 15-20 : « Differunt tamen aliquantulum in hoc Albanenses a ceteris. Albanenses enim dicunt quod manus ibi nichil operatur, cum a diabolo sit ipsa creata secundum eos, ut infra dicetur, sed sola Dominica oratio quam ipsi tunc dicunt, qui manus imponunt » ; p. 71, 4-8 : « Unius partis caput est Balasinansa Veronensis eorum episcopus... Alterius vero partis caput est Iohannes de Lugio Bergamensis... ». Éd. F. ŠANJEK, p. 43, 26-29 ; p. 50-51. MONETA DE CRÉMONE, p. 126. Sur Jean de Lugio, voir *Liber*, p. 33-38. *infra*, p. 161, n. 48.

55. *Didascalia et Constitutiones apostolorum* II, 41, 2, éd. F.-X. FUNK, p. 130 : « aut per impositionem manus aut per baptismum accipiunt participationem spiritus sancti ». Traduction du syriaque

Un siècle après (c. 380-400)[56], les *Constitutions apostoliques*, compilation apocryphe syrienne, reprennent la *Tradition apostolique* et amplifient la cérémonie d'ordination d'Hippolyte. Selon certaine clause qui rappelle des prescriptions antérieures, sans faire état de l'imposition des mains, l'évêque est élu par tous[57]. Il faut sous-entendre que le rite va s'accomplir suivant les premières instructions données à cet effet et qui ne peuvent être que celles de la *Tradition*. L'évêque est donc régulièrement ordonné et consacré, cette fois par deux ou trois de ses semblables, comme l'entend le concile de Nicée au canon 4[58]. En outre, « dans le plus profond silence, l'évêque principal, debout avec deux autres près de l'autel, prononce l'oraison consécratoire, tandis que l'assemblée d'évêques et de prêtres prie en silence et que les diacres tiennent les saints Évangiles ouverts sur la tête de celui qui va être ordonné[59] ». Comme on l'a remarqué, les *Constitutions apostoliques* « ne repré-

---

par F. Nau, *La Didascalie des douze Apôtres* (*Ancienne littérature canonique syriaque* 1), 2e éd., Paris 1912, p. xxi-xxii, et 96. Voir J. Bernhard, « Les institutions pénitentielles d'après la Didascalie », dans *Mélanges Mgr Pierre Dib* (*Melto, Recherches orientales*, 3) 1967, p. 237-267 ; cf. p. 237, 239 et 259.

56. J.-M. Hanssens, *La liturgie d'Hippolyte*, p. 52.

57. *Didascalia et Constitutiones apostolorum* VIII, 4, 2, éd. Funk, p. 473 : « Ego Petrus aio ordinandum esse episcopum, ut in superioribus omnes pariter constituimus, inculpatum in omnibus, a cuncto populo electum. » B. Botte, « L'ordre » (*Lex orandi*, 22), p. 22 ; « Les plus anciennes collections canoniques », dans *L'Orient syrien* 5, 1960, p. 331-349, cf. p. 335.

58. *Didascalia et Constitutions apostoliques* VIII, 27, 2, p. 531 : « Episcopus a tribus vel duobus episcopis ordinetur. » C.-J. Hefele-H. Leclercq, *Histoire des Conciles*, t. I¹, Paris 1907, p. 539-540. A.-G. Martimort, *L'Église*, p. 483. A signaler que « l'Église de Rome est demeurée de langue grecque jusqu'au iiie siècle ; sa liturgie ne s'est latinisée que dans la seconde moitié du ive siècle », *ibid.*, p. 144. Voir *supra*, p. 101, n. 43.

59. *Didascalia et Constitutions apostoliques* VIII, 4, 6, p. 473. A.-G. Martimort, *L'Église*, p. 484. B. Botte, « Les plus anciennes collections », p. 335.

sentent pas la tradition syrienne authentique, ce sont des
remaniements de la *Tradition* d'Hippolyte ». Par suite,
elles n'adoptent pas la formule très ancienne en Syrie
et dans l'Église copte : « La grâce divine » que l'on attendrait
et qui n'est d'ailleurs pas chez les Chaldéens une prière
d'ordination[60]. L'auteur, gardant les règles d'Hippolyte,
a ajouté l'imposition des Évangiles en conservant
l'eucologie romaine.

Ce rite est confirmé par le témoignage de Sévérien,
évêque de Gabale avant 401. Dans une homélie sur la
Pentecôte, le prélat commentant *Actes* II, 2 explique
pourquoi l'Esprit-Saint est apparu sous forme de langues
de feu symbolisant la prédication de l'Évangile et sur la
tête des Apôtres, sommet du corps : parce que sur elle,
comme l'exige la coutume, se fait toujours l'imposition
des mains. La descente de l'Esprit Saint étant invisible,
on impose le livre des Évangiles sur la tête de celui qui
doit être ordonné[61]. Jointe à l'imposition des mains,
celle des Évangiles, signifiant avec le don de l'Esprit la
flamme du zèle apostolique, paraît donc à Sévérien un

---

60. B. BOTTE, « La formule d'Ordination. ' La grâce divine '
dans les rites orientaux », dans *L'Orient syrien* 2, 1957, p. 285-296 ;
cf. p. 294-295. E. LANNES, « Les ordinations dans le rite copte ; leurs
relations avec les *Constitutions apostoliques* et la *Tradition*
d'Hippolyte », dans *L'Orient syrien* 5, 1960, p. 81-106. A. RAES,
« Les ordinations dans le pontifical chaldéen », dans *L'Orient syrien* 5,
1960, p. 63-80, cf. p. 68-69.

61. SÉVÉRIEN DE GABALE (PS. - THÉOPHYLACTE), *Expositio in
Acta apostolorum* II, *PG* 125, 533 A : « Τὸ οὖν τὰς γλώσσας ἐπὶ
τῶν κεφαλῶν εἶναι δείκνυσι χειροτονίας σχῆμα. Ὑπὲρ τῆς κεφαλῆς
γὰρ τίθεται ἡ χειροτονία. Καθὼς καὶ ἕως νῦν ἐκράτησε τὸ πρᾶγμα...
ἐπιτίθεται τῇ κεφαλῇ τοῦ μέλλοντος χειροτονεῖσθαι ἀρχιερέως τὸ
Εὐαγγέλιον... ». Voir J. LÉCUYER, « Note sur la liturgie du sacre des
évêques », dans *Ephemerides Liturgicae*, 66, 1952, p. 369-372 ;
ID., « Mystère de la Pentecôte et apostolicité de la mission de
l'Église », dans *Études sur le sacrement de l'ordre* (*Lex orandi* 22),
Paris 1957, p. 167-208, cf. p. 174-175. ID., « Le sens des rites d'ordination » (*Orient syrien* V, 1960) p. 471-472.

legs du passé. Les effusions spirituelles, répandues sur la tête des nouveaux consacrés, correspondent à celles qui ont illuminé les Apôtres à la Pentecôte.

Un autre texte, que l'on hésite à attribuer à Sévérien de Gabale après avoir toujours été considéré comme venant de Jean Chrysostome, est l'homélie du *De Legislatore*. L'auteur démontre que la tiare couvrait la tête d'Aaron pour lui rappeler que, malgré ses titres de chef et de législateur, il demeurait soumis à une loi supérieure. Ainsi, au cours des ordinations, on place l'Évangéliaire sur la tête de l'ordinand qui, recevant la véritable tiare de l'Évangile, doit rester assujetti à sa loi et à son autorité[62].

Et l'on sait combien, au cours de la cérémonie du consolamentum, le ministre cathare signifie au nouvel élu qu'il reçoit le Livre où sont écrits les préceptes du Christ : afin d'en accepter la loi qu'il se doit d'observer rigoureusement toute sa vie[63].

Parfois, ce rite est l'objet d'un scandale ou d'une profanation lorsqu'il s'applique à un candidat indigne. Ce que relate Palladius, évêque d'Hélénopolis, défenseur de Chrysostome († 407) au synode du Chêne (403), dans sa *Vita Chrysostomi*, parue probablement après la mort de celui-ci (c. 412)[64].

---

62. Ps.-Chrysostome (= Sévérien de Gabale?), *Homilia de Legislatore* 4, *PG* 56, 404 : « Διὰ τοῦτο καὶ ἐν τῇ Ἐκκλησίᾳ ἐν ταῖς χειροτονίαις τῶν ἱερέων τὸ Εὐαγγέλιον τοῦ Χριστοῦ ἐπὶ κεφαλῆς τίθεται, ἵνα μάθῃ ὁ χειροτονούμενος, ὅτι τὴν ἀληθινὴν τοῦ Εὐαγγελίου τιάραν λαμβάνει... Τὸ τοίνυν ἔχειν τὸν ἀρχιερέα τὸ Εὐαγγέλιον, σημεῖόν ἐστι τοῦ ἐπ' ἐξουσίαν εἶναι. » Dans ses premiers articles J. Lécuyer, « Note sur la liturgie » (1952), p. 371 ; « Mystère de la Pentecôte » (1957), p. 175-176, attribue le *De Legislatore* à Sévérien ; il paraît ensuite le restituer à Chrysostome, « Le sens des rites » (1960), p. 471. Cette homélie est bien de Sévérien, cf. J.-A. de Aldama, *Repertorium pseudo-chrysostomicum* (*Documents, études et répertoires publiés par l'Institut de Recherche et d'Histoire des Textes* X), Paris 1965, n° 490, p. 182.

63. Cf. *infra*, **13**, 10-16.

64. Palladius, *Dialogus de vita S. Joannis Chrysostomi* XVI,

Quoi qu'il en soit, à la période de Jean Chrysostome,
vers la fin du ive siècle, on reconnaît en Orient la valeur
symbolique de l'imposition des Évangiles dans les cérémonies d'ordination, comme descente du Saint-Esprit
sur les Apôtres, ou comme soumission de l'ordinand à la loi
de l'Évangile.

Au début du vie siècle, cette pratique paraît être d'un
usage fort ancien. Le Pseudo-Denys, décrivant l'ordination,
relate que l'élu, agenouillé devant l'autel, reçoit l'imposition
à la fois des Écritures et de la main du célébrant. On
impose les livres saints, dit-il plus loin, à celui qui en est
jugé digne, parce qu'ils contiennent toute la théologie et
l'œuvre de Dieu dont le nouvel élu est illuminé pour en
transmettre la science aux autres[65]. Le symbolisme que
dégage la description du rite par le Pseudo-Denys n'en
traduit pas moins la réalité liturgique d'un acte entré dans
les coutumes de l'Église d'Orient.

Le ve siècle ne s'achève pas sans que la cérémonie
de l'Évangéliaire ne soit connue en Occident par une
version latine des *Constitutions apostoliques*, celle probablement contenue dans la collection du ms. *Veronensis LV*[66].

PG 47, 53, l. 3 : « Οἱ γὰρ μὴ φρίξαντες Εὐαγγέλιον ἐπιθεῖναι
ἐναγεῖ κεφαλῇ... » Cf. E. Amann art. « Palladius », *DTC* XI², Paris
1932, 1823-1830. J. Lécuyer, « Note sur la liturgie », p. 369, n. 4.

65. Pseudo-Denys (l'Aréopagite), *De ecclesiastica hierarchia* V,
7, 2, *PG* 3, 509 A : « Ὁ μὲν ἱεράρχης, ἐπὶ τὴν ἱεραρχικὴν τελείωσιν
προσαγόμενος, ἄμφω τὼ πόδε κλίνας ἐπίπροσθεν τοῦ θυσιαστηρίου,
ἐπὶ κεφαλῆς ἔχει τὰ θεοπαράδοτα λόγια, καὶ τὴν ἱεραρχικὴν χεῖρα,
καὶ τούτῳ τῷ τρόπῳ πρὸς τοῦ · τελοῦντος αὐτὸν ἱεράρχου ταῖς
παναγεστάταις ἐπικλήσεσιν ἀποτελειοῦται. » V. 7, 7, 513 C : « Ὁ δὲ
ἱεράρχης ἔκκριτον ἔχει τὴν τῶν λογίων ἐπὶ κεφαλῆς ἱερωτάτην
ἐπίθεσιν. » V, 7, 8, 515 B : « Ὁ δὲ ἱεράρχης, ἄμφω τὼ πόδε κλίνων,
ἐπὶ κεφαλῆς ἔχει τὰ θεοπάραδοτα λόγια, τοὺς ὑπὸ τῆς λειτουργικῆς
δυνάμεως ἐκκεκαθαρμένους... » Voir R. Roques, « Denys l'Aréopagite », dans *Dict. de Spiritualité* 3, 1957, 244-286 ; cf. 247, 249-257.
B. Botte, « La formule d'ordination », p. 291. J. Lécuyer, « Le sens
des rites », p. 472.

66. Ch. Munier, *Les ' Statuta ecclesiae antiqua '* (*Bibliothèque de*

Le compilateur des *Statuta ecclesiae antiqua*, Gennade de
Marseille, prêtre de Saint-Victor, n'a peut-être pas connu
les fragments de Vérone, mais sa culture grecque et son
érudition en œuvres littéraires orientales, notamment
de Syrie, lui ont permis de recourir directement aux
documents venus d'Orient et de publier sa compilation
vers 476-485[67].

En maints articles, le rituel d'ordination des *Statuta*
dépend en effet des *Constitutions apostoliques* et on lit
au canon 90 : « quand un évêque est ordonné, deux évêques
posent et tiennent le livre des Évangiles sur sa nuque
(cervicem eius) et le consécrateur répand sur lui la bénédiction, tandis que tous les évêques présents touchent
(tangant) sa tête de leurs mains ». Comme la *Tradition*,
les *Statuta* limitent l'imposition des mains au corps
épiscopal, en évoquant le grand silence de l'assemblée
priant pour implorer la descente du Saint-Esprit sur l'élu.
Elles mentionnent l'imposition des mains pendant le rite
de l'Évangile qui, à l'inverse des *Constitutions apostoliques*,
est tenu par des prélats et non par des diacres[68].

Ainsi, avant la fin du ve s., le rite désormais acquis en
Occident est très probablement en usage dans les consécrations pontificales bien avant Grégoire le Grand (pape 590-
604). La réforme liturgique opérée par S. Grégoire et
suivie par ses successeurs fait éclore, aux vi^e et viie s.,
une série de formulaires assez divers dont le *Liber diurnus*,
composé entre 685 et juillet 751. L'ouvrage, qui a souffert

l'*Institut de droit canonique de l'Université de Strasbourg* V), Paris
1960, p. 126. B. Botte, « Les plus anciennes collections... » (*Orient
syrien* V, 1960), p. 332-333.

67. Ch. Munier, *Statuta*, p. 209 sq., 223-225, 234-235. Pour
M. Andrieu, *Les ordines*, t. III, p. 593 : « C'est de Rome et non du
lointain Orient que le rite de l'Évangéliaire est venu à la connaissance
du rédacteur des *Statuta*. »

68. Ch. Munier, *Statuta*, p. 95, n° 90 ; p. 170 s. 177. Cf. *supra*,
p. 106, n. 59 (diacres) et *infra*, p. 113, n. 77.

bien des péripéties, est aujourd'hui connu à travers trois
manuscrits (du Vatican, du collège de Clermont à Paris,
et de l'Ambrosienne)[69]. En des phrases identiques le *Liber*
prescrit, pour l'ordination du pontife, que l'évêque d'Albano
dise la première oraison, celui de Porto la seconde. L'évangéliaire est alors apporté, ouvert et tenu par les diacres
sur la tête de l'élu que l'évêque d'Ostie consacre ensuite.
Mais toute l'ambiance de ferveur silencieuse décrite dans
la *Tradition* et les *Constitutions apostoliques* n'est pas
mentionnée et, par *consecratio*, il faut sous-entendre
l'unique imposition des mains de l'évêque d'Ostie; seul,
le rite de l'Évangéliaire subsiste, clairement énoncé.
Or, ce texte n'est autre que l'*ordo* XL A[70] incorporé au
Liber diurnus, recueil des formules de la chancellerie
pontificale. Il était auparavant une pièce indépendante
remontant au vi[e] s. et dont il existe un second exemplaire,
l'*ordo* XL B, moins laconique. Celui-ci, en effet, transmet
en outre l'incipit des oraisons de l'ordination épiscopale :
Adesto... Propitiare... Deus honorum omnium, etc. emprun-
tés au sacramentaire grégorien ou *Hadrianum* avec des
variantes destinées à l'ordination du pontife[71].

Qu'en est-il en effet des Sacramentaires, Missels et
ordines romani ? Le sacramentaire Grégorien ou *Hadrianum*
livre, avant le temporal, les prières de consécrations
d'évêques (dont s'inspire l'*ordo* XL B), de prêtres et de

69. *PL* 105, 21-120. E. DE ROZIÈRE, *Liber diurnus*, Paris 1869,
p. XVIII-XXI et p. XXXIX s., textes, p. 101. H. LECLERCQ, « Liber
diurnus romanorum pontificum » dans *Dict. d'Archéologie chrétienne
et de liturgie*, IX², Paris 1930, col. 243-344, cf. 250-251. A.-G. MARTI-
MORT, *L'Église*, p. 36-37. C. VOGEL, *Introduction aux sources*, p. 159.

70. *Liber diurnus romanorum pontificum*, éd. H. FOERSTER, Berne
1958, p. 111, 209, 316 : « Tunc episcopus albanensis dat orationem
primam. Deinde episcopus portuensis dat orationem (*om.* secundam).
Postmodum adducuntur evangelia et aperiuntur et tenentur super
capud (ou caput) electi a diaconibus. Tunc episcopus ostiensis
consecrat eum pontificem. » M. ANDRIEU, *Ordines romani*, IV, p. 297.

71. M. ANDRIEU, *Ordines romani*, IV, p. 307-308 et 303.

diacres comparés les premiers à Aaron (*Ex.* 28, 1-41),
les seconds aux soixante-dix Anciens choisis par Moïse
et remplis de son esprit (*Nombr.* 11, 16-25) et les derniers
aux fils de Lévi, chargés de servir Aaron (*Nombr.* 3, 6-9)[72].
Le Gélasien ancien (ou *Regin. 316*) offre plus d'intérêt
ainsi que son remaniement postérieur, l'exemplaire d'Angoulême. Des missels : le *Gothicum* et le *Gallicanum vetus* ne
donnent aucune liturgie d'ordination à l'encontre du
Missale Francorum qui, dans ses neuf premiers chapitres,
en est pourvu. Enfin, parmi les *ordines romani* (on a déjà
vu l'*ordo* XL[73]), il reste à examiner les XXXIVe et XXXVe.

Les trois documents : Gélasien ancien, *Missale Francorum*, *Ordo* XXXIV, composés presque vers la même
période, présentent les deux premiers des parties communes
distinctes du troisième.

Les éléments du Rituel scindés en trois sections dans
le Gélasien sont groupés dès le début dans le *Missel
Francorum*. Après la rubrique, celui-ci décrit successivement les ordres mineurs, puis les diacres, prêtres et enfin
évêques. Le Gélasien au contraire dissémine les différentes
parties qu'il décrit en ordre différent : prêtres et diacres,
rubrique, évêques, et les oraisons propres à l'ordination
de ces derniers rappellent celles du sacramentaire Grégorien[74]. Les investigations sur les deux documents

---

72. H. Lietzmann, *Das Sacramentarium Gregorianum*, § 2, 3, 4,
p. 5-9. B. Botte, « L'ordre, d'après les prières d'ordination » (*Lex
orandi* 22), p. 14-19. Cf. *supra*, p. 41, n. 21. Dans le même sens,
les prières récitées aux baptêmes d'adultes, d'enfants et d'infirmes,
font état de la régénération ' ex aqua et spiritu sancto ', H. Lietzmann,
§ 85, 86, 206, p. 54 et 125.

73. Cf. *supra*, p. 41-43, n. 22, 24, 25 et 26 ; et ci-dessus, n. 70-71
et n. ci-après.

74. *Missale Francorum*, n°s 1-9 (*Vat. Reg. lat. 257*), éd.
L.-C. Mohlberg (*Rerum ecclesiasticarum documenta. Series maior,
Fontes* II), Rome 1957, p. 3-14. PL 72, 317-340. *Sacramentaire
Gélasien* (éd. Mohlberg), § XX-XXIV, p. 24-29 : Prêtres et diacres
avec eucologie habituelle ; § XCV, p. 115-117 : Rubrique ; § XCIX,

amènent M. Chavasse à envisager pour eux une source commune : un rituel romano-gallican composé en Gaule d'où, indépendamment, chacun dériverait; le même examen conduit M. Thompson à réfuter cette hypothèse. Le désordre, on l'a vu, des matériaux accumulés dans le Gélasien (*Regin. 316*) et certaines variantes montrent que ce sacramentaire suit la tradition du *Vérone 85*, tandis que le *Missale Francorum* s'apparenterait à celle du *Cambrai 164* (ou *Hadrianum*)[75]. Tous deux peuvent avoir certaines sources communes mais ne viennent pas d'un seul tronc. Sans nous attarder à l'ordre inverse des rubriques[76], l'énoncé de l'*episcopus* dans le *Missale Francorum* précise que « deux évêques imposent leur main sur la tête de l'élu, tiennent l'Évangile sur sa nuque tandis qu'un autre le consacre en le bénissant et que tous les autres évêques présents tiennent leurs mains sur sa tête ». Le *Reginensis 316* et les *Statuta* prescrivent le même cérémonial, en omettant au début l'imposition des mains des deux prélats qui tiennent l'évangéliaire et en indiquant, par contact *(tangeant)*, l'imposition manuelle du corps épiscopal[77]. Cette incise initiale et ces nuances

p. 120-122 : Évêques. Voir J.-D. THOMPSON, « The Ordination Masses » cf. p. 438. Cf. *supra*, p. 42, n. 23.

75. A. CHAVASSE, *Le sacramentaire gélasien*, p. 6, 8-9, 11-12 et 18. J. D. THOMPSON, « The Ordination Masses » p. 436-440. Le *Vérone 85*, *PL* 55, 22-156, cf. 113 B ; éd. L. C. MOHLBERG (*Rerum Ecclesiasticarum documenta. Series maior, Fontes* I), Rome 1954, cf. p. 118 s. Le *Cambrai 164* est le *Gregorianum-Hadrianum*, cf. *supra*, n. 72 et p. 41, n. 21. Voir A. G. MARTIMORT, *L'Église*, p. 281-282, 288-289.

76. En sens ascendant de l'*Ostiarius* à l'*Episcopus* dans le *Missale Francorum*, nᵒ 1, p. 3 ; sens descendant et plus complexe dans le *Gélasien* (éd. MOHLBERG), nᵒ 95, p. 116-117 et les *Statuta* (éd. Ch. MUNIER) p. 95-99.

77. *Missale Francorum*, nᵒ 1, p. 3, l. 23-26 ; *Sacramentaire gélasien*, nᵒ 95, p. 116 : « Episcopus cum ordinatur, duo episcopi ponant et teneant evangeliorum codicem super caput eius ; et unus super eum fundente benediccionem, reliqui omnes episcopi qui adsunt manibus suis caput eius tangeant. » *Statuta*, p. 95, nᵒ 90, écrivent ' cervicem '

différencient nettement le *Missale* du Gélasien ancien et des *Statuta*. Néanmoins à l'exemple de ceux-ci, compilés dans le dernier quart du vᵉ s. et fidèles à la *Tradition apostolique* et aux *Constitutions apostoliques*, le *Regin. 316* et le *Missale Francorum* transmettent au viiiᵉ s. le substratum de l'ancienne liturgie chrétienne.

Reprise et amplifiée à la fin du viiiᵉ et au début du ixᵉ siècle dans le Gélasien d'Angoulême, la liturgie d'ordination n'en garde pas moins, à l'image de son modèle, la rubrique laconique de l'*ordo* de consécration d'évêque et de prêtre[78].

Ce caractère disparaît dès que l'on considère l'*ordo* XXXIV, œuvre d'un clerc du Latran vers 750. Après bien des formalités (§ 14-37), l'ordination épiscopale célébrée pendant la messe du dimanche commence après le Graduel. L'élu, proclamé avec l'assentiment du clergé et du peuple, est présenté à tous. « Prions Dieu et Jésus-Christ, dit le pontife, de lui accorder le siège épiscopal pour gouverner son église et tout le peuple. » Après les litanies du Kyrie, pendant lesquelles le pape, les *sacerdotes* et l'élu se prosternent devant l'autel, on se relève et seul le pape bénit le récipiendaire (§ 38-40). C'est tout. Aucune autre précision n'accompagne l'*ordo* ; le pontife n'est assisté — malgré la règle traditionnelle — d'aucun prélat et la *benedictio* traduit l'acte consécrateur, sans aucune mention d'imposition des mains, et encore moins d'Évangéliaire[79].

---

pour ' caput ' et terminent par ' tangant '. Voir ci-dessus, p. 110, n. 68. A signaler que le *Regin. 316* et les *Statuta*, si proches pour le rite de l'évêque, se distinguent pour celui du prêtre, littéralement identique cette fois dans le *Missale*, p. 116, nᵒ 95, et les *Statuta*, p. 95, nᵒ 91.

78. *Gélasien d'Angoulême*, éd. P. GAGIN, p. 151ʳ, 2101 pour l'évêque ; 149ʳ⁻ᵛ, 2086 pour le prêtre. Cf. *supra*, p. 42, n. 24.

79. M. ANDRIEU, *Ordines Romani* III, p. 606-612, 612-613 ; cf. p. 583. M. ANDRIEU, p. 591, suppose que le pape impose les mains à l'élu, ce qui n'est pas l'avis de C. VOGEL, « L'imposition des mains » (*La Maison-Dieu* 102, 1970), p. 71.

Pourtant, sous l'influence des *Statuta*, l'imposition de l'Évangéliaire ne tarde pas à être en usage en pays franc si l'on en croit les récriminations d'Amalaire, évêque de Metz puis de Trèves, ancien élève d'Alcuin et qui, vers 823, rédige son *Liber officialis*. Cette encyclopédie liturgique traite surtout de la messe à laquelle il rattache l'ordination à propos des Quatre Temps. Malgré son goût très vif pour le symbolisme, l'auteur reproche aux *Statuta* d'avoir introduit dans l'ordination épiscopale l'imposition de l'Évangéliaire sur la tête de l'impétrant et, dans sa critique, reprend le texte même du canon 90. Selon lui, ce rite ne relève d'aucune ancienne autorité, ni tradition apostolique, ni autorité canonique : c'est que, malgré ses déplacements à Rome et à Constantinople et son goût de fureteur pour les liturgies étrangères, il ignore peut-être les *Constitutions apostoliques*; ou bien les juge-t-il contraires à la *vetus auctoritas* que représente probablement pour lui l'*ordo* XXXIV ? Cependant, l'imposition de l'Évangile lui paraît, comme à l'auteur du *De Legislatore*, le symbole de la loi que l'élu doit garder en son cœur et du joug auquel il est tenu de se soumettre[80].

Sa réprobation ne semble guère avoir eu d'écho. Peu après, Hincmar de Reims justifie le rite de sa propre

---

80. AMALAIRE, *Liber officialis* II, 14, § 9 ; *PL* 105, 1092 D ; éd. J. M. HANSSENS (*Studi e Testi* 139, 2), Città del Vaticano 1948, p. 235 : « Dicit libellus, secundum cuius ordinem caelebratur ordinatio apud quosdam, ut duo episcopi teneant evangelium super caput eius ; quod neque vetus auctoritas intimat, neque apostolica traditio, neque canonica auctoritas. Potest tamen evangelii positio super caput monere tenentes ut Dominus idem evangelium firmet in corde eius deprecentur, aut ut moneant eum qui consecratur recordari (p. 236) se amplius esse sub iugo evangelii, quam foret. » Cf. G. MORIN, article « Amalaire », *DTC* I, Paris 1902, 933-934 ; E. DEBROISE, *Dict. d'Archéologie chrét. et de liturgie* I¹, Paris 1907, 1323-1330. J. M. HANSSENS, « Le texte du *Liber officialis* d'Amalaire », dans *Ephemerides Liturgicae*, 1933, p. 1-77 ; 1934, p. 78-121 ; 1935, p. 122-145. M. ANDRIEU, *Ordines Romani* III, p. 599. Voir *supra*, p. 108, n. 62.

consécration qui, le 3 mai 845, est un modèle du genre.
Il le décrit plus tard lui-même à Adventius, évêque de
Metz (855-875). Une fois terminé les examens habituels
et les cérémonies préparatoires, on sollicite les prières de
l'assistance pour l'élu et pour les prélats qui vont l'ordonner.
Après les litanies et l'inclination générale devant l'autel
(incurventur ante altare) — non la prostration — l'officiant
prend le livre des quatre Évangiles, l'ouvre au milieu, le
met sur le cou et la nuque de l'élu incliné devant l'autel.
Deux évêques, chacun de leur côté, maintiennent le livre
sur lui et le consécrateur avec tous les prélats tiennent
la main droite au-dessus de sa tête pendant que l'officiant
prononce l'oraison. La pratique réelle est donc en avance
sur les livres liturgiques d'autant plus qu'apparaissent
en outre l'onction chrismale sur le front de l'élu et la
remise de l'anneau et de la crosse, cérémonial inconnu
jusqu'ici[81].

La pauvreté de l'*ordo* XXXIV un siècle plus tôt, notoire
à tous égards, est largement compensée, cinquante ans
après Hincmar, par l'*ordo* XXXV qui, refonte du précédent
au début du Xe s., en améliore le contenu. A la rubrique
épiscopale on lit que, après les litanies, l'archidiacre pose
sur la nuque et entre les épaules de l'impétrant les quatre
Évangiles, qui demeurent fermés pendant que seul le
pape consacre l'élu et impose la main sur sa tête. Pour
la consécration pontificale l'Évangéliaire demeure ouvert.
Quand l'office est célébré par des évêques, pas moins de

---

81. HINCMAR DE REIMS, *Epist.* 29, *PL* 126, 186-188 ; cf. 187 C-D :
« ... qui fundet consecrationem accipiat quatuor Evangelia, et
aperiat per medium, et incurvato ipso electo ante altare, mittat ipse
Evangelia super collum et cervicem ejus, et teneant ipsa Evangelia
super eum duo episcopi, unus ex una parte, alter ex altera, et tam
consecrator quam omnes episcopi, teneant manus dextras suas super
caput ordinandi, et dicat consecrator : Oremus... » Suite du cérémonial
188 A-B. M. ANDRIEU, « Le sacre épiscopal d'après Hincmar de
Reims », dans *RHE* 48, 1953, p. 22-73, cf. p. 29, 38.

trois, l'un bénit et les deux autres imposent la main sur la tête de l'élu. N'est-ce pas un écho des *Statuta*, reflets eux-mêmes des *Constitutions apostoliques* ? avec la différence qu'ici l'archidiacre tient l'Évangile, geste attribué à deux évêques dans les *Statuta* et aux diacres dans les *Constitutions*[82].

Bien que perdues dans un flot de symboles qui se concrétisent en cérémonies liturgiques, les formes essentielles de ces rites apparaissent peu après dans le Pontifical romano-germanique compilé à Mayence entre 950 et 962/965. Ici, on croit relire les *Statuta*. L'élu à la prêtrise étant incliné, l'évêque lui impose la main avec le concours de tout le *presbyterium*. Quant au sacre épiscopal, deux évêques posent et tiennent l'Évangile fermé sur la nuque et entre les épaules du récipiendaire et tous les prélats présents touchent sa tête de leurs mains. Le fait du livre fermé, posé entre les épaules, est propre à l'*ordo* XXXV et à ce pontifical qui mentionne en outre, à l'exemple du *Missale Francorum*, l'onction des deux mains du prêtre et, comme le rite décrit un siècle auparavant (845) par Hincmar de Reims, celle du front et des mains de l'évêque à qui sont remis l'anneau et la crosse[83].

82. M. ANDRIEU, *Ordines Romani* IV, nos 64-66, p. 44 : « Finita vero laetania, inclinatus ipse electus ante pontificem, ponit archidiaconus quattuor evangelia super cervicem eius et inter scapulas clausa. Nam quamdo apostolicus consecratur, aperta ponuntur evangelia super eum. — Et benedicet eum domnus apostolicus solus per semetipsum, inposita manu super caput eius. — Nam a ceteris episcopis episcopus benedici non potest minus quam a tribus, unus qui dat benedictionem et alii duo qui inponunt manum super caput ipsius qui benedicitur. » Comparer avec *supra*, p. 114, n. 79 ; p. 106, n. 58-59 et p. 110, n. 68.

83. C. VOGEL-R. ELZE, *Le Pontifical romano-germanique du dixième siècle*, t. III (*Studi e Testi* 269), Città del Vaticano 1972, p. 5, 16 et 22 ; ID, *ibid.*, t. I (*Studi e Testi* 226), Città del Vaticano 1963, § XVI, 26, p. 32 : « Tunc eo (presbitero) inclinato, imponat manum super caput eius, et omnes presbiteri qui adsunt manus suas iuxta manum episcopi super caput illius teneant, et ille det orationem

Malgré ce, l'imposition de l'évangéliaire est encore
contestée au début du xe s. par le Pseudo-Alcuin (à moins
que ce ne soit un Pseudo-Amalaire). Reprenant le schéma
de l'*ordo* XXXIV, l'auteur reproduit le canon 90 des
Statuta qu'il réprouve comme Amalaire, parce que la
formule ne réside dans aucune autorité ancienne ou nouvelle
et même pas dans la ' tradition romaine '. Cette fois, il n'y a
point d'allusion au symbole possible du joug de l'Évangile
et de sa loi[84]. Les protestations relevées à l'encontre du
rite de l'Évangéliaire qui, on le sait, n'a rien de romain,
n'empêchent pas celui-ci de s'implanter fortement sur
le modèle du Pontifical romano-germanique de 950-962/65,
d'où est sortie la liturgie actuelle. Le Pontifical romain du
xiie s. en est un exemple.

super eum. » XVI, 35, p. 35 : « Consecrare et sanctificare digneris,
domine, manus istas per istam unctionem. » Comparer avec *Missale
Francorum* 1, p. 3, 20-22 ; 8, p. 10, 9-12. *Pontifical Rom. Germ.* t. I, §
LXIII, 31, p. 216 : « duo episcopi ponunt et tenent evangeliorum
codicem super cervicem eius et inter scapulas clausum et, uno super
eum fundente benedictionem, reliqui omnes episcopi qui assunt
manibus suis caput eius tangunt et dicit ordinator : Propitiare. »
Comparer avec *Missale Francorum, Gélasien, Statuta : supra*, p. 113,
n. 77 ; ci-dessus l'*ordo* XXXV, n. 82 et HINCMAR DE REIMS, n. 81.
Voir C. VOGEL, « Contenu et ordonnance du Pontifical romano-germanique », dans *Atti del VI° congresso internazionale di archeologia
cristiana*, 1962 (*Studi di antichità cristiana*, Pontificio Istituto di
Archeologia cristiana 26), Città del Vaticano 1965, p. 243-265, cf.
p. 245, 251. Les textes cités ci-dessus manquent dans les sections du
Vatic. Reg. lat. 598 (ancien témoin d'une des sources du pontifical
romano-germanique), publié par Dom P. SALMON, *Analecta liturgica*
(*Studi e Testi*, 273), Città del Vaticano 1974, p. 280-302 ; et dans
le ms. *Barberini lat. 720* (un prototype du rituel), dont P. S. fournit
les éléments, *ibid.*, p. 305-312, cf. p. 307, n. 10.

84. Ps.-ALCUIN (?), *De divinis officiis* 3, *PL* 101, 1173-1286 ;
1237 B : « Illud vero, quod duo episcopi tenent codicem evangeliorum
super caput ejus ; et uno fundente super eum benedictionem, reliqui
qui adsunt episcopi, manibus suis super caput ejus tangunt, non
reperitur in auctoritate veteri, neque nova ; sed neque in Romana
traditione. » M. ANDRIEU, *Ordines Romani* III, p. 599. Comparer
avec *supra*, p. 113, n. 77 et p. 115, n. 80.

On lit en effet sous la rubrique presbytérale dans les deux versions, brève et longue, que le pape impose la main sur la tête du récipiendaire et tous les prêtres présents également avec lui, tandis que le pontife prononce l'oraison[a]. Le chapitre X, 20, de la version longue, concernant l'évêque, relate que le pape, prenant le livre des Évangiles, le pose ouvert sur les épaules de l'élu dont lui et tous les évêques présents touchent la tête[b]. A défaut du pontife, décrit la version courte, deux évêques imposent le livre, fermé cette fois, entre les épaules du récipiendaire[85].

En dépit des variantes inévitables, vu l'évolution et l'amplification du culte à travers les siècles, diverses constantes demeurent : l'imposition des mains, la participation du *presbyterium* à l'ordination du prêtre, celle du corps épiscopal au sacre de l'évêque avec l'imposition des Évangiles, rite d'origine orientale et non romaine et qui, dès le IXe siècle a rencontré en Occident des détracteurs.

*
* *

85. M. ANDRIEU, *Le pontifical romain au moyen âge*, t. I, *Le pontifical romain du XIIe siècle* (*Studi e Testi* 86), Città del Vaticano 1938, a) § IX, 17, p. 135 : « ... ipso inclinato ante pontificem, erigat se pontifex et imponat manum super caput eius. Et omnes presbiteri qui adsunt cum eo pariter super caput ipsius manus imponant... » b) § X, 21, p. 147 : « Et pontifex accipiens textum evangeliorum ponit ipsum apertum super scapulas electi. Et tunc ipse et omnes episcopi qui adsunt tangunt caput ipsius electi et dicit pontifex media voce hanc orationem. » Un manuscrit récemment découvert est à ajouter à la liste donnée par M. Andrieu ; cf. R. AMIET, « Un nouveau témoin du pontifical romain du XIIe siècle », dans *Scriptorium* XXII², 1968, p. 231-242 : c'est le ms. *2* de la Bibliothèque des Facultés catholiques de Lyon, appartenant à la recension courte et rédigé pour un diocèse du nord de la France. A l'*ordo* XXXV, *supra*, p. 117, n. 82, l'ouverture de l'Évangile dépend du grade de l'élu : cas de la consécration pontificale ; au Pontifical du Xe s. (*supra*, n. 83), le fait n'est pas mentionné, et à celui du XIIe s., ce geste n'appartient qu'au pape conférant l'épiscopat.

Ce rapide historique des formes de l'ordination fixées par les innombrables témoins de la liturgie catholique et de leur complexité, montre combien les dualistes ont su, pour leur baptême, emprunter et sauvegarder la substance même des rites apparus aux origines du christianisme. L'essence de la *Tradition apostolique*, des *Constitutions apostoliques*, des *Statuta*, du Pontifical romano-germanique, constitue le fond de leur liturgie, désencombrée de tous les symboles et du faste propres aux célébrations religieuses. Dans leurs assemblées, de tenue très sobre, passe un souffle de fraternité spirituelle qui unit chacun des membres en une véritable église de Dieu, celle de Jésus-Christ qu'ils se font fort de continuer et que leur rite justifie. Avec un élan de charité et de vérité, comme le déclare l'officiant, tous vivent intensément par leurs prières la descente de l'Esprit-Saint sur la tête de celui qui devient leur frère. Cette lumière les illumine, les inonde de paix dans le baiser fraternel qui termine le *consolamentum*. La force de l'Esprit les aidera à supporter les persécutions dont ils seront l'objet et à mourir courageusement pour la foi profonde qui les anime.

4. Les traditions hérétiques antérieures

Le cérémonial d'ordination, que les cathares paraissent avoir emprunté à l'Église romaine, n'est cependant pas exclusif à l'orthodoxie. Le dualisme, que professent ces hérétiques, les rapproche beaucoup des manichéens que l'on a longtemps pris pour leurs maîtres. Indépendamment de leur croyance formelle aux deux principes absolus que les premiers désignent Lumière-Obscurité, les seconds : Dieu ou Principe, Bon-Mauvais, quel rapport peut-on établir entre les rites de ces deux églises ? Leur pratique religieuse d'un culte opposé au monothéisme ne se calque pas l'une sur l'autre. Une fois reconnu ce dualisme intégral, qui s'atténuera ensuite chez beaucoup de cathares, rien

ne rappelle dans leurs rituels la règle essentielle manichéenne de comprendre les trois moments : antérieur,
médian, postérieur, qui marquent les deux stades de
Lumière-Obscurité, totalement séparés par la phase
intermédiaire, où l'obscurité envahit la lumière qui
parvient à la chasser. On n'y voit pas davantage le dogme
fondamental imposé par Mani à ses fidèles, des quatre
corps paisibles de la Loi, c'est-à-dire de considérer les
quatre grandeurs ou les quatre aspects du Dieu tétra-
morphe : Dieu, sa Lumière, sa Puissance, sa Sagesse. Dans
aucun texte cathare ni traité d'hérésiologue, aux xiie et
xiiie siècles on ne lit à leur endroit de tels commandements[86]. De même, les manichéens ont des temples,
sanctuaires, monastères avec au moins cinq salles affectées
à des usages divers : pour « les livres ou bibliothèque,
le jeûne et l'explication, l'adoration et la confession,
l'enseignement de la religion, les religieux malades[87] ».
Hostiles à la construction d'édifices religieux, les cathares
se réunissent en des lieux secrets ou chez l'un des adeptes[88].

86. IBN AN-NADIM (Muḥammad ben Isḥâḳ), *Fihrist al-'Ulūm*,
éd. G. FLÜGEL, *Mani*, Leipzig 1862, p. 94-95. E. CHAVANNES-
P. PELLIOT, « Un traité manichéen retrouvé en Chine », dans *Journal
Asiatique (JA)*, 11e série, I, 1913, p. 114-116. Voir le *Eul Tsong
King* et le *San Tsi King*, p. 133-145. H.-Ch. PUECH, « Rapport sur
l'Histoire des religions », dans *Annuaire du Collège de France*, t. 63,
1963, p. 216-217. F. DECRET, *Aspects du Manichéisme dans l'Afrique
romaine*, Paris 1970, p. 190, 195-196, 199, 200 ; 259-260, 264-265.
Sur le manichéisme, voir l'état actuel de la question traitée par
Fr. DE CAPITANI, « Studi recenti sul manicheismo », dans *Rivista
di filosofia neo-scolastica*, t. 65, 1973, p. 97-118. — Bon aperçu général
par G. WIDENGREN, *Mani und der Manichäismus*, Stuttgart 1961,
traduction Ch. KESSLER, *Mani and Manichaeism*, Londres 1965,
révisée par l'auteur.

87. *Fihrist al-'Ulūm*, éd. G. FLÜGEL, *Mani*, p. 98, n. 265, p. 324-
326. CHAVANNES-PELLIOT, *JA* 1913, p. 109-114. H.-Ch. PUECH,
« Rapport... », t. 56, 1956, p. 206-207.

88. ALAIN DE LILLE, *Summa quadripartita* I, 69-71, *PL* 210,
371 C-373 B-C. DURAND DE HUESCA, *CM*, p. 91-95. Ch. THOUZELLIER,
Catharisme, p. 87 et *infra*, p. 146.

Double association d'une élite, les Initiés : ' Élus ' ou ' Saints ', qui possèdent la foi et la connaissance *(gnosis)* dans l'une; Parfaits dans l'autre; et d'un ensemble de fidèles qui n'ont qu'une foi rudimentaire : auditeurs ou croyants (πίστοι), généralement dirigés par les premiers, ces deux églises ont parmi les Élus une hiérarchie de dignitaires (Maîtres ou évêques, prêtres, diacres), mais le recrutement de leurs membres diffère complètement. « Gnose constituée en église », le manichéisme est une « congrégation charismatique » où tout membre est un « appelé » sur qui a soufflé l'Esprit (Νοῦς) qui l'a choisi. Si le néophyte répond à cet appel, il rejette son passé et tout ce qui est matière pour ressaisir son moi profond. D'après les *Kephalaia* LVIII, XC, XCI, ' absous ' de ses fautes, il sépare en lui la Lumière de l'Obscurité et, retranché de l'erreur, reçoit du Νοῦς- Lumière la Droite de la Paix, c'est-à-dire la connaissance de la Gnose du bien et du mal[89].

Rien de tel chez le cathare qui, aspirant à être reçu dans l'église, est soumis à une catéchèse, à l'examen d'une assemblée qui exige de lui des probations d'austérité, de piété, autant d'obligations rappelant le catéchuménat chrétien[90].

En poursuivant l'investigation, on constate que les uns et les autres rejettent les sacrements. Quels qu'ils soient, les dualistes refusent le baptême d'eau. Mais sous

89. H.-Ch. Puech, « Rapport... », t. 56, 1956, p. 200 ; t. 64, 1964, p. 218-226. Pour J. L. R. Ort, « Mani's conception of Gnosis », dans *Le origini dello gnosticismo*, Colloquio di Messina (13-18 avril 1966), a cura di V. Bianchi (*Studies in the History of Religions*. — Supplements to *Numen*, XII), Leiden 1967, p. 604-613, la gnose est le fondement essentiel de la religion de Mani. Pour J. Ries, « La Gnose dans les textes liturgiques manichéens coptes », *ibid.*, p. 614-624, au contraire, la gnose est une adhésion de l'homme au mystère dualiste révélé par Mani : c'est une gnose révélée qui implique aussi un acte de foi.

90. Cf. *supra*, p. 36-37.

l'influence des pays chrétiens où ils se sont dispersés les manichéens occidentaux du ve siècle, romains ou espagnols, ont fini par accepter l'onction, usage décrit dans les Actes de Thomas et que dénonce Turribius d'Astorga vers 440-447[91]. Les controverses entre Paul le Perse et le Maître manichéen Photius réunies en 527 sur l'ordre des empereurs byzantins Justin et Justinien, peu avant la mort du premier, attestent cette pratique. Celle-ci paraît assez paradoxale puisque, selon les disciples de Mani, la foi et la Gnose suffisent au salut[92]. Un passage des Actes d'Archélaüs, transmis par Épiphane, relate qu'une infusion d'huile est versée sur la tête de quelques Élus (sept) au cours des repas, sous forme d'exorcisme, pour libérer les particules lumineuses des aliments qu'ils ont consommés[93]. Or, jamais, en aucun cas, les cathares n'admettent l'onction.

En certains points, on peut cependant faire des rapprochements qui coïncident d'ailleurs dans les ascèses religieuses, orthodoxes ou non. La prière fréquente est obligatoire pour les cathares comme pour les manichéens. D'après un fragment de Tourfan *(M 801)* et le *Fihrist al-'Ulūm*, les Élus prient sept fois par jour, sans compter leurs sept prières pénitentielles obligatoires; les Auditeurs se contentent de quatre oraisons quotidiennes. Le fidèle

---

91. Turribius, *Epistola*, § V, *PL* 54, 694 C : « Illud autem specialiter in illis actibus qui S. Thomae dicuntur, prae caeteris notandum atque exsecrandum est, quod dicit eum non baptizare per aquam... sed per oleum solum, quod... Manichaei sequuntur. » H.-Ch. Puech, « Rapport... », t. 65, 1965, p. 261.

92. *Disputationes Photini Manichaei cum Paulo Christiano, Propositiones adversus manicheos* 9, Ms. *Vatican grec 1838*, fol. 264v, l. 16-19 *(PG* 88, 572 C) : « Εἰ γνώσει καὶ πίστει διασώζονται οἱ Μανιχαῖοι, τί χρήζουσι τῆς διὰ τοῦ ἐλαίου σφραγίδος... » H.-Ch. Puech, « Rapport... », t. 64, 1964, p. 221 ; t. 65, 1965, p. 266. Voir *infra*, Appendice, no 1, p. 263.

93. Épiphane, *Panarion* LXVI, 30, *PG* 42, 77 C-D, éd. F. Oehler, *Corpus haereseologicum*, t. II, Berlin 1861, p. 452. H.-Ch. Puech, « Rapport... », t. 65, 1965, p. 264. Voir *infra*, Append. no 2, p. 263.

de Mani prie debout, orienté vers le Soleil le jour, la Lune la nuit, astres qui, selon Augustin et les *Kephalaia* LXV, LXVI, LXVII, symbolisent la *virtus* et la *sapientia* de la divinité. L'orant ne reste pas immobile, il s'incline, se prosterne, s'agenouille en gestes d'adoration ou de vénération que rappelleront les attitudes des cathares dans leur *melioramentum*[94].

Manichéens et parfaits cathares sont tenus à l'abstinence totale. En outre, Mani impose à ses fidèles des jeûnes hebdomadaires communs aux Élus et aux Auditeurs, soit cinquante dimanches par an, et tous les lundis exclusivement réservés aux Élus; et des jeûnes extraordinaires de deux jours, trois fois par an, aux dates correspondant aux positions respectives du Soleil et de la Lune dans les signes du zodiaque. Tous doivent aussi jeûner pendant les trente jours qui précèdent la fête de la Bêma (mars), en souvenir de la passion de Mani; mais le jeûne est interrompu chaque soir au coucher du soleil[95].

Ces périodes de sévère privation précèdent la confession hebdomadaire, le lundi, des Auditeurs aux Élus et de ceux-ci entre eux; et la confession extraordinaire ou solennelle et générale de tous une fois par an en l'honneur de la Bêma. Bien que l'Élu éclairé par le *Noûs* soit dit impeccable, la coexistence en lui des deux natures l'amène à faillir en dehors de sa volonté et il se doit d'avouer les

---

94. *Fihrist al-'Ulūm*, éd. G. FLÜGEL, p. 96-97. CHAVANNES-PELLIOT, *JA* 1911, p. 586. AUGUSTIN, *Contra Faustum* XX, 2, *PL* 42, 369; éd. J. ZYCHA, *CSEL* 25[1] (1891), p. 536, 16-17 : « Virtutem quidem eius (dei) in sole habitare credimus, sapientiam vero in luna. » H.-Ch. PUECH, « Rapport... », t. 59, 1959, p. 265-269. F. DECRET, *Aspects du Manichéisme*, p. 227-231. Cf. *supra*, p. 35, 87, 92.

95. *Fihrist al-'Ulūm*, éd. G. FLÜGEL, p. 95, 97. AUGUSTIN, *Epistola* 36, § XII, 27-29 et *Ep.* 236, 2, *PL* 33, 148-150 et 1033. CHAVANNES-PELLIOT, *JA* 1913, p. 111, n. 2, p. 112; et p. 172-173, n. 3. Ch.-H. PUECH, « Rapport... », t. 60, 1960, p. 181-189. F. DECRET, *Aspects du Manichéisme*, p. 304-305, 309.

' oublis ' où la Matière l'a amené[96]. Humblement agenouillé, en posture d'*adoratio*, le pénitent déclare spontanément ses fautes, dit son *confiteor (khuastuanift)*, à moins de répondre à un formulaire énoncé par le confesseur et usuel en maintes religions. L'aveu s'effectue entre la présentation de l'*Évangile vivant*, œuvre de Mani, et le chant de plusieurs hymnes. L'absolution serait accordée après la lecture de la *Lettre du Sceau*, dernier message de Mani à ses fidèles[97].

Lors de son admission à la secte c'est le moment où le néophyte reçoit la σφραγίς ou *sceau* d'initiation qui, à la fois, scelle les cinq portes de l'être (yeux, oreilles, bouche, nez, mains), marque de son empreinte les trois parties principales du corps (sceaux de la bouche, des mains, du sein), les ferme à toute tentation et sollicitation extérieure : mensonge, violence, impureté. Selon les Actes de Thomas, les *Kephalaia* 90, 95, la controverse de Paul le Perse *(Vat. grec 1838)*, l'onction d'huile agit à la manière d'un sceau. Par cette sorte de baptême, si l'on peut dire (σφραγίς διὰ τοῦ ἐλαίου), l'initié admis à l'Église manichéenne reçoit la gnose et la foi et, en outre, le ' sceau ' qui confirme cette double possession. En retour, l'Élu jure fidélité à son église[98].

Après un cérémonial bien différent, totalement dépourvu d'onction, le cathare s'engage de même par serment *(votum)*. La coulpe de ses fautes et le *perdonum* qui lui

---

96. Augustin, *De duabus animis*, § XIV, 22, *PL* 42, 109-110 ; éd. J. Zycha, *CSEL* 25¹, p. 78, 5 : « ipsi Manichaei non solum fatentur, sed et praecipiunt, utile est paenitere peccati » ; *Contra Fortunatum* 20-21, *PL* 42, 121-124, *CSEL* 25¹, p. 97-103. H.-Ch. Puech, « Rapport... », t. 61, 1961, p. 181-189.

97. Chavannes-Pelliot, *JA* 1911, p. 575, n. 1 et 1913, p. 137. H.-Ch. Puech, « Rapport... », t. 62, 1962, p. 204-208.

98. Voir *supra*, n. 91-92. H.-Ch. Puech, « Rapport... », t. 63, 1963, p. 217-219 ; t. 65, 1965, p. 261-266 ; t. 66, 1966, p. 263-267 ; t. 67, 1967, p. 261. Sur les trois sceaux, voir F. Decret, *Aspects du Manichéisme*, p. 302 (n. 7)-303.

fait suite, répondent aussi à une exigence de pureté[99], mais ignorent toute cette gnose dont le rite manichéen est imprégné. Les formes religieuses d'ascèse, prières, sermons, appartiennent aux cérémonies inhérentes à un culte religieux et à des liturgies impliquant ou non une initiation. On ne peut vraiment pas dire que la pratique religieuse des cathares s'inspire du culte manichéen dont on a vu les principales phases.

Les découvertes récentes des *Kephalaia* attribués au « Maître » et l'étude du chapitre IX confirment ces données. Cet écrit manichéen découvert au Fayoum vers 1930 fait état de « cinq mystères ou actes successifs d'une cérémonie initiatique ». Les cinq rites ou signes prescrits par Mani sont : la Paix, la Droite ou poignée de main, le baiser, la prosternation ou adoration et l'ultime : l'imposition des mains. Les ' signes ' que le manichéisme appelle ' mystères ' sont aussi les éléments des cérémonies chrétiennes, qu'elles soient simples ou d'ordination, prosternation, adoration, baiser de paix et, on l'a vu, imposition des mains. Ces cinq ' mystères ' illustrent les célébrations cathares mais à des moments différents. La prosternation, ou *melioramentum*, assez fréquente, annonce en outre et clôture la transmission du *Pater* et le sermon du consolamentum. L'imposition des mains, spécialement de la droite, s'effectue au cours de la deuxième cérémonie que termine le baiser de paix, donné par le nouvel élu aux parfaits qui s'embrassent entre eux[100]. Les cathares exécutent les signes en ordre divers et non

99. H.-Ch. Puech, « Rapport... », t. 67, 1967, p. 261-262. — Comparer avec *infra* : *perdonum*, 6, 3, 5 ; 9, 8 ; 13, 5 ; 14, 15, 21 ; *votum* 13, 34 et 39.

100. H.-Ch. Puech, « Rapport... », t. 64, 1964, p. 218 ; t. 67, 1967, p. 260 ; t. 70, 1970, p. 289-295 ; t. 71, 1971, p. 269-273. — Cf. *supra*, *melioramentum*, p. 35, n. 5 ; *infra*, imposition du Livre et des mains, baiser du livre 14, 28-30, 49 ; baiser de paix : *Rituel provençal*, p. 479[b], l. 1-5.

comme « un groupe homogène d'actes rituels successifs », propre à l'initiation manichéenne qu'ils rappellent, sans pour cela en dépendre. L'imposition des mains (χειροτονία), qui joue un rôle essentiel et final chez les disciples de Mani, réservée aux seuls dignitaires, exclusive aux clercs, constitue à l'inverse, accompagnée du même prestige, l'élément central de la liturgie cathare appliqué à tout croyant désirant devenir Parfait. Ce rite s'enrichit en outre, ici, d'un signe encore supérieur de consécration : l'imposition de l'Évangile, selon la liturgie chrétienne. En effet, la lecture ou la présentation de l'*Évangile vivant* au fidèle de Mani, juste avant sa confession, ne saurait comporter le sens du sacré que manifeste l'imposition même de l'Évangile, spécialement celui de Jean, sur la tête du récipiendaire cathare[a].

Il faut d'ailleurs souligner que, fondé par Mani[b], le Manichéisme a reçu de lui ses règles et ses lois, les fondements de son église et de sa liturgie[101]. On cherche encore en vain le fondateur (?!) éventuel du catharisme, formé de groupes épars qui ont tenté de s'organiser et de se structurer en églises. A l'homogénéité fortement équilibrée de l'un, s'oppose la diversité ondoyante de l'autre, issu de traditions diverses.

*
* *

101. [a]) *Infra*, 14, 28. App., n° 9, p. 269. H.-Ch. Puech, « Rapport... », t. 70, 1970, p. 293 ; t. 71, 1971, p. 269. Pour l'Évangile vivant, voir ci-dessus n. 97 ou H.-Ch. Puech, « Rapport... », t. 62, 1962, p. 205. — [b]) D'après la découverte récente d'un manuscrit grec du iv[e] siècle, Mani appartenait à la secte judéo-chrétienne des Elkesaites (sud-Babylonie). Cf. A. Heinrichs-L. Koenen, « Ein griechischer Mani Codex », dans *Zeitschrift für Papyrologie und Epigraphik*, 5, 1970, p. 97-214. G. Quispel, « Mani, the Apostle of Jesus-Christ », dans *Epektasis. Mélanges patristiques offerts au cardinal Jean Daniélou*, Paris 1972, p. 667-672.

Peut-on établir des rapports entre cathares et Messaliens ou Euchites ? D'après l'enquête récente effectuée à ce sujet, il ressort que, contrairement à ce que pense son auteur[102], on ne peut observer pour le baptême spirituel aucune filiation entre eux. En effet, si « l'étape décisive dans la vie du Messalien est l'expulsion hors de lui du démon », la question ne se pose pas pour le cathare, en qui est incorporée une âme déchue. En outre, tandis que le Messalien, ayant gagné l'impassibilité, ne peut plus pécher, le croyant cathare devenu parfait grâce au consolamentum n'acquiert pas l'impassibilité, il reste susceptible de souffrance et, surtout, demeure peccable. La preuve en est dans la pratique de l'*apparelhamentum* ou confession mensuelle des fautes vénielles et dans les cas, souvent cités, où le parfait coupable de faute grave perd le bénéfice du consolamentum. Il n'a aucun don de prédiction, de prophétie, ni celui de voir de ses yeux les puissances invisibles et les démons et ne prétend pas, à l'inverse du Messalien, jouir de la vision sensible de Dieu.

Pour les Messaliens, « le baptême comporte deux temps » : l'expulsion du démon, par crachat et sputation; et la venue du Saint-Esprit qui « entre en l'homme sous une forme visible, un feu qui ne consume pas ». Rien de tel chez le cathare à qui le démon n'est pas « uni substantiellement » comme à l'euchite et qui reçoit le Saint-Esprit non par le feu, mais par l'imposition des mains, inconnue des Messaliens antiritualistes. L'un comme l'autre obtiennent l'Esprit, mais d'une façon tout à fait différente et le cathare purifié reste néanmoins exposé au mal. Le cathare, on l'a vu, se prépare à recevoir le baptême par une pratique assez longue d'ascèse; toute prière lui est auparavant interdite alors que l'euchite doit la venue de

---

102. A. GUILLAUMONT, « Le baptême de feu chez les Messaliens », dans *Mélanges d'Histoire des religions offerts à H.-Ch. Puech*, Paris 1974, p. 517-523.

l'Esprit de feu à une crise personnelle ou à une transe collective de ferveur, telle qu'elle a valu aux membres de la secte l'épithète d'" agités ' ou d'" enthousiastes '. Enfin si, devenu parfait, le cathare est astreint à réciter de nombreux *Pater*, il ne dispose d'aucun oratoire semblable à ceux des Messaliens, qui y tiennent leurs assemblées de prières.

Ainsi on ne peut guère prouver de relation entre le messalianisme, hostile en outre aux rites, et le catharisme, qui les observe très scrupuleusement.

* *

Les Rituels provençal et latin, complémentaires l'un de l'autre, peuvent rappeler certains signes manichéens, ils apportent cependant plus de résonance des liturgies incriminées par les moines de Phrygie et de Byzance.

Si, dans leurs anathèmes et dénonciations, le patriarche de Constantinople Théophylacte, entre 933-944, et Cosmas le Prêtre, vers 972-973, restent silencieux au sujet du rite d'initiation des Bogomiles[103], au milieu du xie s. (1050) au contraire, le moine Euthyme de la Péribleptos le constate chez les Phoundagiagites résidant au nord-ouest de l'Anatolie et qui se disent chrétiens[104]. Son témoignage, fondé sur des informations sûres appuyées par son expé-

---

103. Voir *supra*, p. 60, n. 79. Cl. BACKVIS, « Un témoignage bulgare du xe siècle sur les Bogomiles : le « Slovo » de Cosmas le Prêtre », dans *Annuaire de l'Institut de Philologie et d'Histoire Orientales et Slaves* XVI (1961-1962), Bruxelles 1963, p. 75-100, cf. p. 77, 96.

104. EUTHYME DE LA PÉRIBLEPTOS, *Epistula invectiva*, éd. G. FICKER, p. 31, 2-3 : « καὶ ὅτι ἀποστόλους καὶ ἁγίους εἰς μνήμην φέρουσι καὶ ὅτι Χριστιανοὺς ἑαυτοὺς ἐπιφημίζουσιν. (31,26) Καὶ Χριστιανοὺς ἑαυτοὺς ἐπιφημίζουσιν ». Le codex *Vatican grec 840*, éd. *PG* 131, 56 A, écrit : « Καὶ ἀληθινοὺς Χριστιανοὺς αὐτοὶ ἑαυτοὺς ὀνομάζουσιν. »

rience personnelle, est probant, car « il a suivi les hérétiques,
les a surpris dans le déroulement de leurs fonctions, s'est
entretenu avec eux (τῆς παρρησίας, ἧς ἔλαβον εἰς ἐμέ)
et, de ses propres yeux, les a vus accomplir leur prière
impure (μιαράν)[104 bis] ».

Après une période de continence et d'ascèse, de jeûnes
et de prières, épreuves préparatoires assurant le détache-
ment du candidat à son ancienne église, celui-ci, lavé des
souillures de son baptême, prononce obligatoirement le
serment de fidélité à la secte. Le moine blâme violemment
la fourberie et l'intransigeance des ' Maîtres de l'erreur '
qui cherchent à soustraire totalement le nouvel adepte
à son ambiance première, à extirper de lui toute racine
du baptême antérieur, ceci au prix de manœuvres purifi-
catrices immondes (sputation, eau souillée, etc.)[a]. Ils y
parviennent aussi par ruse .et duplicité, en prononçant
secrètement une incantation magique (ἐπῳδὴν σατανικήν)
tout en lisant l'Évangile de Jean, sur la tête du candidat
qui, ignorant le stratagème et convaincu d'entendre
seulement les paroles bibliques, subit par cette empreinte
(τύπον) et à son insu, l'effet du chant occulte. En cet
instant, il perd la grâce du Saint-Esprit reçu à son premier
baptême, se trouve rempli d'une énergie satanique
(ἐνέργεια σατανική) ; marqué désormais du sceau (σφραγίς)
de l'esprit mauvais qui se tapit (ἐμφωλεύει) en lui, il ne
peut plus se soustraire à son envoûtement[b]. Alors seulement, commence l'initiation maléfique de ceux qui, abusés
par de telles supercheries et la formule impure (τῆς
μιαρᾶς ἐπῳδῆς) [c], apprennent qu'ils sont devenus l'habi-
tacle du diable qui les a irrémédiablement captés[105].

104bis EUTHYME DE LA PÉRIBLEPTOS, *Epistula, ibid.*, p. 77, 8-26.
Cf. Append. nº 5, p. 266. — Cf. Th. S. THOMOV, « Les appellations
de ' Bogomiles ' et ' Bulgares ' et leurs variantes en Orient et en
Occident », dans *Études balkaniques*, IX, 1973, p. 77-99 ; cf. p. 81.

105. EUTHYME DE LA PÉRIBLEPTOS, *Epistula invectiva*, a) p. 37,
21-22 ; b) p. 24, 6-26, 9 ; spécialement, p. 24, 13-14, 20-22 : « ἀλλὰ,

Ici, pas de choix privilégié rappelant la gnose manichéenne, où celui sur qui ' a soufflé ' l'Esprit se purifie
par lui-même intérieurement, sous l'influence du Νοῦς-
Lumière. Aucune onction ne marque « l'appelé » de son
sceau. La σφραγίς est celle de l'esprit mauvais qui, par
le chant occulte du célébrant, s'empare de l'être à son
insu. Au cours de leur rite « ils lèvent et baissent la tête
comme les possédés du démon et prient là où ils se trouvent
sans orientation spéciale [a] ». Simulent-ils les actes des
chrétiens ? « Le ' triplement Mauvais ' arguent-ils, prétend
que, selon S. Paul, tout acte accompli sans la foi est
péché (*Rom.* 14, 23). Or nous, sans la foi, nous accomplissons
tous ces rites : baptême, sacerdoce, monachisme et tout
autre pratique propre aux chrétiens [b]. » Euthyme de la
Péribleptos insiste sur l'importance primordiale de l'ἐπωδὴ
σατανική, véritable incantation diabolique, terme qui
revient fréquemment sous sa plume et ignoré des
cathares[106].

Aux déclarations de ce moine d'origine phrygienne,
personnellement averti, il faut joindre le *titulus* XXVII de
la Panoplie dogmatique rédigée vers 1111-1118 par
Euthyme Zigabène, exégète byzantin tout aussi bien
informé. Celui-ci indique deux initiations. La première

δελεάζομεν αὐτὸν λέγοντες, ὅτι τὸ τετραενάγγελόν σοι θέλομεν ἐπα-
ναγνῶναι · καὶ Τίθεμεν τὸ βιβλίον ἐπάνω τῆς κεφαλῆς αὐτοῦ καὶ
ἀρχόμεθα ἀπὸ τοῦ ἁγίου εὐαγγελίου γνωρίμους λόγους πρὸς τὸ λαθεῖν
αὐτόν ; » c) p. 25, 1-3 ; 30, 12-17-20. *PG* 131, 56 B-C. Puech-Vaillant,
Cosmas, p. 253-254. Voir Appendice n° 3, p. 264.

106. Euthyme de la Péribleptos, *Epistula invectiva*, a) p. 77, 23-
26 : « Τὰς κεφαλὰς αὐτῶν ἀνάγοντες καὶ κατάγοντες ὡς οἱ δαιμονιζόμενοι... » Voir Append., n° 5, p. 266 ; b) p. 25, 24-26 : « Ἡμεῖς δὲ εἰ
ποιοῦμεν πάντα, ἀλλ᾽ οὖν πίστει οὐ ποιοῦμεν, οὔτε βάπτισμα, οὔτε
ἱερωσύνην, οὔτε μονακιχὴν οὔτε ἄλλο τι τῶν Χριστιανῶν. » Sur la
fréquence du terme ἐπωδή, voir p. 24, 7-8, 14, 19 ; 25, 2, 18 etc., 30,
15. *Infra*, Append., n°s 3-4, p. 264-265. Serait-ce onction ? Cf.
Puech-Vaillant, *Cosmas*, p. 254-255. Voir aussi p. 152-153 et
157-158 sur la participation réelle des hérétiques.

exige du candidat une austère préparation durant laquelle
il se confesse et prie assidûment. Elle consiste ensuite à
le purifier de son baptême initial et de sa contamination
avec l'Église en le rebaptisant, (ἀναβαπτίζουσι). Au jour
dit, l'assistance lui pose sur la tête l'Évangile de Jean,
dont on récite le prologue, précise la *Narratio*; elle invoque
l'Esprit-Saint et chante le *Pater*[107]. Après un temps assez
long d'épreuves, la communauté ayant attesté la continence, la piété, les jeûnes et la constance du néophyte,
on procède à la seconde initiation qui met l'élu au rang de
Parfaits. L'ayant placé vers l'Orient, on lui impose à
nouveau l'Évangile et les hommes et femmes présents
lui imposent les mains en chantant des hymnes d'action
de grâce[108].

Ces doubles cérémonies, à intervalle de temps variable,
décrites par Zigabène, peuvent être comparées à celles
de l'initiation cathare connue d'après les rituels occidentaux. Bien des différences surgissent. D'abord, la purification imposée au croyant cathare ne vise pas du tout son
baptême primitif qu'il doit s'interdire de mépriser; en
outre cette purification ne se limite pas à l'impétrant, elle
englobe l'assemblée des parfaits astreints au ' service '
ou *apparelhamentum*, confession générale inconnue des
deux Euthyme. Fréquemment récité, le *Pater* est unanime-
ment la seule prière admise. Tous demandent le pain
ἐπιούσιον que les uns qualifient de quotidien, les autres
de supersubstantiel, mais Phoundagiagites et Bogomiles

---

107. Euthyme Zigabène, *Narratio*, éd. G. Ficker, p. 100, 28-34 ;
cf. 32-34 : « Εἶτα τῇ κεφαλῇ αὐτοῦ τὸ Εὐαγγέλιον ἐπιτιθέντες, καὶ
τὸ ἐν ἀρχῇ ἦν ὁ λόγος ἐπαναγινώσκοντες καὶ τὸ παρ' αὐτοῖς ἅγιον
Πνεῦμα ἐπικαλούμενοι καὶ τὸ πάτερ ἡμῶν ἐπᾴδοντες.» *Panoplia
dogmatica* XXVII, 16, *PG* 130, 1312 B-C. Voir Append. n° 6, p. 266.
108. Euthyme Zigabène, *Narratio*, p. 100, 34-101, 7. *PG* 130,
1312 C. Puech-Vaillant, *Cosmas*, p. 252-253. A. Dondaine,
« L'origine », p. 66-67. Comparer avec *supra*, p. 88-92. *Infra*, Append.
n° 6, p. 266. Th. T. Thomov, « Bogomiles », p. 84.

méconnaissent la doxologie que, fidèlement, prononcent
les cathares[109]. La lecture du prologue de Jean est commune
à tous, néanmoins, dans les communautés occidentales,
lors de la *Traditio orationis*, on n'impose pas l'Évangile
sur la tête du récipiendaire. Avant le sermon, ce dernier
se contente de prendre le Livre et de le rendre quand
l'officiant lui transmet le droit et l'obligation de dire le
Pater et l'invite à le réciter avec lui[110]. Le premier acte
est tout entier centré sur l'oraison dominicale.

Le second est l'initiation suprême. Cette fois avec la
double imposition de l'Évangile et des mains, sans ἐπῳδή.
L'élu s'engage et fait le vœu *(votum)* d'obéir aux règles
prescrites comme le bogomile du XIe siècle[111]. Le rituel
latin cathare laisse mieux percevoir l'importance donnée
à la manutention de l'Évangile, code de vie parfaite,
la participation fraternelle de l'assistance remplie d'une
intense émotion religieuse et par l'intercession de laquelle
descend l'Esprit. Les polémistes pourraient penser qu'il
s'agit de la troisième personne de la Trinité; en réalité
c'est l'Esprit-saint individuel perdu par l'âme au temps de
sa chute et qui revient, Paraclet ou ' consolateur ', s'unir
à elle[112]. Dès lors, sûr de son salut, le Parfait, moins apte

---

109. Euthyme Zigabène, *Panoplia dogmatica* XXVII, 19,
PG 130, 1313 D ; XXVII, 17, *Ibid.*, 1313 B : ἐπιούσιον en grec que
Migne traduit ' quotidianum ' en latin. Voir *supra*, p. 52-54 ; sur
la doxologie, p. 63 et n. 82.

110. *Rituel provençal* (éd. L. Clédat), p. 473ᵃ, l. 15 ; 475ᵇ, l. 4-12.
Voir *infra*, 5, 16-19. *Supra*, p. 35, n. 5 ; p. 81. Append. nᵒ 21, p.
289-291.

111. Cf. *infra*, 13, 34-39. Euthyme de la Péribleptos, *Epist.
invectiva*, p. 30, 12-17 (*infra*, Append. nᵒ 4, p. 265. Euthyme
Zigabène, *Panoplia dogmatica* XXVII, 17, *PG* 130, 1312 C : « εἶτα
μαρτυρίαν ἀπαιτοῦσιν, εἰ ἐφύλαξε πάντα », Appendice nᵒ 6, p. 267.
Sur l'ἐπῳδή voir ci-dessus note 106.

112. Moneta de Crémone, p. 4ᵇ (cf. Append., nᵒ 13, p. 274),
269ᵇ. *Brevis summula*, éd. C. Douais, *La Somme des autorités*, Paris
1895, p. 119-120. E. Broeckx, *Le Catharisme*, p. 47-50. J. Guiraud,
Inquisition, I, p. 109. H. Söderberg, *La religion des cathares*, Uppsala

à rester peccable, s'astreint à une austérité rigoureuse et devient l'objet de la vénération des croyants. C'est le respect que lui témoignent en s'inclinant devant lui tous les adeptes, geste *(melioramentum)* que les inquisiteurs ont par erreur appelé ' adoration ' et qui, selon Ch. Schmidt, devrait porter « à plus juste titre le nom de ' bénédiction '[113] ». Quant au *mysterium sanctificationis* que mentionnent au XIe s. les sources occidentales, il correspond peut-être à la τελείωσις dont parle Zigabène au début du XIIe siècle : « l'assistance unanime amène le postulant à ' la fameuse initiation ' (θρυλλουμένην τελείωσιν)[114]. »

Toutefois, d'après les rituels latin et provençal, l'attitude des cathares se révèle beaucoup moins agressive que celle décrite par les deux moines orientaux. Il n'est pas question d'exorciser le néophyte des effets de son ancien baptême ou même, comme l'écrit Pierre des Vaux-de-Cernay, d'y renoncer[115]. Leur purification, dépourvue de gestes malpropres, s'avère plus spiritualisée. Chez eux, aucun maléfice, ni paroles magiques prononcées à l'insu et aux dépens du candidat, très averti de la cérémonie et conscient de son engagement[a]. Bien mieux, le postulant reçoit

---

1949, p. 174. A. Dondaine « L'origine », p. 73. Voir *infra*, p. 166, n. 54, et comparer avec *Brevis summula*.

113. Le terme revient fréquemment dans les enquêtes inquisitoriales, Doat XXI, fol. 144r : « Alamannus de Roaxio... hereticos in domo sua receptaverit... et eos pluries et frequenter adoraverit. 151r omnes supradicti... eos multotiens adoraverunt. 164r B. Otonem... eos... multotiens... adorasse. 165r Guillelmun de Aniorto... hereticos adoraverat... adorasse. 166v, 180r, 181v, 183r, 184r, 186r, 187v, 188v, 189r-v, 190r, 191r, 196v, 197r, etc. Ch. Schmidt, *Histoire*, p. 116.

114. Zigabène, *Narratio*, p. 101, 2 : « ... ἄγουσιν αὐτὸν ἐπὶ τὴν θρυλλουμένην τελείωσιν » = *Pan Dogm.* XXVII, 16. *PG* 130, 1312 C. Puech-Vaillant, *Cosmas*, p. 252. Voir Append. n° 6 ; cf. *infra*, p. 140, n. 10.

115. Pierre des Vaux-de-Cernay, *Historia Albigensis*, § 19, éd. P. Guébin-E. Lyon (*Société de l'histoire de France*, 412), t. I, Paris 1926, p. 19-20. Voir *supra*, p. 130-132 ; *infra*, Append. n° 10.

l'ordre absolu « de ne pas mépriser *(non ... contempnare)* son premier baptême, ni sa ' christianité ', ni le bien accompli et dit jusqu'à ce jour »; le saint *ordinamentum* du Christ qu'on lui impose doit suppléer *(pro supplemento)* aux carences du précédent *(quod deficiebat)* insuffisant au salut[b]. Le texte est catégorique[116].

Pour les Bogomiles, il s'agit en somme d'un ' refaçonnement ' tel que l'entendait peut-être Constantin Chrysomallos, moine d'un monastère riverain du Bosphore. Le synode de 1140 qui le condamne lui fait grief de considérer le baptême imparfait et de lui substituer le sien propre, une sorte de refonte (ἀναστοιχείωσις), qui rend l'homme parfait et participant de l'Esprit divin. A l'imposition des mains, effectuée par des connaisseurs de la gnose (γνώσεως), Chrysomallos ajoutait l'onction (διά ... μύσεως μύρων τε χρίσεως), inconnue des dualistes occidentaux, si divergents par ailleurs des doctrines reprochées au moine[117].

Conclusion

L'analyse des rituels révèle assez peu d'analogies entre les pratiques manichéennes, messaliennes, et le culte des cathares, beaucoup plus proche des modes liturgiques des hérétiques slaves par les prières latines, la lecture de l'Évangile de Jean, l'imposition de l'Évangile, etc. Mais

---

116. [a]) Les registres inquisitoriaux révéleront plus tard que ce respect de la personne n'était pas toujours observé ; cf. *infra*, p. 179-180, n. 82-83, 86. [b]) Voir *infra*, 13, 72-78 ; cf. *supra*, p. 91-92.

117. L. ALLATIUS, *De ecclesia occidentalis atque orientalis perpetua concessione*, Cologne 1648, rééd. anast. Farnborough (Gregg Intern. Publishers) 1970, p. 644-649 ; cf. p. 646, l. 16-26 et p. 647, l. 13-14. MANSI, *Concilia* XXI, 552-560, cf. 556 A, E. Voir J. GOUILLARD, « Constantin Chrysomallos sous le masque de Syméon le Nouveau Théologien », dans *Travaux et Mémoires*, 5, 1973, p. 313-327.

l'attitude mentale des Parfaits languedociens et italiens diffère de celle de leurs émules d'Asie Mineure ou des Balkans où, d'après les aveux consignés, tout est simulacre, alors que, selon les termes des rituels occidentaux et spécialement du texte latin étudié ici, aucun acte simulateur ne peut tromper le postulant pas plus que la hiérarchie romaine. L'historien ne doit pas oublier de différencier l'origine des témoignages : d'une part des sources authentiquement cathares du rite dont la véracité est indéniable ; de l'autre, des rapports d'hérésiologues plus ou moins exacerbés.

Ayant, à travers les âges, cherché les accointances des cathares avec les milieux manichéens et bogomiles antérieurs[118], il était naturel qu'on leur appliquât une telle qualification, étant donné leurs déclarations dualistes et leurs rapports avec les églises des Balkans. Leur croyance fondamentale en deux principes ne les empêche pas d'être convaincus de leur profond christianisme. Imprégnés d'authentique vie apostolique, nourris de l'Écriture Sainte, s'abreuvant aux sources mêmes de l'Église primitive, ces fidèles entendent, de par leur imposition des mains et du Livre, revenir à la pureté originelle de l'église du Christ : c'est pourquoi ils se disent essentiellement chrétiens (*veri christiani docti ab ecclesia primitiva*)[119].

118. Par ex., H.-Ch. PUECH, *Histoire des religions*, t. III, Paris 1972, p. 635, « ne doute pas du rôle joué par le bogomilisme dans la constitution du catharisme ».

119. Voir *infra*, 12, 27-29. *Liber*, 45, 70 ; 66, 14.

CHAPITRE III

LE RITUEL CATHARE
ET SES DIVERSES INTERPRÉTATIONS

A. Les Hérésiologues

1. Aux XIe-XIIe siècles

Comment les hérésiologues du temps ont-ils considéré les pratiques religieuses de ces nouveaux 'chrétiens' au fur et à mesure où elles parvenaient à leur connaissance ?

Tout au début du XIe siècle, ce baptême du consolamentum leur paraît totalement inconnu. Les hérétiques d'Aquitaine, écrit Adémar de Chabannes, vers 1017-1018, nient le baptême, sans pour autant lui substituer une autre cérémonie dont le chroniqueur ne parle pas. On ne peut donc supposer que l'on ait affaire aux dualistes[1].

---

1. ADÉMAR DE CHABANNES, *Chronicon* III, 49, éd. J. CHAVANON (*Collect. de textes pour servir à l'étude et à l'enseignement de l'histoire* 20), Paris 1897, p. 173 : « 1017-1018. Paulo post exorti sunt per Aquitaniam Manichei, seducentes plebem. Negabant baptismum et crucem et quidquid sanae doctrinae est. Abstinentes a cibis, quasi monachi apparebant et castitatem simulabant, sed inter se ipsos omnem luxuriam exercebant, et nuncii Antichristi erant, multosque a fide exorbitare fecerunt. » Voir A. DONDAINE, « L'origine de l'hérésie médiévale », dans *Rivista di Storia della Chiesa in Italia* VI, 1952, p. 47-78 ; p. 59. — Ce passage du *Chronicon* manque dans l'*Historia*

Sur leurs émules d'Orléans brûlés le 28 décembre 1022, à la suite d'un synode convoqué par Robert le Pieux, Adémar n'est guère plus probant, et les récits verbeux de Raoul Glaber[2] incitent à la prudence. Le moine Paul de Saint-Père de Chartres, encore trop prolixe, rapporte les propos d'un habile Aréfaste parvenu à s'introduire auprès de ces hérétiques. Le néophyte venant « du siècle inique, dans leur sainte communauté » doit être traité comme un arbuste sauvage de la forêt transplanté dans un bosquet. D'abord arrosé, c'est-à-dire instruit, puis émondé de ses vices, il est finalement purifié, pour recevoir la vraie doctrine révélée par le Saint-Esprit. Cet énoncé figure la période d'ascétisme préparatoire à l'initiation. A leurs yeux, le baptême n'est pas une ablution de crimes, aussi proposent-ils à Aréfaste — qui les dénoncera — la purification de ses péchés par leur imposition des mains et le don du Saint-Esprit qui lui enseignera la profondeur et la vraie divinité des Écritures. Faut-il voir là un indice du rite dualiste[3] ? Des sources plus dignes de foi permettent

---

pontificum et comitum Engolismensium, éd. J. Boussard, Paris 1957. Cf. C. F. Werner, « Adhémar von Chabannes und die historia Pontificum et Comitum Engolismensium », dans *Deutsches Archiv für Erforschung des Mittelalters* (s.d.), 19e année, 2e fasc., p. 297-326.

2. Adémar de Chabannes, *Chronicon* III, 59, p. 184-185. Raoul Glaber, *Les cinq livres de ses histoires*, III, 8, § 26-31, éd. M. Prou (*Collection de textes* 1), Paris 1886, p. 74-81.

3. *Vetus Agano, Cartulaire de l'Abbaye de Saint-Père de Chartres*, éd. B. Guérard, t. I, Paris 1840. Lib. IV, 3, p. 110, 111 « ... insulsa doctrina tui pectoris ab antro exclusa, nostram doctrinam a Sancto Spiritu traditam mentis puritate possis excipere... dicentes Christum de Virgine Maria non esse natum, neque pro hominibus passum, nec vere in sepulchro positum, nec a mortuis resurrexisse ; adentes in baptismo non esse ullam scelerum ablutionem, neque sacramentum corporis et sanguinis Christi in consecratione sacerdotis... Pandemus tibi salutis [h]ostium, quo ingressus, per impositionem videlicet manuum nostrarum, ab omni peccati labe mundaberis, atque Sancti Spiritus dono repleberis, qui scripturarum omnium profunditatem ac veram divinatem, absque scrupulo, te docebit ». A. Dondaine, « L'origine », p. 59, 69-71, 74-76.

d'en douter. La lettre que Jean de Ripoll, moine à Fleury, adresse à l'abbé bénédictin Oliba, évêque d'Ausone (Vich, Espagne), pour l'informer des opinions incriminées : négation du baptême, de l'eucharistie, de la pénitence, du mariage et refus des aliments carnés, n'en fait point état[4]. Dans sa *Vita Gauzlini* (c. 1042), André de Fleury, témoin de l'autodafé, reproche aux victimes d'avoir non seulement nié le baptême et les autres sacrements, mais aussi d'avoir « tenu pour rien l'imposition des mains[5] ».

L'affaire d'Orléans, imbriquée dans tout un complexe d'intrigues politiques[6], décèle chez les clercs intellectuels de l'époque, les *doctores* de l'université orléanaise, une inquiétude théologique sans rapport avec les doctrines proprement dualistes. L'épithète de ' Manichéens ', dont on les affuble, correspond à la désignation ultérieure d'*Arriana haeresis* que les hérésiologues du temps croient, dans leur ignorance, déceler un peu partout[7]. On en a pour preuve la profession de foi que Gauzlin, abbé de Fleury, archevêque de Bourges et membre du synode d'Orléans, prononce à l'issue de celui-ci : c'est une transcription de celle de Gerbert d'Aurillac, archevêque de Reims en 991[8].

4. Bouquet, *Recueil des Historiens des Gaules* X, Paris 1874, p. 498 : § XIV *De haereticis Aurelianensibus* ; meilleure édition par R.-H. Bautier, *Vie de Gauzlin, abbé de Fleury* (*Sources d'histoire médiévale*, 2), Paris 1969, Append., p. 180, *in fine* : « abnegando abnegabant sacri baptismi gratiam ».

5. André de Fleury, *Vita Gauzlini*, éd. R.-H. Bautier, p. 98 : « Pro nichilo computabant impositionem manuum. »

6. Nous devons ce renseignement à l'étude alors inédite, que M. R.-H. Bautier a bien voulu nous communiquer, et nous l'en remercions : « L'hérésie d'Orléans et le mouvement intellectuel au début du XIe siècle. Documents et hypothèses », parue dans *Actes du 95e Congrès national des Sociétés savantes* (Reims 1970). Section de philologie et d'histoire jusqu'à 1610, t. I, Paris 1975, p. 63-88.

7. Ch. Thouzellier, *Hérésie et hérétiques* (*Storia e Letteratura*, 116), Rome 1969, p. 7-8 ; 67-68, et les études signalées (au n. 62) de R. Manselli et Y. M. J. Congar.

8. Gerbert, éd. Fr. Weigle, *Die Briefsammlung Gerberts von Reims* (*MGH, Die deutschen Geschichtsquellen des Mittelalters 500-*

Or la comparaison des actes prouve que ce texte n'est autre que le prologue des *Statuta Ecclesiae antiqua*, archétype gennadien du dogme catholique imposé à tout prélat avant son ordination et que Valdès sera personnellement contraint d'accepter en 1180[9]. A travers les siècles, les différentes erreurs formulées par Arius, Sabellius, Nestorius, Eutychès, Priscillien, Pélage, etc. filtrent chez les clercs du Moyen Age, soucieux de recherche théologique et, pour justifier son orthodoxie, l'Église ne trouve pas mieux que de remonter au mandement initial élaboré par Gennade de Marseille (c. 476-485) face aux Wisigoths ariens. Ainsi, à Orléans en 1022, cette profession de foi renouvelée par Gauzlin englobe, sous une forme d'anathème, tous les articles d'erreurs énoncés dès les premiers siècles. On ne saurait en déduire que les clercs incriminés étaient des cathares.

Ceux d'Arras répondent-ils aux mêmes critères ? D'après le synode que préside Gérard archevêque de Cambrai (1025), ils déclarent nul tout baptême, pour trois raisons : l'indignité des ministres, la faiblesse des baptisés qui pèchent après comme avant, et l'impossibilité de substituer la volonté d'un autre à celle de l'enfant : erreurs communes aux hétérodoxes. Mais le canon VI sur les ' Ordres sacrés ' fustige leur prétention à transmettre un don qu'ils n'ont pas reçu et, par de sacrilèges incantations, à pratiquer un ' certain mystère de sanctification ' sur ceux qu'ils admettent à partager leurs doctrines[10]. Le *sanctificationis*

1500. Die Briefsammlung der deutschen Kaiserzeit, II), Weimar 1966, p. 208-209. *Vita Gauzlini*, p. 98-102.

9. Ch. Munier, *Les Statuta Ecclesiae antiqua*, p. 75-77 et p. 108-113, le texte est ici presque littéral. Pour Valdès, voir nos études *Catharisme*, p. 27-30, et *Hérésie*, p. 70.

10. Mansi, *Concilia* XIX, Venise 1774, 423-460 ; 423 E : « dicebant *baptismatis mysterium* et dominici corporis et sanguinis sacramentum nullum esse et idcirco rejiciendum, nisi simulationis causa ministraretur... 444 D... C. VI : Quod cum ita sit stultum et cunctis catholicis

mysterium ne serait-il pas à rapprocher du baptême
spirituel dont il est aussi question en Champagne ?

L'évêque de Châlons-sur-Marne, Roger II, se plaint
des paysans de son diocèse qui, en 1048, observent la
doctrine perverse des Manichéens, fréquentent des conventicules secrets où, en de certaines solennités, ils feignent
de donner l'Esprit-Saint par une ' sacrilège imposition
des mains '[11]. Sous l'appellation erronée de ' Mani ', le
prélat envisage un simulacre de cérémonie baptismale,
prodrome qu'il est encore difficile d'identifier à la pratique
des dualistes, mais qui ne paraît pas être l'effet de simples
déviations spéculatives.

Ceux que l'on désigne comme les ' hétérodoxes latins du
xie siècle ', épars en différentes régions de France, sans
coordination, ne constituent pas une église unie, hiérar-
chisée; ils ne pratiquent pas l'imposition des Évangiles,
surtout, ne sont pas dualistes et ne peuvent en rien être

---

abominabile fit quod putatis vos posse dare quod non accepistis ;
nec quibus in locis, nec quibus ministris detur aliquod gratie donum
differentiam facitis sed... vestras phantasias atque sacrilegas incanta-
tiones quasi quoddam *sanctificationis mysterium* super eos agitis,
quos erroris vestri consortio admiscere potestis. » Nous soulignons.
A. DONDAINE, « L'origine », p. 59, 65, 69, n. 48. Cf. *supra*, p. 134,
n. 114.

11. ANSELME, *Gesta episcoporum Leodiensium*, *MGH SS* VII,
Hanovre 1846, 189-234 ; p. 226 : « Aiebat enim in quadam parte
diocesis suae quosdam rusticos esse qui, perversum Manicheorum
dochma sectantes, furtiva sibi frequentarent conventicula, nescio
quae obscena et dictu turpia, quadam sua sollempnitate actitantes
et per sacrilegam manuum inpositionem dari Spiritum sanctum
mentientes, quem ad astruendam errori suo fidem non alias a Deo
missum quam in heresiarche suo Mani, quasi nichil aliud sit Manis
nisi Spiritus sanctus falsissime docmatizarent, incidentes in illam
blasphemiam, quam iuxta Veritatis vocem et hic et in futuro impossibile est remitti. » A. DONDAINE, « L'origine », p. 60, 69 n. 46.
Y. DOSSAT, « L'hérésie en Champagne aux xiie et xiiie siècles », dans
*Mémoires de la société d'agriculture, commerce, sciences et arts du
département de la Marne*, t. 84, 1969, p. 57-73 ; cf. p. 58.

assimilés aux cathares. Leurs détracteurs ignorent à cette
époque le terme ' consolamentum '. Leur mouvement,
loin d'être, comme le pense Robert Fossier, « une forte
protestation contre la société cléricale et seigneuriale »,
qui, en pleine mutation, « se met alors en place », relève
au contraire « du désir profond de perfectionnement
spirituel... éclos en les milieux les plus divers... pour une
réforme morale de l'Église », selon notre opinion jadis
exprimée et que Jean Musy vient de confirmer dans une
étude aussi objective que prudente et d'une solide
érudition[12].

*
* *

Un siècle à peine écoulé, l'hérésie prend déjà en
Allemagne une forme plus évoluée, qui n'est pas sans
déceler des influences orientales.

Vers 1143-44, Évervin, abbé prémontré de Steinfeld,
décrit à Bernard de Clairvaux les méfaits de fausses
doctrines à Cologne. Il lui expose l'hostilité de la secte
qui, vivant secrètement, s'est perpétuée en Grèce et en

---

12. Ch. THOUZELLIER, *Hérésie* (1962), p. 6-11. — De l'avis de
J. Burton RUSSEL, *Dissent and Reform in the Early Middle Ages*
(*Center for Medieval and Renaissance Studies*, I), Los Angeles 1965,
tous les hérétiques repérés du VIIIe à la deuxième moitié du XIIe siècle
(c. 1140) appartiennent au grand mouvement général de Réforme
contre l'Église. — R. FOSSIER, « Les mouvements populaires en
Occident au XIe siècle », dans *Académie des Inscriptions et Belles-
Lettres. Comptes rendus*, 1971, p. 257-269 ; cf. p. 266. J. MUSY,
« Mouvements populaires et hérésies au XIe siècle en France », dans
Revue historique, nº 513, 1975, p. 33-75, cf. p. 53-54, 67, 72-76.

Il n'y a point lieu de rappeler ici la controverse élevée (1951-52)
entre A. Dondaine et R. Morghen. A signaler toutefois que ces
hétérodoxes latins du premier tiers du XIe siècle ne cessent de susciter
l'intérêt des historiens. G. CRACCO, « Riforma ed eresia in momenti
della cultura europea tra X e XI secolo », dans *Rivista di Storia e
Letteratura religiosa* VII, 1971, p. 411-477, voit en leur mouvement
des manifestations de ' charisme ', sans prise sur la population ;

d'autres lieux[13]. Réfractaires au baptême d'eau, les adeptes lui substituent celui de feu et d'esprit (*Matth.* 3, 11; *Jn* 1, 26), supérieur à l'autre et qu'ils effectuent par imposition des mains (*Act.* 9, 11-19). Quiconque est ainsi baptisé par eux, reçoit le nom d'" élu ' et le droit de conférer à son tour ce baptême en des conditions semblables. D'abord reçu parmi les croyants, l'auditeur, une fois baptisé, est admis aux oraisons en attendant, suffisamment éprouvé, de devenir élu[14]. Évervin révèle les trois degrés de la communauté : auditeurs, croyants, élus : les deux derniers échelons gravis après un temps de probation par l'imposition des mains qui, on le voit, est ici répétée deux fois. Cette gradation rappelle le règlement en vigueur dans l'Église primitive, selon l'*ordo scrutiniorum* et sera

des cas particuliers que les sources catholiques ont exagérés pour assurer la défense doctrinale, impressioner le public et qui ont disparu sans laisser de trace. Il y joint la tentative de Monteforte que, dans un tout autre esprit, analyse H. TAVIANI, « Naissance d'une hérésie en Italie du Nord au XIᵉ siècle », dans *Annales, Économies, Sociétés, Civilisations,* 29, 1974, p. 1224-1252. Partant de l'étude des mots et des formules, utilisés par Landolf Senior qui, dans son rapport, s'inspire du procès-verbal établi à la curie épiscopale, H. T. considère ce mouvement comme une déviation de toute une théologie carolingienne élaborée en *Francia Occidentalis* et Lotharingie et qui apparaît « en un moment où les exigences de la spiritualité mettent en discussion un dogme », bien imprécis en certains points. Pour C. VIOLANTE, « La pauvreté dans les hérésies du XIᵉ siècle en Occident », dans *Études sur l'histoire de la pauvreté* (Moyen Age - XVIᵉ siècle) sous la direction de M. MOLLAT (Publications de la Sorbonne. Série « Études », t. 8), Paris 1974, p. 347-369, les hérétiques du XIᵉ siècle « n'ont jamais eu l'idéal de pauvreté comme but principal ».

13. ÉVERVIN DE STEINFELD, dans BERNARD DE CLAIRVAUX, *Epist.* 472, *PL* 182, 676-680 ; 679 D : « Illi vero qui combusti sunt, dixerunt nobis in defensione sua, hanc haeresim usque ad haec tempora occultatam fuisse a temporibus martyrum, et permansisse in Graecia, et quibusdam aliis terris. »

14. Voir Append. nᵒ 7, p. 267. *PL* 182, 678 B-D. R. MANSELLI, *L'eresia del male*, Naples 1963, p. 150-156.

repris dans la liturgie cathare. Les hérétiques de Rhénanie invoquent en leur faveur les mêmes autorités scripturaires que soutiendront plus tard les auteurs des rituels[15]. Malgré l'absence totale de l'imposition des Évangiles, il y a donc déjà, établie en pays rhénans, au milieu du xie siècle, une coutume liturgique qui se maintiendra fidèlement par la suite.

On en a la preuve vingt ans après dans les poursuites qu'engagent les évêques de Cologne, Mayence, Bonn, contre les hérétiques, et auxquelles Eckbert, moine en 1154, puis abbé en 1167 de Schönau, se trouve mêlé. Les faits d'hérésie survenus à Cologne en 1143 ne lui sont pas inconnus, comme il le dit lui-même[16]. Durant son canonicat à Bonn, il avait eu l'occasion de discuter avec certains d'entre eux qui, pour le gagner à leur cause, étaient devenus ses familiers[17]. Appelé à Mayence, il put en interroger plusieurs. Malgré ses rapports personnels avec ceux qu'il appelle *Catharos*, deuxième apparition du terme en Occident[18], sa connaissance de l'hérésie est à ce point limitée

---

15. Cf. *supra*, p. 37 (scrutins), *infra*, 9, 12-15 (*Matth.* 3, 11); 10, 38-48 (*Act.* 9, 11-19). Cf. *Liber*, p. 106, 118, 119 et 120-121.

16. Eckbert de Schönau, *Sermones contra Catharos* XI, 1, *PL* 195, 84 C : « Memini vidisse aliquando in praesentia Coloniensis archiepiscopi Arnoldi, quemdam non parvi nominis virum, qui de schola catharorum reversus fuerat ad suos... » Ch. Thouzellier, *Hérésie*, p. 26 et notes. R. Manselli, « Ecberto di Schönau e l'eresia catara in Germania alla metà del secolo xii », dans *Arte e Storia. Studi in onore di L. Vincenti*, Turin 1965, p. 309-338 ; cf. p. 316 et n. 11. Voir *infra*, n. 20.

17. Eckbert de Schönau, *Praefatio*, PL 195, 13-14 : « Cum essem canonicus in ecclesia Bunnensi. » Emecho de Schönau, *Vita Eckberti de Schönau*, éd. F. W. E. Roth, *Die Visionem der hl. Elizabeth und die Schriften der Aebte Eckbert und Emecho von Schönau*, Brünn 1884, p. 352. Ch. Thouzellier, *Hérésie*, p. 26, n. 42 ; p. 27, n. 44.

18. Eckbert de Schönau, *Praefatio*, PL 195, p. 13-14 : « Hi sunt quos vulgo Catharos vocant. » Le terme, appliqué pour la première fois à l'hérésie dualiste, se lit dans une lettre de Nicolas, évêque de Cambrai, en 1152-1156. Voir P. Frédéricq, *Corpus documentorum*

qu'il identifie ses adeptes aux Manichéens. Ainsi, utilise-t-il des critères augustiniens dans ses Sermons, composés sous la pression de sa sœur Élizabeth (amie d'Hildegarde de Bingen et moniale à Schönau), peu avant sa mort[19]. Toutefois, il a bien discerné chez ses interlocuteurs des partisans du dualisme absolu. Malgré certain contredit, les textes sont formels. Il s'agit bien de « deux créateurs » et non d'un seul : le bon, appelé Dieu; le mauvais, « principe immanent des ténèbres », qu'Eckbert « ne sait pas mieux nommer que diable. Les deux natures, disent-ils, sont de toute éternité contraires l'une à l'autre et d'elles l'univers (visible et invisible) tire sa création ». Cette opinion, nettement formulée, que le moine a probablement entendue de la bouche des hérétiques, ne laisse place à aucune hypothèse d'un dualisme mitigé[20].

---

inquisitionis haereticae pravitatis Neerlandicae, t. I, Gand 1889, n° 33, p. 35. Ch. THOUZELLIER, Hérésie, p. 25-26, n. 41 ; cf. Annuaire de la Vᵉ Section de l'É.P.H.É., t. 79, 1971-1972, p. 359. Tout récemment, J. DUVERNOY (Annales du Midi, t. 87, 1975, p. 341-345), a cru bon de prendre au sérieux une boutade bien connue, d'Alain de Lille, que « les Cathares sont ainsi nommés d'après le terme catus (cat), parce qu'ils embrassaient le postérieur d'un chat en qui leur apparaissait Lucifer »... Voir notre réponse, p. 345-349. Au P.S. de Duvernoy, nous ajoutons que, même si Eckbert de Schönau s'est inspiré d'Augustin, le moine reproche aux Cathares « d'avoir assumé ce nom que la vox populi a confirmé », p. 348.

19. Élizabeth meurt le 18 juin 1164. Les Sermons auraient été rédigés vers la fin de 1163. R. MANSELLI, « Ecberto », p. 318 et 325-326, n. 30 ; voir aussi p. 319-320, et 331, n. 45. ID. « Amicizia spirituale ed azione pastorale nella Germania del sec. XII : Ildegarde di Bingen, Elisabetta ed Ecberto di Schönau contro l'eresia catara », dans Studi in onore di Alberto Pincherle (Studi e materiali di storia delle religioni 38), Rome 1967, p. 302-313 : cf. p. 308, n. 11.

20. ECKBERT DE SCHÖNAU, Sermones, I, 4, PL 195, 17 B : « Illi vero DUOS CREATORES esse docent: unum bonum et alterum malum, videlicet Deum et quemdam immanem principem tenebrarum, quem nescio quomodo rectius vocare possumus diabolum. DUAS NATURAS fuisse dicunt ab aeterno contrarias sibi invicem, unam bonam et alteram malam et ex eis dicunt creata esse universa. » C'est nous

Des réserves peuvent être formulées à son égard, néanmoins certains témoignages d'Eckbert ont valeur d'authenticité, notamment lorsqu'il déclare tenir d'un expert de la secte leur mode de « rebaptême » selon *Matthieu* 3, 11 et *Jn* 1, 26. Eckbert insiste sur le caractère secret des communautés hérétiques, obligées, depuis les persécutions de 1143, 1163, à dissimuler au maximum leurs conventicules. Les adeptes se réunissent en un lieu obscur et retiré, loin des regards curieux ou d'oreilles indiscrètes qui, par des portes ou des fenêtres, pourraient les voir ou les entendre. Une fois à l'abri, ils illuminent l'endroit de pleins feux et, avec grandes révérences, se rangent par ordre en cercle autour du récipiendaire placé au milieu et qui va être baptisé, ou « catharizé » écrit le moine avec ironie. L'archicathare l'assiste : il tient en mains le Livre réservé à cet office, le lui impose sur la nuque en disant les bénédictions, plutôt « malédictions », glose le moine acerbe, tandis que, à l'entour, l'assemblée prie et le fait fils de la géhenne et non du royaume de Dieu. Ainsi s'accomplit la cérémonie en un lieu caché, pour la circonstance inondé de lumière, symbole du feu. Les railleries d'Eckbert ne dissimulent pas la fin du rite, quand il suggère à l'officiant de dresser un grand foyer au milieu de sa synagogue, d'y placer le novice ' à cathariser ', au risque de se brûler les ongles en posant la main sur sa nuque, comme de coutume, pour le bénir. Ainsi son cathare aura été bien baptisé. Naguère, ajoute Eckbert, n'a-t-on

---

qui soulignons. Ch. THOUZELLIER, *Hérésie*, p. 28, n. 51. Th. S. THOMOV, « Les appellations de ' Bogomiles ' », p. 98, confirme notre point de vue, que dément R. MANSELLI, « Per la storia dell'eresia nel secolo XII », dans *Bolletino dell'Istituto storico italiano per il medio evo e Archivio Muratoriano*, 67, 1955, p. 189-264 ; cf. p. 221-222. ID., « Eckberto di Schönau », p. 330-332.

Voir la suite de la note aux Addenda p. 295.

pas usé de ce procédé à Cologne, envers leur archidiacre Arnold et ses complices et de même, à Bonn, à l'égard de Théodoric et de ses partisans et aussitôt, comme ils le disent, ne s'envolèrent-ils pas vers le ciel ? C'était rappeler cruellement les autodafés récents où avaient péri plusieurs dignitaires de la secte[20 bis].

En 1163 et même avant, les hérétiques de Rhénanie pratiquent donc le rite tel que le décrit le rituel : devant une assistance recueillie, avec imposition de l'Évangéliaire et de la main par le ministre, sans qu'il y ait à ce geste participation de l'assemblée. Pour si pénétré que soit Eckbert de Schönau des récits d'Augustin, il en est ici totalement détaché; tenant les détails de la bouche d'un membre qualifié, il trace un tableau vivant de la cérémonie qu'aucun autre n'avait ainsi dépeint jusqu'alors en Occident. Seule, lui paraît inconnue la *Tradition du Pater*. En outre, il insiste plus sur la ' bénédiction ' de l'officiant que sur l'initiation proprement dite de l'élu. Il n'envisage que le *feu* et non le baptême en esprit : ce dernier point lui échappe. Malgré les confidences reçues, il n'a pas réellement compris le sens du baptême-ordination des cathares et ne prononce même pas le terme de ' consolamentum ', auquel il supplée à sa façon par ' rebaptizare ' ou, encore mieux, par ' catharizare '!

*
* *

A la même époque, en Languedoc, le synode de Lombers (Tarn), réuni en 1165 contre ceux qui « vocant se bonos homines », ne fait aucune allusion à ce rite[21], tandis que peu après, se réunit le concile de Saint-Félix de Caraman

20 bis. Voir Append. n° 8, p. 268. *PL* 195, 51 C-D - 52 A-B.

21. MANSI, *Concilia* XXII, Venise 1778, 157-168, cf. col. 160 B. Ch. THOUZELLIER, *Catharisme*, p. 13.

(c. 1167, 1172). Si l'on en croit l'authenticité des Actes
— toujours douteux pour certains[22] — c'est afin de rallier
au dualisme absolu les églises à tendance mitigée, consti-
tuées en France (nord de la Loire), et *in Provincia*, que
Papa Nicétas confère un nouveau consolamentum à leurs
évêques. A chacun des six élus, le représentant de l'Église
de Constantinople administre l'*ordinem episcopi*, véritable
sacrement de l'ordre nouveau imparti aux titulaires
' consolés '[23]. Il semble dès lors que, en Lombardie et en
Languedoc, les formules liturgiques soient devenues
usuelles.

Si Raymond V de Toulouse se plaint, en 1177, que dans sa
région certains nient le baptême, il ignore comment les
hérétiques y suppléent[24]. Pourtant, au cours de la légation
en Toulousain de Pierre de Saint-Chrysogone (1178),
on impute à deux hérésiarques notoires du synode de
Lombers, Bernard-Raymond et Raymond de Baimiac,
d'en pratiquer un autre : celui de l'imposition des mains.
Ils s'en défendent alors mais, trois ans après, à Lavaur
(1181), ils reconnaissent avoir jadis nié la valeur du baptême
pour les adultes et prôné seule valable l'imposition des

22. Notamment pour Y. Dossat, « A propos du Concile cathare
de Saint-Félix », *CF* 3, p. 201-214. Assez dubitatif demeure
Ph. Wolff, « Une discussion d'authenticité », p. 100-105. Cf. *supra*,
p. 68 et 85, n. 90 et 143.

23. A. Dondaine, *Les actes*, p. 326, 6 : « ... magna multitudo hominum et mulierum Eccl. Tolosanae, aliarumque Ecclesiarum vicine
congregaverunt se ibi, ut acciperent consolamentum quod Dominus
Papa Niquinta coepit consolare... 19-28 Postea vero Robertus
d'Espernone accepit consolamentum et ordinem Episcopi a Domino
Papa Niquinta ut esset Ep. Eccl. Francigenarum ; similiter... Albiensis
...Lombardiae... Tolosanae... Carcassensis... Aranensis. » Ch. Thouzellier, *Catharisme*, p. 13. Fr. Šanjek, « Le rassemblement hérétique », p. 767-799. Cf. *supra*, p. 68, n. 90.

24. Raymond V, *Epist.* dans Gervais de Canterbury, *Chronicon*,
éd. W. Stubb (*Rer. brit. med. aev. script.* 73, 1), Londres 1879, p. 270 :
« baptismus negatur ». Ch. Thouzellier, *Catharisme*, p. 19, n. 24.

mains de leurs propres élus[25]. Mais les textes ne sont pas plus explicites.

Les vaudois qui, vers la fin du XIIe s. en Languedoc, discutent avec les cathares, ne paraissent pas mieux connaître les détails de la cérémonie. Durand de Huesca, disciple de Valdès, blâme dans son *Liber antiheresis* (c. 1190) l'opinion de ses adversaires qui méprisent le baptême d'eau, matière visible, prétendent qu'il y a deux baptêmes : celui de Jean, dans l'eau, celui du Christ par le Saint-Esprit. Pour le vaudois, le baptême de pénitence donné par Jean a cessé à la mort du Baptiste et, dans l'Église, les chrétiens sont baptisés au nom du Père, du Fils, du Saint Esprit. Le polémiste distingue ce sacrement, de la confirmation que négligent les hérétiques, partisans de la seule imposition des mains conférant le saint Esprit. C'est tout. Rien ne transpire de l'imposition des Évangiles, de la participation de l'assemblée, ni même du terme *consolamentum* employé pourtant à Saint-Félix[26].

---

25. PIERRE DE SAINT-CHRYSOGONE, *Epist.* III, *PL* 199, 1122 B : «... omnino inficiantes se aliud baptisma aut manus impositionem, sicut eis imponebatur, habere». GEOFFROY D'AUXERRE, *Super Apocalypsim, Sermo* VIII, 134-136, éd. F. GASTADELLI (*Temi e Testi*, 17), Rome 1970, p. 211 : «baptisma penitus abnegant parvulorum, quod nec adultis aiunt profuturum, donec electorum suorum impositio manus accedat». Voir J. LECLERCQ, «Le témoignage de Geoffroy d'Auxerre sur la vie cistercienne», dans *Studia Anselmiana* 31, Rome 1953, p. 174-201 ; cf. p. 197, l. 35. Ch. THOUZELLIER, *Catharisme*, p. 22, n. 35 ; p. 40, n. 103.

26. DURAND DE HUESCA, *Liber antiheresis*, éd. K. SELGE, *Die ersten Waldenser*, II (*Arbeiten zur Kirchengeschichte* 37, 2), Berlin 1967, De babtismo : p. 43, 8 ; 46, 112-115 ; 47, 119-125 sq. «Non enim in baptismo iohannis dabatur spiritus sanctus, set in baptismo christi. Iohannes siquidem in penitenciam baptizabat in aqua, ut crederent in ihesum, qui venturus erat ; et post mortem eius cessavit eius baptisma... » p. 48-50. — De manuum imposicione, p. 56-57, 17 : «Set nusquam spiritum sanctum per hereticorum manuum inposicionem nec simoniacorum, quenquam accepisse in divinis scripturis reperimus, nec ipsi gratiam spiritus sancti, qua carent, largiuntur

Même le maître parisien Alain de Lille est déconcertant. Durant son séjour à Montpellier, entre 1190-1194, il critique dans sa *Summa quadripartita* le sacrement des cathares. Pour eux, dit-il, le baptême réside essentiellement dans l'imposition des mains qui transmet le Saint-Esprit et, seule, assure l'efficacité du sacrement. Tout péché est remis surtout dans le cas où un Parfait impose les mains. Peu au courant du rite, Alain appelle ' consolés ' les adeptes récemment admis à la communauté et non encore confirmés. En fait, le théologien emploie mal à propos le mot ' consolé ' et n'a qu'une notion très rudimentaire du sacrement cathare dont il précise néanmoins certaine rigueur. D'après lui, tout repenti qui récidive, une fois consolé, s'expose à l'expulsion du consistoire[27].

Une abjuration connue d'après un manuscrit de Moissac, du milieu du XIIe siècle, ne nous éclaire pas davantage. Le pénitent confesse que ses anciens émules nient le salut avec le saint baptême; il avoue lui-même avoir cru

---

nec ab apostolis, quod se simulant agere, perceperunt. » Ch. THOU-ZELLIER, *Catharisme*, p. 65-66, n. 72 ; p. 67, n. 77. Voir ci-dessus, n. 23.

27. ALAIN DE LILLE, *Summa quadripartita* I, 45, *PL* 210, 351 C-D : «... baptismum non prodesse sine manus impositione... apostoli manus imponebant baptizatis, et sic accipiebant Spiritum sanctum... baptismus non valet sine manus impositione... Hi etiam distinguunt inter consolatos et perfectos : Consolatos vocant eos qui nuper ad eorum haeresim venerunt, et nondum in ea sunt confirmati... I, 47, 352 C : si quis illorum peccaverit postquam illorum baptisma susceperit, sine omni injuria ejicitur ab eorum consistorio. » Ch. THOUZELLIER, *Catharisme*, p. 89, n. 52, 54. P. GLORIEUX, « Alain de Lille, le moine et l'abbaye du Bec », dans *Rech. Théol. ancienne et médiévale*, 39, 1972, p. 51-62, suggère que Alain, né vers 1115-1120, aurait été clunisien à l'abbaye du Bec où, de 1130 à 1150, se révèle l'activité littéraire d'un moine. La liste des moines du Bec mentionne quatre fois ' Alanus '. Du monastère clunisien, Alain serait passé, à la fin de ses jours, à Cîteaux.

en la seule rémission des fautes par l'imposition des mains[28].

A l'inverse de leurs confrères rhénans, les hérésiologues du Languedoc, ou les textes émanant de la région en la seconde moitié du XIIe siècle, n'ont qu'une connaissance superficielle de l'hérésie dualiste encore fugace et difficile à saisir pour des théologiens même expérimentés. Et ce, malgré l'existence d'églises cathares reconnues à Saint-Félix[29].

*
* *

Il en est de même en Lombardie où l'erreur paraît solidement implantée, spécialement à Milan, malgré les efforts du converti Bonacursus, ancien évêque de la secte et qui cherche à ramener les esprits égarés. La *Manifestatio* qu'on lui attribue (c. 1176-1190), condamne ceux qui dénient au baptême d'eau la transmission du Saint-Esprit et mettent leur salut dans l'imposition des mains, qu'ils appellent baptême et rénovation du Saint-Esprit. Ces assertions se retrouvent identiques dans une *Confessio* qui, à la même époque, serait pour R. Manselli due à Bonacursus lui-même et représenterait le prototype de la *Manifestatio* bien postérieure. Pour A. Dondaine au contraire, elle est le premier élément d'aveux de deux Florentins (c. 1206) dont il publie la suite. Cette seconde partie dénote en effet une connaissance plus approfondie

---

28. R. MANSELLI, « Per la storia dell'eresia nel secolo XII », dans *Bullettino dell'Istituto storico italiano per il medio evo e Archivio Muratoriano* 67, 1955, p. 189-264. « L'abiura di Moissac », p. 212-234, cf. p. 234, 5 : « Confitemur etiam nos hucusque errore heresum detineri que negant posse salvari sacro sancto baptismate... 10 In quibus dicebamus nullius peccati remissionem nisi per nostre secte manus impositionem vel per martirium eiusdem nostre secte... 25 Manus impositionem nostre secte vel martirium eiusdem nostre secte omnimodis dampnamus et anathematizamus. »; 2e éd. (*supra*, n. 20), 1975, p. 190, 5, 11, 27.

29. Cf. *supra*, p. 68 et 85 ; n. 90 et 143 ; et ci-dessus, p. 148, n. 22-23.

des exigences du rite : engagement d'abstinence sous peine de damnation à moins de renouveler le consolamentum : le terme est prononcé trois fois[30]. Mais rien ne paraît du cérémonial et de l'imposition du Livre pratiqués précédemment en Rhénanie : les pénitents florentins étaient-ils plus réticents que leurs confrères rhénans autrement loquaces, avec l'abbé de Schönau, un demi-siècle auparavant ? Et pourtant, selon les documents, les communautés, fort agissantes en Lombardie avant la fin du XIIe siècle, entretiennent de nombreux rapports d'allégeance avec les églises-mères de Bulgarie, Constantinople, Dragovitsa (Thrace)[31].

2. Au début du XIIIe siècle

Il faut vraiment attendre la première décade du XIIIe siècle pour que le terme *consolare*, connu seulement jusqu'ici en Languedoc, à Saint-Félix, et par Alain de Lille, soit utilisé à Florence et, peu après, à Rome sous la plume pontificale. Le 12 janvier 1208, sans connaître cependant le fond réel des doctrines qu'il incrimine, Innocent III signale que les hérésiarques sont appelés

---

30. BONACURSUS, *Manifestatio haeresis catharorum, PL* 204, 777 C : « Per baptismum aquae Spiritum sanctum nullo modo credunt posse accipi ... credunt nullum posse salvari nisi quadam sua impositione manuum quam baptismum appellant, et renovationem sancti Spiritus. » R. MANSELLI, « Per la storia », p. 189-205. Textes p. 206-211, cf. p. 210, 4-6. A. DONDAINE, « Durand de Huesca et la polémique anti-cathare », dans *AFP*, XXIX, 1959, p. 228-278, cf. p. 268-269 et texte p. 272-273, traduit par Ch. THOUZELLIER, *Catharisme*, p. 169 ; voir aussi p. 33, n. 71 ; p. 44-45, n. 121-122 ; p. 107, n. 1.

31. A. DONDAINE, « La hiérarchie cathare » II (*AFP* XX, 1950), p. 276 ; voir p. 306 les noms des évêques connus, chefs des six églises cathares d'Italie du Nord vers 1167-1175 et suiv. I. DUJČEV, « Dragvista-Dragovitia », dans *Revue des Études byzantines*, XXII, 1964, p. 215-221. Cf. *supra*, p. 85, n. 143 ; *infra*, p. 155, n. 38.

consolatores[32]. A cette période aussi les hérésiologues, plus avertis du sacrement des cathares, en laissent apercevoir la teneur.

Tel est l'exposé d'Ermengaud de Béziers, coreligionnaire de Durand de Huesca passé du Valdéisme à l'orthodoxie. Aux alentours de 1210-1215, il publie en Languedoc le *Contra hereticos* et consacre le chapitre XIV au rite de l'imposition des mains que les sectaires appellent ' consolamentum '. Un dignitaire de la secte (prévôt, évêque ou diacre) désigné recteur, préside la cérémonie. Après s'être lavé les mains, comme toute l'assemblée, l'officiant prend les Évangiles et exhorte le ou les récipiendaires réunis, à engager toute leur foi dans ce consolamentum et à placer l'espoir du salut de leurs âmes en Dieu et en ce sacrement. Le livre étant posé sur la tête des élus, tous récitent sept *Pater*, puis le ministre lit l'Évangile de *Jean* 1-17 que tous écoutent. L'auteur insiste sur la validité du consolamentum qui doit être conféré par les Ministres ou ' Ordonnés ', à défaut par les Parfaits ou ' consolés ' et si les hommes sont absents, par les femmes dont l'exercice est limité aux infirmes. Seul ce sacrement assure le salut; il est invalidé si l'officiant qui l'administre est en état de fautes graves et, de ce fait, privé du Saint-Esprit, car il ne peut transmettre ce qu'il n'a pas; auquel cas on exige du consolé un nouveau baptême[33].

Dans son laconisme, Ermengaud est le seul hérésiologue de l'époque à faire connaître les détails de la cérémonie, mais il paraît ignorer la liturgie : oraisons, invocations, adorations, grâces, qui l'accompagnent. De même, il

---

32. INNOCENT III, *Epist.* X, 206, *PL* 215, 1312 C : « quosdam haeresiarchas quos consolatores appellant ». Ch. THOUZELLIER, *Catharisme*, p. 151.

33. ERMENGAUD, *Contra hereticos* XIV, *PL* 204, 1262-1264, cf. 1262 A-D. Ch. THOUZELLIER, *Catharisme*, p. 278-279 ; voir Append. n° 9, p. 269. Comparer les détails de la cérémonie avec le *Rituel provençal*.

intitule son chapitre « De impositione manuum », mais ne dit pas quand l'officiant et les membres présents accomplissent le geste. Il paraît aussi ignorer le rite de la *Traditio orationis* et les règles à suivre pour l'entrée dans la communauté. Nous sommes encore loin des données fournies dès le xIᵉ siècle par Euthyme de la Péribleptos et complétées au xIIᵉ par le Zigabène[34], au sujet des hérétiques de leurs pays.

A l'exemple de l'ancien Vaudois, le chroniqueur Pierre des Vaux-de-Cernay, présent en Languedoc vers 1212-1213 durant la guerre albigeoise, énumère les dignitaires ou ' magistrats ' de la secte appelés ' diacres ' et ' évêques ', dont l'imposition des mains est requise pour assurer le salut des fidèles et aussi des mourants, capables de prononcer encore le *Pater*[35]. Il insiste de même sur la peccabilité du ministre qui, perdant le Saint-Esprit, enlève la garantie du salut à ses administrés tenus d'être reconsolés; ceux déjà sauvés sont damnés à cause du péché de leur consolateur[36]. A côté de ces précisions, l'*Hystoria Albigensis* est une des rares sources qui signale l'obligation pour les récipiendaires d'abjurer leur foi chrétienne. A trois reprises, le néophyte est tenu de

34. Voir *supra*, p. 129-132 et notes. Péribleptos et Zigabène.

35. Pierre des Vaux-de-Cernay, *Hystoria Albigensis* § 13-14, t. I, p. 15 : « sine confessione et penitentia, se esse salvandos, dummodo in supremo mortis articulo « Pater noster » dicere et manuum impositionem a magistris suis recipere potuissent. » § 14, « De perfectis enim hereticis magistratus habebant, quos vocabant « diaconos » et « episcopos », sine quorum manuum impositione nullus inter credentes moriturus se salvari posse credebat. » Sur son arrivée en Languedoc § 307, t. II, p. 8. Voir Ch. Thouzellier, *Catharisme*, p. 243, n. 27 ; p. 289.

36. Pierre des Vaux-de-Cernay, § 17, I p. 17-18 : « si quis de perfectis peccaret mortaliter... omnes consolati ab illo amittebant Spiritum Sanctum et oportebat eos iterum reconsolari ; et etiam jam salvati pro peccato consolatoris cadebant de celo. » Ch. Thouzellier, *Catharisme*, p. 290.

renoncer : à sa croyance antérieure, à l'onction baptismale déjà reçue, à l'efficacité de l'eau salvatrice. Ceci dit, il reçoit le ' baptême des hérétiques ' et renie celui de l'Église. Sur la garantie de cette triple abjuration, tous posent alors leurs mains sur sa tête, l'embrassent et le revêtent d'un habit noir, vêture du parfait : dès lors, il devient l'un des leurs[37]. Mais le narrateur passe sous silence l'imposition de l'Évangéliaire, qu'il ignore peut-être, et toutes les formules liturgiques. Néanmoins, comme Ermengaud, il met l'accent sur les rapports du consolé et du consolateur, fait parfois crucial qui provoque tant de divisions au sein des communautés cathares de Lombardie.

En effet, rédigé à cette période (avant 1214), le *De heresi catharorum* rappelle singulièrement certaines modalités des Actes de Saint-Félix-de-Caraman, qu'il corrobore en considérant le consolamentum dans le sens de baptême-ordination. Il désigne les dignitaires qui changent d'ordre, vont en Bulgarie ou en Drugonthie pour recevoir un nouveau consolamentum et, au retour, mettent leurs ouailles dans l'obligation d'avoir à se faire « reconsoler » par imposition des mains, sous peine de perdre leur salut[38].

---

37. Voir Append. n° 10, p. 270. Le renoncement à l'Église de Rome, formel chez Pierre des Vaux-de-Cernay, est ignoré du Rituel provençal : « par prudence » écrit St. Runciman, *The Medieval Manichee*, Cambridge 1947, p. 155, n. 3 ; « par précaution » renforce Th.-S. Thomov, « Influences bogomiles », p. 53, sous prétexte que « le Rituel a été écrit en période de persécution contre laquelle il fallait se défendre ». Or, composé au cours de la seconde moitié du xiiie s., le texte provençal ne trahit aucune hostilité envers l'Église catholique, et le texte latin interdit au croyant de mépriser son premier baptême et de renoncer à sa ' christianité ' antérieure. Cf. *infra*, 13, 72-75 ; *supra*, p. 26, n. 45.

38. *De heresi catharorum*, éd. A. Dondaine, « La hiérarchie cathare en Italie » I, dans *AFP* XIX, 1949, p. 306-312 ; cf. p. 306, 4-10 : « Et iste Marcus habebat ordinem suum de bulgaria... relicto ordine bulgarie, suscepit ab ipso Nicheta ordinem drugonthie. Et in illo ordine drugonthie aliquibus temporibus cum suis omnibus complicibus commoratus est... p. 306, 32 : ut ille episcopus sorte

En ce début du xiiie siècle, l'hérésiologue et grammairien
Ébrard de Béthune se prononce simplement contre les
hérétiques en faveur du baptême des enfants; de même
Ps.-Prévostin, quand il s'attaque aux Passagiens, tandis
que, plus tard, le moine Césaire de Heisterbach s'en tient
à dénoncer le refus du baptême par les hommes ' d'Albi '[39].

L'incompétence en la matière de l'auteur du *Liber
Antiheresis*, si manifeste vers 1190, ne s'améliore pas dans
son *Contra Manicheos* (c. 1222-23). Il est vrai que, en
la circonstance, Durand de Huesca se limite à répondre
aux objections de chaque chapitre du Traité cathare qu'il
intègre dans sa réfutation. C'est à peine si, par deux fois,
il mentionne ' l'imposition des mains ' qui, pour les hérétiques émules des Donatistes, est le baptême du Christ.
En simulant une fausse pénitence, les adeptes reçoivent
sans confession le pardon de leurs péchés. Nulle part le
polémiste ne cite les termes ' *consolare*, consolamentum ',
les ignorerait-il ? Alors qu'il repère très bien l'appartenance
des hérétiques du Languedoc aux divers ordres de Grèce,
Bulgarie, Drugonthie[40].

electus iret in bulgariam ordinem episcopatus suscipere, et ut
repatriatus, suscepto ordine bulgarie, totam multitudinem illorum
reconsolaretur per impositionem manuum. p. 307, 30 : Statuerunt...
tribuere ...expensas isti Garatto ad iter peragendum in bulgariam
recipere consolationem et ordinem episcopatus et, eo repatriato,
reconsolari multitudinem... p. 308, 5 : elegerunt quendam sibi
episcopum nomine Johannem bellum et eum miserunt ultra mare
in drugonthiam ut ibi ordinaretur episcopus, etc... » cf. p. 290-292.
Sur Saint-Félix, cf. *supra*, p. 68, n. 90 et p. 85, n. 143.

39. Ébrard de Béthune, *Contra Valdenses* VI, éd. de La Bigne
et Despont, *MBVP*, t. XXIV, Lyon 1677, p. 1525-1584, cf. p. 1542-
1544. Ps.-Prévostin, *Summa contra haereticos* XII, éd. J. N. Garvin-
J. A. Corbett *(Mediaeval Studies, XV. University of Notre Dame)*,
Notre Dame (Indiana) 1958, p. 170-179. Césaire de Heisterbach,
Dialogus miraculorum V, 21, éd. J. Strange, t. I, Cologne 1851,
p. 300-303 : « De haeresi Albiensium... Baptismum abiecerunt... »
40. Durand de Huesca, *Liber contra Manicheos*, éd. Ch. Thouzellier, *Une somme anti-cathare. Le « Liber contra Manicheos »*

Un autre polémiste fort connu, Salvo Burce, citoyen de Plaisance, à qui l'on doit de connaître les rivalités constantes entre les *Albanenses* et les *Concorezzenses* en Lombardie (c. 1235), ne paraît pas plus compétent. Sont hors de leur église, écrit-il, les croyants qui n'ont pas encore reçu l'imposition des mains[a]. D'un commun accord, les sectes rivales croient que le salut consiste à recevoir ainsi le Saint-Esprit. Faut-il au moins que ceux qui le confèrent le possèdent, sinon, malgré le rite, les croyants, à leur insu, ne le reçoivent pas : ceux qui ne l'ont pas ne pouvant le donner. Nonobstant les pénitences, la fidélité aux promesses et même le martyre pour le Christ, c'est-à-dire la mort, soutiennent ceux de Concorezzo, rien ne profite à ces fidèles qui seront damnés; pour les *Albanenses*, s'ils ont été créés par le dieu bon, ils pourront revenir à la pratique du bien[b]. Tout évêque coupable entraîne avec lui sa communauté désormais soumise à l'esprit malin. Sans retard, il doit être déposé, remplacé, et ses ouailles subir de son substitut une nouvelle imposition des mains, sous peine de damnation[c]. Burce distingue deux sacrements : le baptême et l'imposition des mains. Or, si la main est l'œuvre du diable, pourquoi l'imposent-ils ? Admettent-ils les mains charnelles et les mains spirituelles, mais n'est-ce pas des premières qu'ils acceptent le Livre pour accomplir le rite[d] ? Salvo Burce connaît donc l'emploi de l'Évangile; il discute comme ses devan-

de *Durand de Huesca* (*Spicilegium sacrum Lovaniense. Études et documents*, 32), Louvain 1964, p. 38 ; p. 238, 6-10 : « Attendunt etiam spiritui erroris Donatistarum, quia non credunt aliquem vere esse christianum in babtismo... nisi manuum impositionem recipiat ab aliquo suorum, quam dicunt esse christi baptisma. » P. 267, 25-28 : «... in ipsam terram (aliam) se per suam simulatam et falsam penitenciam et fautores suos per suam manuum impositionem sine aliqua peccatorum confessione et satisfactione operum recuperaturos non desinunt ogganire. » Sur les divers ordres, voir p. 138-139 et 211. Ch. THOUZELLIER, *Catharisme*, p. 299 ; p. 347-352 et p. 360 ; cf. *supra*, p. 149, n. 26.

ciers, Ermengaud de Béziers et Pierre des Vaux-de-Cernay, sur la valeur de l'imposition des mains en fonction de la dignité de l'officiant ; mais il ignore la *Traditio orationis*, les détails liturgiques de la cérémonie et jusqu'aux termes *consolare*, consolamentum[41].

3. Les Inquisiteurs

Au fur et à mesure où l'on approche de la moitié du XIIIe siècle, surtout depuis que Grégoire IX a inauguré l'office de l'Inquisition (1233)[42], les théologiens — la plupart inquisiteurs — paraissent plus avertis des célébrations cathares.

Le franciscain Jacques de Capellis, ' lecteur ' de son couvent à Milan, auteur d'une série de Sermons, le Quaresimale et peut-être le dévot *Stimulus amoris*, compose (c. 1235/40) une ' Somme ' contre les hérétiques dont s'inspire l'inquisiteur dominicain Moneta de Crémone, en 1241. A moins que tous deux n'aient puisé à un fonds commun avec des commentaires qui, résultant de leur expérience personnelle, révèlent un stade plus avancé dans la connaissance de la liturgie cathare. Auraient-ils sous les yeux un exemplaire du rituel, déjà en usage au premier quart du XIIIe siècle ?

41. Salvo BURCE, *Liber supra Stella*, éd. ILARINO DA MILANO, dans *Aevum*, t. 19, 1945, p. 307-341 ; a) p. 311 : « Sed loquitur illis qui sunt extra ecclesiam, scilicet credentibus suis qui adhuc non receperunt manuum impositionem. » ; b) p. 314 ; c) p. 315 ; d) p. 323. Voir Append. no 11, p. 271, et ci-dessus, 153-154, n. 33 et 36. Sur Salvo Burce, cf. Ch. THOUZELLIER, article dans *Dizionario biografico degli Italiani*, *s.v.* « BURCE », t. 15, Rome 1972, p. 398-399.

42. Voir notre étude « La répression de l'hérésie et les débuts de l'Inquisition », dans A. FLICHE-V. MARTIN, *Histoire de l'Église*, t. X, Paris 1950, p. 291-340. H. MAISONNEUVE, *Étude sur les origines de l'Inquisition* (*L'Église et l'État au moyen âge*, 7) 1re éd., Paris 1942, p. 208 ; 2e éd. 1960, p. 256. Y. DOSSAT, *Les crises de l'inquisition toulousaine au XIIIe siècle*, Bordeaux 1959, p. 118 s.

Selon J. de Capellis, l'évêque des hérétiques procède à ce baptême de l'Esprit par imposition des mains, seul gage de salut. A défaut, deux dignitaires *(filii)* le remplacent — appelés Fils majeur et Fils mineur par Moneta — chargés, après l'évêque, de visiter les conventicules organisés dans les cités et de les confirmer dans la doctrine[43]. En leur absence, y pourvoient des diacres, qui dirigent les hommes et femmes de chaque communauté, tiennent un ' hospice ' spécial, ou maison d'accueil pour les frères étrangers de passage. « Ils n'ont pas d'autres prélats », écrit Jacques. C'est ignorer les sous-diacres et, le cas échéant, le concours des femmes, veuves, d'au moins soixante ans, rectifie Moneta[44]. Après un temps de probation — un an précise Jacques — l'officiant en présence de l'assemblée enseigne au candidat l'objet de sa doctrine et la manière de se comporter : ne mettre aucun espoir dans

43. JACQUES DE CAPELLIS, *Summa contra hereticos*, éd. D. BAZZOCHI, *L'eresia Catara*, t. II, Bologne 1920, p. CXXXVII-CXXXVIII. Voir ILARINO DA MILANO. « La ' Summa contra haereticos ' di Giacomo Capelli, O.F.M., e un suo ' quaresimale ' inedito (secolo XIII) », dans *Collectanea Franciscana*, 10 (1940), p. 66-82. W. L. WAKEFIELD, « Notes on some Antiheretical Writings of the thirteenth Century », dans *Franciscan Studies* 27 (1967), p. 299-304 ; 309-315. W. L. WAKEFIELD-A. EVANS, *Heresies of the high middle ages* (*Records of Civilization. Sources and Studies*, 81) New York 1969, p. 301-306. Voir notre article dans *Dizionario biografico degli Italiani*, *s.v.* CAPELLIS, t. 18, Rome 1975. Cf. *infra*, Append. n° 12, p. 272 s. Nous soulignons les différences essentielles avec Moneta (note suivante).

44. MONETA DE CRÉMONE, *Summa* IV, 1 p. 277-278 (voir *infra*, Append. n° 14, p. 274) ; et IV, 2, p. 293[b] : « Peccant etiam circa ipsum, quoad dantes impositionem manuum, credunt enim quod a nullo ipsis possit dari, nisi a duobus filiis, quorum unum appellant filium majorem, et alium minorem, sed absente Episcopo : iis autem absentibus, credunt quod a Diacono dari possit ; immo etiam et *a muliere illa*, de qua *I Tim.* 5, 9 « Vidua... uxor ». Voir G. SCHMITZ-VALCKENBERG, *Grundlehren Katharischer Sekten des 13. Jahrhunderts* (*Veröffentlichungen des Grabmann-Institutes*, N.F. 11), Munich 1971, p. 230-234.

la foi ou sacrement de l'Église romaine et, pour sa croyance personnelle, supporter les tribulations — jusqu'à la mort ajoute le frère prêcheur. L'élu ayant donné son engagement — à vie, souligne le frère mineur — le prélat ' major ' impose l'Évangile sur sa tête et (à l'exception des femmes), les autres frères présents, la main droite, sur sa tête ou sur son épaule. Le ministre qui tient le Livre entonne : « In nomine Patris et filii et Spiritus Sancti », récite sept fois l'Oraison dominicale et dit l'Évangile de Jean, c'est-à-dire le prologue chanté le jour de Noël. Ce rite, selon les hérétiques, remet tous les péchés et infuse la grâce du Saint-Esprit. Quiconque commet une faute mortelle doit redemander l'imposition des mains, indispensable au salut. En cas d'indignité du prélat, ses fidèles sont tenus, on l'a vu[45], de renouveler ce sacrement.

Moneta ne s'écarte guère de son confrère Mineur pour expliquer la hiérarchie cathare, la primauté de l'évêque, les fonctions des Fils Majeur et Mineur, comme ' Visiteurs ' et gardiens de la foi; celles des diacres qui dirigent les conventicules et tiennent les hospices, les mesures prescrites en cas de fautes et pour donner le sacrement aux mourants. Ici Jacques de Capellis, en général moins violent que le prêcheur, ajoute cependant une donnée imprévue qui dénote la rigueur déjà en usage, ou présumée telle, chez les cathares. « Comme ils imposent les mains à leurs croyants malades, est née la rumeur populaire qu'ils les étouffent en les étranglant pour en faire des martyrs ou des confesseurs. Or, l'auteur a, par expérience, appris la fausseté de cette opinion et n'engage personne à croire qu'ils commettent un tel crime[46]. »

Le procédé n'est pas inconnu de Raynier Sacconi, ancien hérésiarque devenu frère prêcheur, puis inquisiteur, après dix-sept ans d'hérésie. Sans mentionner l'étouffement,

45. *Supra*, p. 153-154, n. 33 et 36.
46. J. DE CAPELLIS, p. CXXXIX, Append. n° 12 *in fine*, p. 274.

il précise que l'on s'abstenait d'alimenter les malades qui ne pouvaient au moins dire le *Pater* d'où, vraisemblablement, beaucoup d'entre eux s'éteignaient d'eux-mêmes. Cette pratique, appelée *endura*, est jusqu'ici considérée à tort par les historiens comme plus tardive[47].

Très au courant de la cérémonie, vu son passé d'hérétique, Sacconi se contente de définir l'imposition des mains ou ' consolamentum ' : baptême spirituel ou de l'Esprit saint, sans lequel aucun péché mortel ne peut être remis ni l'Esprit-Saint donné. Pour les *Albanenses*, on l'a vu, la main, création diabolique, est inefficace, seule opère l'oraison prononcée par ceux qui imposent les mains. Pour tous les autres cathares, les deux : imposition des mains et oraison dominicale, sont nécessaires et requises. De l'avis commun et général, aucune rémission des fautes n'est à espérer des officiants en état de péché mortel. Ce sacrement doit être administré au moins par deux personnes et non seulement par les prélats, mais même par les fidèles, y compris les femmes[48]. Sacconi distingue ce rite de celui de l'ordination des ministres comme on l'a vu au Concile de Saint-Félix et selon le récit du *De heresi catharorum*.

---

47. Raynier Sacconi, *Summa de Catharis*, éd. A. Dondaine, p. 66, 5 : « Ego autem, frater Ranerius, olim heresiarcha, nunc... sacerdos in ordine Predicatorum... » 66, 31 : « in annis XVII quibus conversatus cum eis. » 68, 19-22 : « Siquidem multi ex eis in suis infirmitatibus dixerunt aliquando eis, qui ministrabant eis, quod ipsi non ponerent aliquid cibi vel potus in os eorum si illi infirmi non possent dicere ' Pater noster ' ad minus, unde verisimile est quod multi ex eis occiderunt seipsos hoc modo » ; éd. F. Šanjek, p. 44, 20 ; 45, 19 ; 47, 21-24. Il y aura lieu de revenir, ailleurs, sur l'*endura*. Voir J. L. Riol, « L'abrègement mystique de la vie », dans *Dernières connaissances sur des questions cathares*, Albi 1963, p. 17-37. Voir Appendice n° 15, p. 276.

48. Voir *supra*, p. 104-105, n. 54 Raynier Sacconi, éd. A. D., p. 65, 22-24 : « Fit autem haec manus impositio a duobus ad minus, et non solum a praelatis eorum sed etiam a subditis et in necessitate a Catharabus » ; éd. F. Šanjek, p. 44, 1-2.

L'imposition des mains attribue aux récipiendaires les grâces nécessaires pour conférer eux-mêmes les ordres et donner le Saint-Esprit, mais à l'évêque seul, ou au premier après lui, revient le droit de tenir le Nouveau Testament sur la tête de celui auquel il impose la main. On entend ici résonner un écho des *Statuta ecclesiae antiqua*, du *Missale Francorum* et du Gélasien[49].

A l'heure où Sacconi écrivait sa *Summa* en Lombardie (1250), Étienne de Bourbon, un autre prêcheur et inquisiteur, rédigeait en France un recueil d'" exemples ', susceptibles d'illustrer ses sermons et où foisonnent bien des récits et faits dont il a été le témoin au cours de son office (1226-1250). Divers aspects du catharisme ne lui échappent pas. Dans les régions qu'il traverse, les hérétiques méprisent le baptême d'eau et n'attachent leur salut qu'au baptême de feu. C'est pourquoi en un lieu occulte et retiré, mais tout illuminé — comme le notait jadis Eckbert de Schönau —, l'hérésiarque prononce des supplications, pour ne pas dire imprécations, devant

---

49. Voir *supra*, p. 41 s. ; p. 112-114 et notes. Raynier Sacconi, éd. A. D., p. 69, 14-29 ; éd. F. Šanjek, p. 48, 25-49, 7. Nous traduisons : « A la mort de l'évêque, le fils mineur ordonnait à l'épiscopat le fils majeur qui, à son tour, ordonnait le fils mineur au grade de ' maior '. L'assemblée des prélats et des fidèles élisaient ensuite un nouveau fils mineur que l'évêque ordonnait, et l'usage en est resté. Au contraire, l'ordination de l'évêque a varié en Italie où il paraissait incongru que le fils instituât le père. Dès lors, avant sa mort, l'évêque ordonnait le fils majeur à l'épiscopat ; si celui-ci mourait, le fils mineur était le même jour fait fils majeur et évêque. C'est pourquoi, l'église des Cathares a deux évêques, mais le second s'intitule ' filius maior et ordinatus episcopus ', comme le fait Jean de Lugio. » Éd. A. D., p. 69, 34-38 : « Fiunt autem omnes ordines supradicti cum impositione manus et attribuitur illa gratia, scilicet conferendi ordines memoratos et dandi spiritum sanctum, soli episcopo eorum vel cuilibet eorum qui est prior vel auctor in tenendo librum Novi testamenti super caput illius cui imponitur manus » ; voir éd. F. Šanjek, p. 49, 12-16. *Infra*, Append. n° 15, p. 276 et *supra*, p. 110, n. 68 et p. 113, n. 77.

l'assemblée des croyants et l'impétrant près du feu. Vides
de l'esprit divin mais remplis du malin, ces malheureux
prétendent que leurs élus ont l'Esprit-Saint et, comme leur
maître Manès se disait Paraclet, eux se désignent de même
Paraclets ou consolateurs. Ils confèrent le saint Esprit
à tous, quels que soient leurs méfaits, usures, rapines,
s'ils sont l'objet de leur révérence et vénération, et leur
imposent les mains sans exiger aucune satisfaction ou
compensation. Cette impunité leur assure la sympathie
de nombreux usuriers, voleurs et des pires pécheurs.
Est damné tout parfait, consolateur, docteur ou croyant
qui, ayant désobéi à la règle, meurt sans une ultime
imposition des mains donnée par un parfait respectueux
du règlement; sinon la *consolatio* perd son effet[50].

Beaucoup moins prolixe est, toujours vers cette époque
(1250), le laïque Georges. Le Patarin qui, selon lui, discute
avec le ' Catholique ' soutient que Jésus baptisait « in
aqua », c'est-à-dire dans la prédication et le Saint-Esprit,
selon le sens que les Écritures donnent au mot *aqua*
(*Matth.* 3, 11)[51].

Écrivant entre 1260 et 1270, Anselme d'Alexandrie,

---

50. Étienne de Bourbon, *De Septem donis Spiritus Sancti*,
éd. A. Lecoy de la Marche, *Anecdotes historiques*, Paris 1877,
p. vii-ix, xx ; p. 302 : « Item baptismum in aqua nemini prodesse
ad salutem dicunt » ; p. 303 : « Item ponit hereticus sine baptismo ignis,
non esse salutem (*Lc* 3, 16). Unde credentes sibi ponunt in aliquo
occulto penetrali, et candelis undique accensis, factis quibusdam
obsecracionibus ab heresiarcha, immo pocius exsecracionibus, aliis
credentibus astantibus, et eo juxta, ignem. » Voir § 348, p. 306-307 ;
cf. *supra*, p. 146, et Append. nᵒ 8, p. 269. — Sur le Paraclet, cf.
supra, p. 133, n. 112 et *infra*, p. 166, n. 54.

51. Georgius, *Disputatio inter catholicum et Paterinum haereticum*,
éd. E. Martène-U. Durand, *Thesaurus novus anecdotorum*, t. V,
Paris 1717, p. 1703-1758, cf. p. 1726 C : « Ex his collige quod, per
aquam, intelligitur praedicatio Spiritus sancti. » Voir A. Dondaine,
Note sur l'auteur de la *Disputatio*, dans « Le Manuel de l'Inquisiteur
(1230-1330) », *AFP*, t. XVII, 1947, p. 85-194, cf. p. 174-180.

inquisiteur dans la Marche de Gênes et alentours, reprend
et précise en détails tous les dires de ses devanciers.

L'imposition des mains que les cathares appellent
baptême ou consolamentum est toujours conférée par
plusieurs, en cas de nécessité par un seul et même par une
seule femme. Les *Concorezzenses* exigent le contact de la
main sur la tête ou les épaules du néophyte pour en assurer
la validité. D'après eux, étendre le bras et la main sur un
infirme couché qui ne peut se mouvoir dans son lit, et
même approcher la main de son visage sans le toucher,
demeure sans effet. Les *Albanenses* au contraire en cas
d'impossibilité, pratiquent le consolamentum sans contact,
le cas échéant à distance si le malade peut entendre.
Même à travers une paroi, un mur ou un fleuve, le sacrement
est valable. Ainsi, en cas de suspicion, faut-il éviter que
les hérétiques ne s'approchent des infirmes et même des
maisons où ils sont retenus[52].

Le chapitre qu'Anselme d'Alexandrie consacre à ' l'imposition des mains ' est un tableau court mais exact de la
cérémonie. Fidèle reflet des deux rituels, latin et provençal,

----

52. ANSELME D'ALEXANDRIE, *Tractatus de hereticis*, éd.
A. DONDAINE, « La hiérarchie cathare en Italie II », *AFP* XX 1950,
p. 308-324. Cf. p. 259-262. Texte § 5, p. 313-314 ; cf. p. 313, 27 :
« De imposicione manuum omnium catharorum, quam vocant
baptismum vel consolamentum, notandum quod semper fit a pluribus,
sed in necessitate magna bene fit ab uno solo, et etiam ab una sola
cathara. Et dicunt illi de Concorezo, quod nisi tangat eum, cum
manus imponitur, in capite vel in scapulis vel alibi, non prodest.
Unde et etiam credunt si catharus extenderet brachium et manum
per foramen volens consolamentum facere alicui infirmo iacenti in
aliquo lecto, qui non posset se movere de lecto, si catharus poneret
manum ita prope infirmum sicut nasus est prope os, nichil prodesset
nisi tangeret. Sed albanenses bene faciunt consolamentum sine
tactu si non potest esse ibi tactus, etiam si distarent ab illo cui fit
dummodo possit audire. Unde bene facere <n>t consolamentum
etiam si paries vel murus vel fluvius esset in medio ; et ideo diligenter
cavendum est quando habemus aliquos suspectos ne cathari infirman-
tibus appropinquent, vel etiam domibus in quibus detinentur. »

avec des variantes provenant peut-être des différences de sectes, il décrit les génuflexions ou révérences, *Benedicite*, invocations de l'impétrant pour obtenir la miséricorde de Dieu ; les répons de l'officiant qui expose au candidat les obligations qu'il sera tenu d'observer. Sur l'affirmation du néophyte, le prélat lui présente le Livre — Nouveau Testament ou Évangile — que prend l'élu en le tenant fermé au milieu de sa poitrine. Après les exhortations de l'officiant d'en observer la loi, le récipiendaire prie Dieu de lui accorder cette grâce, rend le Livre, fait trois génuflexions, dit *Adoremus*, confesse ses fautes et se lève. Le prélat invoque le Seigneur de lui pardonner puis pose le Testament sur sa tête, les mains sur ses épaules en commun avec tous les cathares profès. Après une invocation, tous : officiant, assistance, élu, disent ensemble à haute voix sept *Pater*. Suit une alternance d'*Adoremus* et du répons *Dignum et iustum est* entremêlés d'un autre *Pater*, le tout suivi de l'Évangile de Jean *In principio erat* (1, 1 s.), ou de Matthieu *Tollite iugum meum* (11, 29 s.). L'Évangile fini, le prélat prononce les *Gratia...* auxquels l'assemblée répond *Amen* ; alternant avec elle il dit *Benedicite*, entrecoupé d'une invocation. Il dépose alors le Testament de la tête de l'élu, intégré désormais dans la communauté des cathares qui lui disent : « Tu seras parmi nous et entièrement en ce monde comme une brebis au milieu des loups. » Et aussitôt tous font *duplam*, c'est-à-dire prononcent seize oraisons [a].

L'exposé clair et succinct du prêcheur qui, toutefois, ne mentionne pas le baiser de paix, montre sa compétence jusqu'ici peu égalée par ses confrères ou d'autres hérésiologues. Il paraît suivre à la lettre les exemplaires des rituels qu'il aurait sous les yeux et dont l'usage devait être fort répandu dans la seconde moitié du XIIIe siècle. Pour si secrète que demeure la cérémonie, depuis plus de cinquante ans les échos en sont parvenus aux oreilles des hommes d'Église par les aveux des pénitents ou les déclarations de sympathisants, à moins qu'un exemplaire ne leur soit tombé sous la main, comme cela a été probablement le cas du Rituel latin édité ici. Cependant, l'ignorance de la *Traditio orationis* demeure énigmatique.

A signaler que malgré l'évolution du catharisme qui, au cours du XIIIe siècle, atténue la rigueur de sa doctrine — moins absolue qu'au début — la pratique religieuse ne s'est en rien modifiée, à l'inverse de ce que l'on pourrait croire [b53].

La *Brevis Summula*, compilée entre 1270 et 1285 avec des matériaux parfois antérieurs, apporte peu d'éclaircissements. D'après l'erreur manifeste des diverses catégories d'hérétiques, l'Esprit-Saint n'est pas donné dans le baptême d'eau, écrit l'auteur dans une de ses rubriques en s'inspirant de Moneta. L'imposition des mains est, aux yeux des cathares, le baptême du Christ; par elle, l'âme récupère son propre esprit mis jadis à sa garde et qu'elle a abandonné dans le ciel lors de sa chute. Cet esprit est l'Esprit-Saint demeuré intègre *(firmus)* et qui, lors de la ' consolation en Christ ' devient le Paraclet ou ' Consolateur ' [54].

---

53. [a]) ID., *ibid.*, p. 314. Voir Append. no 16, p. 277. [b]) Comme le pense Y. DOSSAT, « L'évolution des rituels cathares », dans *Revue de Synthèse*, t. 64, 1948, p. 27-30.

54. *Brevis summula*, éd. C. DOUAIS, p. 130 : « Quod spiritus sanctus non datur in baptismo materialis aque »; p. 119 : «... in manuum eorum impositionem, quam christi baptismum esse credunt ; et in illa manuum impositione dicunt illam animam suum proprium spiritum ad sui regimen et custodiam recipere, quem in celo dereliquit cum diabolo consensit et ab eo decepta fuit ; quem Spiritum dicunt et appellant Spiritum Sanctum, id est firmum... » p. 120 : « Spiritum paraclitum, id est consolatorem, dicunt illum quem unaqueque anima recipit, cum in Christo secundum illorum monitionem consolationem sumit. » Comparer avec Moneta que l'auteur retranscrit, *supra*, p. 133, n. 112. W.-L. WAKEFIELD, « Notes on Some Antiheretical Writings », p. 307. Tableau comparatif de ce texte. Sur la *Brevis Summula*, cf. A. DONDAINE, « La Hiérarchie cathare », I (*AFP* XIX, 1949), p. 294-305. Ch. THOUZELLIER, *Un traité cathare inédit du début du*

Un demi-siècle plus tard, vers 1323-1324, l'inquisiteur Bernard Gui ne comprend guère l'authentique rite du consolamentum qu'il taxe de ' singerie ', contrefaçon du baptême d'eau[55]. Rapidement, il décrit les génuflexions, les *Benedicite* de l'impétrant, qui demande à être préservé de la ' male mort ', c'est-à-dire à éviter de mourir dans la foi de l'Église romaine et, par l'initiation, tient à se réserver la ' bonne fin ' entre les mains des « fidèles chrétiens ». Il définit le *melioramentum* : respect dû aux parfaits et l'appelle ' adoration '[56]. La *covenensa*, comme le spécifiait déjà le Rituel provençal (covenesa), est le pacte conclu entre parfaits et croyants engagés à recevoir le consolamentum même s'ils ont perdu l'usage de la parole ou de la mémoire. Bernard Gui ne parle de l'imposition des mains, « rite exécrable », que pour décrire la réception des malades ou moribonds. Sa description ne rappelle qu'en partie et faiblement l'exposé plus détaillé du Rituel provençal[57], mais elle s'apparente étroitement aux dépositions faites

---

XIIIe siècle, d'après le ' Liber contra Manicheos ' de Durand de Huesca (Bibliothèque de la *RHE*, 37), Louvain 1961, p. 53, n. 2. Malgré l'opinion de E. BROECKX, *Le catharisme*, p. 47-50, la distinction décrite par Moneta entre Esprit-Saint et Esprit-Paraclet n'est pas purement nominale. Voir Appendice n° 13, p. 274.

55. BERNARD GUI, *Manuel de l'Inquisiteur*, t. I, éd. G. MOLLAT (*Les classiques de l'Histoire de France*, 8), Paris 1926, p. 12 : « Et confingunt (sacramenta Romane ecclesie) tanquam simie, quedam alia loco ipsorum, que quasi similia videantur, confingentes loco baptismi facti in aqua baptismum alium spiritualem, quem vocant consolamentum Spiritus Sancti... per impositionem manuum, secundum ritum suum execrabilem. » Sur l'incompréhension de Bernard Gui, cf. J. GUIRAUD, *L'Inquisition*, t. I, p. 110 et 142. Voir notes suivantes.

56. BERNARD GUI, *Manuel*, p. 20-22. Voir Appendice n° 17, p. 279.

57. *Rituel provençal*, éd. L. CLÉDAT, p. 481ª, l. 20 : « E puis deu li demandar de la covenesa si l'a en cor a gardar ni a tenir aissi co a covengut... » p. xxiv. Voir planche VIIIª, l. 20, la photocopie du consolamentum des malades et *supra*, p. 94, n. 18, le résumé de ce consolamentum.

à Pamiers, de 1318 à 1325, devant l'évêque Jacques Fournier et aux propos que le prêcheur a recueillis lui-même, dans l'exercice de ses fonctions inquisitoriales, de 1307 à 1323, en Toulousain[58].

B. LA PRATIQUE DU RITUEL CATHARE D'APRÈS LES ADEPTES

Dans quelle mesure les critiques des hérésiologues répondent-elles aux pratiques religieuses fixées par les Rituels et que les adeptes révèlent devant les tribunaux de l'Inquisition ? Et d'abord, quel est le sort réservé à la *Traditio orationis* si minutieusement décrite dans les rituels latin, provençal, même roman et que les théologiens, mal informés, ne mentionnent guère. A la lumière des textes liturgiques, on s'attendrait à voir les accusés décrire la transmission du *Pater* au postulant qui, ayant satisfait aux exigences probatoires de l'assemblée, se disposerait à parfaire sa formation religieuse en recevant ensuite le consolamentum. Or, selon les aveux recueillis par les inquisiteurs, le *Pater*, bien souvent intégré à la cérémonie du baptême cathare, n'est accordé au croyant que lorsque celui-ci a reçu le consolamentum.

Ainsi, en 1209, après plusieurs mois de probation passés à Villemur, deux femmes de Montauban, Arnaude et sa sœur Petrona de Lamothe sont consolées en présence de plusieurs hérétiques. L'officiant leur impose les mains et leur fait réciter le *Pater*[59]. Au chevet d'un malade qui vient de recevoir le consolamentum, seuls les hérétiques et le nouvel adepte sont habilités à faire oraison : c'est le

---

58. J. DUVERNOY, *Le Registre de Jacques Fournier* (1318-1325), 3 vol., Toulouse 1965, voir *infra*, p. 178. BERNARD GUI, *Liber Sententiarum inquisitionis Tholosanae*, éd. Ph. VAN LIMBORCH, Amsterdam 1692 ; voir *infra*, p. 178-180.

59. DOAT 23, fol. 3ᵛ-5ʳ ; fol. 103 (1209). — Voir aussi DOAT 26, fol. 249ᵛ (1283) ; DOAT 32, fol. 174ᵛ : «... deinde imponit manus super caput hereticandi quibus factis hereticus dicit et tradit hereticato orationem dominicam scilicet pater noster » (1330), etc...

cas de Gausion, malade à Fanjeaux en 1236, hérétiquée
par Bernard de Maireville et son compagnon[60]. Tout
consolé devant prier avant d'absorber une nourriture,
faute de savoir le *Pater* et n'ayant personne pour le lui
apprendre, dame Ffays meurt en *endura*[61]. Un croyant,
tel P. Amelh, peut vivre deux mois avec les hérétiques sans
participer à leur abstinence, leur jeûne et leurs prières[62].
L'oraison est en fait réservée aux parfaits qui, seuls, ont
le droit de s'adresser à Dieu[63]. Les croyants invoquaient
le Saint-Esprit. « Saint-Esprit, sauve-moi », implorent en
1254 une malade qui guérira, ou une femme en couches,
suspecte d'hérésie, en 1274[64].

Dans leurs aveux, les adeptes interrogés parlent peu
du *Pater*. Toutefois, une déclaration de 1273, souligne que,
au milieu de l'oraison, les hérétiques demandent le ' pain
supersubstantiel ' et, à la fin prononcent la doxologie,
le ' *Benedicamus* et les *Gratia*... Amen ', selon les formules
des rituels[a]. Un rare exemple d'enseignement du *Pater*
à un néophyte apparaît dans la déposition de Bernard
Escolani (1277), fils bâtard de Pierre Escolani de Saint-
Paul-Cap-de-Joux et d'Austorga de Prades. Vers 1272,
il part en Lombardie voir son père qui s'y était réfugié.
Le jeune homme reste deux mois à Sirmione dans l'entou-
rage des parfaits et de l'évêque de Toulouse Bernard Oliba
qu'il adore, dont il écoute les exhortations et qui
l'instruisent du *Pater*[b][65].

60. DOAT 23, fol. 103[v].

61. DOAT 25, fol. 174-176. Th. ARNAL-VIALET, *Le catharisme en
Toulousain, d'après les témoignages inquisitoriaux au XIIIᵉ siècle.*
Thèse dactyl. de 3ᵉ cycle (E.P.H.E. et Sorbonne), Paris 1974, p. 156-
157.

62. Bibliothèque municipale de Toulouse, ms. 609, fol. 13.

63. DOAT 25, fol. 40[r-v]

64. DOAT 26, fol. 16[v] ; DOAT 25, fol. 60[v].

65. [a]) DOAT 25, fol. 19[v] (1273) : « ... et tunc dicebantur pater noster
et in medio orationis ' panem nostrum super substantialem ' et
in fine patri nostri adorabant et dicebant ' quoniam tuum est Regnum
et Virtus et Gloria in secula, amen. Benedicamus patrem et filium

Beaucoup plus explicites sont les déclarations relatives au consolamentum. En remontant jusqu'au début du XIIIᵉ siècle, trois dépositions fort significatives retiennent l'attention. L'une concerne des événements de 1204 et une solennité célébrée dans la famille comtale de Foix.

Le 21 avril 1244, Bérenger de Lavelanet révèle aux inquisiteurs, Ferrier et Pierre Durand, une cérémonie qui eut lieu à Fanjeaux, dans la demeure de Guilabert de Castres et où assista le témoin, entouré de quelques femmes et de nombreux chevaliers. Ils écoutèrent la prédication des hérétiques, en ' adorèrent ' plusieurs, fléchissant les genoux devant eux, disant trois ' Benedicite ' et ajoutant à l'ultime : « Priez Dieu pour ce pauvre pécheur — (qu'il le fasse bon chrétien et le conduise à bonne fin) —. »[66]

cum sancto Spiritu. Gratia nostri Domini Jesu Christi sit cum onnibus nobis. Amen ' ». Voir *supra*, p. 52-53 ; p. 56. ; *infra*, Append. n° 20, p. 287ᵃ. — ᵇ) Doat 25, fol. 246ᵛ (avril 1277) : «... et docuerunt ipsum testem pater noster et orationem quam faciunt, et Evangelium Sancti Iohannis ' In principio erat verbum ' et confessionem quam appelant servitium. » Sur Bernard Oliba, cf. *Liber*, p. 31 et n. 54.

66. Doat 24, fol. 40ʳ⁻ᵛ⁻41ʳ (Devic-Vaissète, VIII, 1149-1150) : « Anno Domini millesimo ducentesimo quadragesimo quarto, undecimo Kalendas Maii, Berengarius de Lavelanet de Avelaneto, iuxta Castrum Montis Securi, Diocesis Tholosane, requisitus de veritate dicenda de se et de aliis, tam vivis quam mortuis, super crimine heresis et Valdensium, testis iuratus, dixit, quod dum ipse testis in iuventute sua stabat apud Fanumiovis, vidit in domo Guilaberti de Castris heretici eundem Guilabertum de Castris hereticum, et alios hereticos ter vel quater /fol. 40ᵛ/ predicantes vel plus, et interfuerunt sermoni eorum ipse testis et Isarnus, etc. /fol. 41ᵛ/ Et ibi omnes, tam ipse testis quam alii viri et mulieres, adoraverunt ipsos hereticos pluries, dicentes quilibet per se Benedicite ter flexis genibus ante ipsos, et addentes post ultimum Benedicite : Orate Deum pro isto peccatore, etc. .. De tempore, quod sunt XL anni, etc.

Les *de tempore* restent toujours très approximatifs, mais permettent d'envisager une date possible assez proche de l'événement cité. L'invocation finale est ici interrompue ; voir plus loin n. 69. Comparer ce texte avec le tableau des Rituels. Appendice n° 22, p. 293 ᵇ⁻ᵉ, col. 1.

Surtout, il déclare avoir vu à Fanjeaux, quarante ans auparavant (c. 1204), dans la même demeure de Guilabert de Castres, la célébration du consolamentum conféré à Esclarmonde, sœur de Raymond-Roger, comte de Foix — aïeul du comte actuel — accompagnée de plusieurs dames, par Guilabert en personne, Fils majeur de l'église de Toulouse, et ses assistants. Elles se rendirent d'abord à Dieu et à l'Évangile, promirent de s'abstenir de viande, œufs, fromage, aliments gras, mais non d'huile et de poisson ; de ne pas jurer ni mentir, d'observer la continence toute leur vie, la fidélité à la secte sans crainte de mort, quel qu'en soit le genre : feu, eau, etc. Ayant prononcé de tels engagements, elles dirent l'oraison : *Pater noster*, selon la coutume des hérétiques. Les officiants imposèrent alors les mains et le livre sur leurs têtes, lurent l'Évangile, leur donnèrent la paix d'abord avec le Livre, ensuite avec l'épaule, et adorèrent Dieu, faisant de nombreuses *venias* et génuflexions. A ce consolamentum étaient présents le témoin Bérenger, Raymond-Roger comte de Foix et beaucoup de chevaliers et barons. Toute l'assemblée adora les hérétiques, reçut d'eux la paix, les embrassa deux fois sur la bouche *ex traverso* et tous firent ensuite de même entre eux[67].

Ces aveux nous ramènent à l'origine de l'hérésie cathare en Languedoc, dans les milieux du comte de Foix et de sa famille, aux centres réputés de Fanjeaux et de Montségur, citadelle-refuge des Albigeois, nid d'aigle qui, surgissant au flanc du massif pyrénéen du Saint-Barthélémy, sera détruit en mars 1244. Ils illustrent clairement les données des Rituels, étudiés ici, et les aperçus d'Ermengaud de Béziers, Vaudois converti à Pamiers en 1208, quelque peu éclairé sur le sacrement des cathares[68].

---

67. DOAT 24, f. 42ʳ-43ʳ. Voir Append. nᵒ 18, p. 282 et nᵒ 22, p. 293ᵇ s. DEVIC-VAISSÈTE, VIII, 1150-1151. Voir ci-dessous n. 71 sur *uncturam*.

68. Z. OLDENBOURG, *Le Bûcher de Montségur* (Trente journées qui

Les jours suivant les déclarations de Bérenger de Lavelanet, Raymond de Péreille, le 30 avril 1244, avoue lui-même avoir assisté avec ses compagnons, en 1209, au prêche des hérétiques. Ils les ont ensuite adorés, faisant trois génuflexions, récitant chaque fois le *Benedicite* et les invocations à Dieu de les rendre ' bons chrétiens ' et de les mener à bonne fin. Les termes sont identiques à la précédente déposition[69]. Raymond de Péreille décrit ensuite comment Raymond-Ferrand de Fanjeaux reçut, en 1214 à Montségur, le consolamentum de l'évêque Gaucelm et de Guilabert de Castres. A leur demande, le postulant se rendit à Dieu et à l'Église et à l'ordre de la secte; il promit d'observer l'abstinence, de s'interdire le serment et le mensonge, de pratiquer la continence toute sa vie, de ne pas déserter la secte de crainte de mourir par le feu, l'eau, ou quelque autre genre de mort. Ces promesses faites, les hérétiques imposèrent les mains et le livre sur la tête de R. Ferrand, ils lurent l'Évangile, donnèrent la paix au postulant et prièrent Dieu, en faisant beaucoup de *venias* et de génuflexions. A ce consolamentum

ont fait la France), Paris 1959. J. FERLUS, *Autour de Montségur*, Perpignan 1960. A. PALÈS-GOBILLIARD, *Le Comté de Foix et le catharisme de ses origines à 1325*. Thèse dactylographiée de Troisième cycle (Hautes Études et Sorbonne), Paris 1973, p. 60-72. Pour Y. DOSSAT, « Le bûcher de Montségur », dans *Cahiers de Fanjeaux* 6 (1971), p. 361-370, le bûcher aurait eu lieu à Bram où s'étaient rendus les inquisiteurs. Sur Ermengaud, cf. *supra*, p. 153.

69. DOAT 22, fol. 214v-215r; fol. 214v : Anno quo supra (Anno Domini ducentesimo quadragesimo quarto), secundo Kalendas maii Raimundus de Perella... dixit... (214v) quia puer erat et post predicationem ipse testis et omnes alii predicti adoraverunt dictos hereticos ter flexis genibus ante ipsos, et in qualibet genuflectione dicebat quilibet per se : benedicite et addebat post ultimum benedicite : Domini rogate Deum pro isto peccatore quod faciat me bonum christianum et quod perducat me ad bonum finem, et heretici respondebant in quolibet benedicite : Deus vos benedicat et addebant post ultimum benedicite : Deus sit rogatus quod faciat vos (215r) bonum christianum et quod perducat vos ad bonum finem... de tempore quod sunt triginta quinque anni... »

étaient présents Raymond de Péreille et certains autres
dont il a perdu le souvenir et là tous, tant le témoin que
ses compagnons, adorèrent les hérétiques comme susdit.
Après l'adoration, ils reçurent d'eux la paix, les embrassant
deux fois sur la bouche *ex traverso* et procédèrent ensuite
entre eux de la même manière[70].

En 1238, le témoin juré Raymond Jean de Abia (Albi ?),
neveu de Jean Seminoret, rapporte que, sept ans auparavant
(c. 1231), il a été consolé par Pons Guilabert. Sur une table
recouverte d'un linge blanc fut déposé un livre que les
hérétiques appellent Texte. Interrogé s'il voulait recevoir
l'ordination du Seigneur, le témoin répondit affirmativement. Il se rendit à Dieu et à l'Évangile et s'engagea à ne
pas manger seul ni sans dire oraison; à s'abstenir de
nourriture pendant trois jours s'il est pris sans ' socius ';
à ne consommer ni viande, œuf, fromage, aliment gras
(uncturam) sauf huile et poisson; à s'interdire le mensonge,
le serment, pratiquer la chasteté. Un certain temps écoulé
après ce premier engagement, Raymond Jean vint devant
les hérétiques, dit le *Benedicite* en fléchissant trois fois
les genoux puis embrassa leur Livre. Ceci fait, les officiants
imposèrent le Livre et la main sur sa tête et lurent l'Évangile. Les hérétiques firent ensuite l'*apparelhamentum* et
la paix, s'embrassant les uns les autres *ex traverso*[71]. Fort

70. DOAT 22, fol. 224ʳ-ᵛ-225ʳ. Voir Append.nᵒ 18, p. 282. Sur
Gaucelm, évêque cathare de Toulouse, cf. J. GUIRAUD, *Inquisition*,
t. I, p. 202. A. BORST, p. 232, n. 13. Ch. THOUZELLIER, *Une somme
anti-cathare* (DURAND DE HUESCA, *CM*), p. 78, n. 1 ; ID., *Catharisme*,
p. 296 et 360. Sur Guilabert de Castres, cf. J. GUIRAUD, *Inquisition*,
I, p. 203-205. A. BORST, p. 232, n. 14. Voir les notes de Fr. ŠANJEK,
Les ' chrétiens ' bosniaques. Thèse dactylographiée, p. 360 et tableau,
p. 361-366.

71. DOAT 23, fol. 260ᵛ ; (DEVIC-VAISSÈTE, VIII, 1016-1017) :
« Anno Domini millesimo ducentesimo tricesimo octavo, duodecimo
Kalendas Martii, Raymundus Johannis de Abia, nepos Johannis
Seminoret, requisitus de veritate dicenda, de se et de aliis tam vivis
quam mortuis super crimine heresis et Valdensium, testis iuratus,

laconique, le témoin ne donne aucun détail de prières et d'invocations, signalées ailleurs. Ce rapport succinct indique toutefois la préparation de la table et du Livre, le temps de probation entre les deux cérémonies et un *apparelhamentum* final avant le baiser de paix.

dixit se vidisse... etc. /fol. 271ᵛ/... Dicit etiam, quod completo anno illo et facta pace inter Ecclesiam et regem et comitem Tholosanum, ipse testis... venit in Lantares, et ibi ipse testis infirmatus fuit in quodam manso, quod vocatus est Podium Agot, et ibi Poncius Guilaberti socius eius heretici consolati fuerunt et re(fol. 272ʳ)ceperunt eumdem testem in hunc modum : impositis in quodam banco manutergiis albis, et desuper librum quem vocabant textum, quesiverunt ab eodem teste, differente a libro aliquantulum, utrum volebat ordinationem Domini recipere, et ipse testis dixit quod sic. Postmodum reddidit se Deo et Evangelio, et promisit quod ulterius non esset neque comederet sine socio et sine oratione, et quod captus sine socio non comederet per triduum, neque comederet carnes ulterius neque ova neque caseum nec aliquam uncturam ᵃ), nisi de oleo et piscibus, neque mentiretur, neque iuraret, neque aliquam libidinem exerceret. Quo facto, ipse venit per aliqua intervalla ante ipsos, dicens Benedicite ter flexis genibus, et postmodum osculatus fuit librum dictorum hereticorum, et his com(fol. 272ᵛ)pletis, imposuerunt librum et manus super caput ipsius testis, et legerunt Evangelium, et consequenter ipsi heretici fecerunt apparellamentum et fecerunt pacem, ibi osculantes sese invicem ex traverso. De tempore, quod sunt septem anni », etc.

ᵃ) A signaler que, dans ces trois textes, le terme exprimant une alimentation grasse varie. Dans les rapports sur Esclarmonde, Raymond de Péreille et Raymond Jean de Abia, Doat écrit *uncturam*; pour celui-ci, Vaissète emploie le mot *veneturam* qui paraît impropre alors que, transcrivant non sans quelques variantes celui d'Esclarmonde, il s'en tient à *nurituram*, seul terme qui paraîtrait valable, d'après S. J. Honnorat, *Dictionnaire provençal français* ou *Dictionnaire de la langue d'oc*, Digne 1846-1847, réd. anast., Marseille 1971, t. I, p. 729 : *nurir*. A moins que *uncturam* soit un dérivé de *unctuos* (onctueux), t. II, p. 1347. Ce que paraît confirmer L. Alibert, *Dict. occitan-français*, Institut d'Études occitanes, Toulouse 1966, où on lit p. 686 : *unchar-untar:* oindre, graisser ; de même p. 515 : *onchar-untar*, d'où les dérivés : *onchura, unchura*. Le ms. *2015* de la Mazarine fol. 153ᵛᵇ porte *victuram*, probablement pour *uncturam*. Voir *infra*, n. 78 *bis* et Appendice n⁰ 19, p. 284.

Le parallélisme de ces textes révélant des faits s'échelonnant sur un demi-siècle est significatif.

Les interrogatoires, à Toulouse, de Bernard de Caux et de Jean de Saint-Pierre sont de même fort instructifs. En 1248 au cloître de Saint-Étienne, W. de Valiers avoue avoir vu, accueilli, visité les hérétiques. Il s'est associé à eux, les a conduits près de certaines personnes à l'hérétication desquelles il était présent. Il a assisté aux *apparelhamentum* des sectaires, a reçu d'eux le baiser de paix, entendu leur prédication; il les ' adora ' souvent en fléchissant le genou et, fait assez rare, en se prostrant, les mains à terre[72]. Cette inclination profonde est aussi le fait de Saisia, de Cavanac, qui récitait trois *Benedicite* auxquels les hérétiques répondaient par : « Dominus emendet vos adversus nos[73] », tandis que les actes d'Inquisition fourmillent chez les accusés d'aveux d'adoration, hérétication, *apparelhamentum*, et des liens étroits qui les unissent aux hérétiques[74]. Le Registre du Greffier de Carcassonne, encore plus précis, mentionne, outre maintes adorations et *Benedicite* dits ' selon la coutume ' et parfois avec répons[75], les invocations que faisaient les sympathisants, telle Alazaïs de Villariès vers 1239. Après l'ultime

---

72. C. Douais, *Documents pour servir à l'histoire de l'Inquisition dans le Languedoc*, Paris 1900, I, p. cclxvi ; II, p. 86 : « 1248... W. de Valeiras... vidit... hereticos, visitavit eos, receptavit eos... dedit eis ad comedendum et comedit cum eis in eadem mensa, eos associavit multociens, duxit eos ad hereticandum quasdam personas et hereticationibus illarum personarum interfuit... apparelhamentis hereticorum interfuit, accepit pacem ab eis, predicationem eorum audivit, adoravit eos tocies flexis genibus, prostratis in terra manibus. »

73. Id., *ibid.*, II, p. 270 : « 1250 Saisia de Cavanaco ... dixit... inclinavit se coram eis (hereticis) ponendo manus in terram ter dicendo : ' Benedicite ' et dicti heretici respondebant : ' Dominus emendet vos adversus nos '. »

74. Id., *ibid.*, II, p. 9, 11, 21, 22, 25, 32, etc. Voir, à la Table, la rubrique « Adoration hérétique », p. 352.

75. Id., *ibid.*, II, p. 285-286 : « dicta testis adoravit eos flexis genibus, dicens : ' Benedicite ', sicut moris est hereticorum » ; p. 293 « ... et heretici respondebant : ' Deus vos benedicat ' » ; p. 297, etc.

Benedicite elle ajoutait : « Seigneur, priez Dieu pour cette
pécheresse, qu'il me fasse bonne chrétienne et me conduise
à bonne fin » et les hérétiques répondaient en répétant la
même formule à l'adresse de la demanderesse[76]. C'est
encore le cas de Bernard Carcassès de Villefloure qui, cité
en 1253, rapporte le même fait de 1213 environ[77]; et celui de
Pons Carbonnel de Faget en Toulousain, requis par
Frère Ferrier le 21 février 1245, pour une cérémonie
semblable antérieure de quarante ans (soit vers 1205)
à laquelle il assistait avec ses parents et dont le père déserta
ensuite la secte[78]. Un document, transmis par divers

76. ID., *ibid.*, p. 251 : « 1254... et addeba[n]t post ultimum
' Benedicite ' : Domini rogate Deum pro ista peccatore, quod faciat
me bonam christianam et ducat me ad bonum finem ; et heretici
respondebant : ' Deus sit rogatus quod faciat vos bonam christianam
et perducat vos ad bonum finem ' ... De tempore, circa XV annos. »
Voir ci-dessus, n. 69.

77. ID., *ibid.*, p. 291 : « 1253 ... et addebat post ultimum
' Benedicite ' : Domini, rogate Deum pro isto peccatore, quod faciat
me bonum christianum... finem. — P. 292 : De tempore, XL anni. »

78. DOAT 24, fol. 35ᵛ, 37ᵛ-38ʳ (DEVIC-VAISSÈTE, VIII, 1147-1149 :
reporte l'acte à 1245 n. s., 21 février) ; « Anno Nativitatis Domini
millesimo ducentesimo quadragesimo quarto, nono kalendas martii.
Poncius Carbonelli de Faget, diocesis Tholosane, requisitus de
veritate dicenda de se et de aliis tam vivis quam mortuis, super
crimine heresi et Valdensium, testis iuratus dixit... (37ᵛ)... quod
Willelmus Carbonelli, pater ipsius testis, et Audiardis, mater ipsius
testis, fuerunt heretici, et tunc ipse testis veniebat sepissime Auriacum
in domum /38ʳ/ hereticorum, ubi stabant pater et mater ipsius testis
heretici cum aliis hereticis, et ibi ipse testis comedebat cum eis
de his que dabant eidem testi. Et ibi ipse testis multociens adoravit
ipsos hereticos, dicendo Benedicite ter flexis genibus ante ipsos
hereticos, et addendo post ultimum Benedicite : Rogate Deum pro
isto peccatore, quod me perducat ad bonum finem. Et heretici
respondebant in quolibet Benedicite : Deus vos benedicat et addebant
post ultimum Benedicite : Deus sit rogatus, quod faciat vos bonum
Christianum et perducat vos ad bonum finem. Dixit etiam, quod
pater ipsius testis post aliquod tempus deseruit sectam hereticorum
et rediit in domum suam : de tempore, quod sunt quadraginta anni
et amplius, etc. » Cf. Append. nº 22, p. 290. Sur la date, cf.
C. DOUAIS, *Documents*, t. I, p. 143.

manuscrits, reproduit par Martène à la suite de la Somme de Raynier Sacconi, décrit le consolamentum tel qu'il devait être administré à une période avancée (deuxième moitié du XIIIᵉ siècle). Il résume tout ce que l'on sait déjà de cette cérémonie au début du XIIIᵉ siècle, ajoutant quelques précisions complémentaires : notamment la génuflexion avec les mains à terre signalée dans les aveux de W. de Valiers en 1248, de Saisia de Cavanac en 1250 ; l'explication curieuse de définir *aqua* par *pisces* et *lignum* par *oleum*. Outre les interdictions de mentir, jurer, tuer même le moindre reptile et les divers engagements d'ascèse, pureté, il rappelle l'obligation d'avoir un *socius* à table et en déplacement, du port de la chemise et des braies la nuit. Après l'imposition du Livre et des mains pendant la lecture de l'Évangile de Jean, l'officiant embrasse *bis in ore ex transverso* l'élu qui, à son tour, embrasse un autre assistant et tous se transmettent ainsi la paix. Si des femmes sont présentes, l'une d'entre elles reçoit la paix par le contact du coude d'un parfait, *sicut nostre faciunt de libro*, elle la communique à une seconde et toutes s'embrassent ensuite *bis ex transverso*.

On remet à l'hérétiqué un mince fil de lin ou de laine, en signe d'habit, qu'il doit mettre sur la chemise ; ainsi peut-il être déclaré ' revêtu ' *(indutus)* ; d'ailleurs il peut porter cet ' indumentum ' aussi léger *(quam levius)* qu'il lui convient[a]. A l'époque de Pierre des Vaux-de-Cernay (c. 1213)[b], le parfait était revêtu d'un habit noir, qu'il portait encore durant la guerre albigeoise, tout au moins au début. Mais au temps des persécutions, à partir de 1233, l'usage s'établit par prudence de substituer au vêtement noir un simple cordon, moins voyant, que les parfaits délaisseront par la suite. Aucun des Rituels étudiés ici n'en fait mention[78bis].

---

78 bis a) *Forma qualiter heretici hereticant hereticos suos.* Paris, Bibliothèque de la Mazarine, ms. *2015*, f⁰ 153ᵛᵃ⁻ᵛᵇ, éd. E. MARTÈNE-

Les enquêtes effectuées en 1299-1300 à Albi, par l'évêque Bernard de Castanet et Nicolas d'Abbeville inquisiteur à Carcassonne, sont aussi probantes sur les « adoratio et hereticatio »[79].

De tels cas foisonnent dans le Registre de Jacques Fournier qui, de 1318 à 1325, relate les enquêtes de Pamiers et dans les rapports de Bernard Gui pour le Toulousain, entre 1307 et 1323. A titre d'exemple, on peut citer celui de Guillaume Guilabert de Montaillou, jeune berger de quinze ans, malade et crachant le sang, dont trois dépositions font état en 1321. L'infirme ne pouvant plus parler, le chef hérétique Tavernier de Prades hésite, mais sur les instances de son confrère Guillaume Belot qui connaissait le désir du malade, il s'exécute. Après plusieurs génuflexions il s'approche de lui, pose le Livre sur sa tête et l'" hereticavit ". Tavernier procède de même près de Ramunda, femme de Ramundus Buscalh de Prades, qu'il réduit ensuite au pain et à l'eau fraîche[80]. Après enquête, Bernard Gui, jugeant que l'infirme et Ramunda étaient morts en état d'hérésie, ordonnera l'exhumation de leurs

U. Durand, *Thesaurus novus anecdotorum*, t. V, Paris 1717, col. 1776. Cf. *infra*, Append. n° 19, p. 284, où nous indiquons les divers manuscrits. b) Pierre des-Vaux-de-Cernay, *Hystoria*, § 13, 44, 394, t. I, p. 14, 40 ; t. II, p. 90.

79. G.-W. Davis, *The Inquisition at Albi, 1299-1300*, New York 1948, *passim*, spécialement p. 122-164, 173-175, 187.

80. Jacques Fournier, *Registre d'inquisition*, éd. J. Duvernoy, t. I, Toulouse 1965, p. 410 : « Guillelmum Guilaberti, qui tunc poterat esse XV annorum... et ante illud tempus fuerat pastor et custodiebat oves patris sui... 411 Pradas Taverneir ... dictus hereticus fecit multas genuflectiones, et deinde accedens ad dictum infirmum, posuit unum librum super caput dicti infirmi, et eum hereticavit. » Cf. aussi p. 423 et 430. P. 494 : « dictus hereticus (Pradas Taverneir) flexit genua aliquociens ante lectum dicte (Ramunda) infirme, et postea posuit quemdam librum super caput (495) eius et postquam hoc fecerat dixit... quod... non darent aliquid comedere vel bibere dicte infirme nisi solum panem et aquam frigidam. » Voir aussi p. 503.

ossements pour être brûlés[81]. Alazaïs, femme de Berthomieu
d'Ax-les-Thermes, diocèse de Pamiers, mourante, reçoit
la visite de Guillaume Autier qui, après maintes génuflexions, lui impose le Livre et l'" hérétique ' dans les
mêmes conditions. Ailleurs, une pauvre insensée, malade,
réduite simplement à l'eau, réclame de la nourriture[82].
Bien des fois en effet les infirmes regimbent contre
l'hérétication et les privations qui s'ensuivent, tel Arnaud
Savinhani (= de Savignac) de Prades d'Alion. Généralement, on exige la lumière pour les cérémonies mais,
auprès de Mengarde *dictam Rossam*, Guillaume Autier
fait, par prudence, éteindre la chandelle; d'ailleurs ses
paroles demeurent inintelligibles, etc.[83].

81. BERNARD GUI, *Liber sententiarum inquisitionis Tholosanae*,
éd. Ph. VAN LIMBORCH, Amsterdam 1692, p. 333 : « dicimus et
declaramus... predictum Guillelmum Guilaberti et predictam
Raymundam uxorem Raymundi buscalh defunctos fuisse hereticos
et hereticos decessisse, et hereticatos in sua ultima egritudine per
inposicionem manuum hereticorum dampnabiliter obiisse, ipsosque
defunctum et defunctam tanquam tales eorumque memoriam ut
talium sentencialiter condempnamus, precipientes in signum
predicionis ossa ipsorum si ab ossibus fidelium discerni possint de
sacris extumulari vel exhumari cimiteriis et inde ea proici et conburi. »
82. *Registre de Jacques Fournier* I, p. 473 : « Guillelmus Auterii
hereticus fecit multas genuflectiones et deinde posuit librum super
capud dicte Alazaicis et hereticavit ipsam. » II, p. 15 : « ... dicte
infirme... que non loquebatur cum sensu suo, sed semper dicebat :
« o. o ! » ... dictus hereticus... fecit multas genuflectiones in quadam
banca que erat ante lectum dicte infirme. Deinde accipiens quemdam
librum posuit super capud eius et hereticavit eam... Dixit eis quod
de cetero non darent ei aliquid nisi aquam puram... Et post quinque
vel sex dies... p. 16 (infirma) nolebat tenere preceptum dicti heretici,
sed volebat comedere. » Autres cas, voir II, p. 17, 29.
83. *Registre de Jacques Fournier* II, p. 149 : « Arnaldus Savinhani
quondam de Pradis de Alione... infirmus dixit dictis hominibus
bis vel ter : ' Diaboli, non vexetis me ! ' », mais après les supplications
de sa famille, il finit par dire : « Fac quod volueris. » P. 307 : « Et
quando dictus hereticus voluit dictam Mengardim hereticare, fecit
extingui candelam. » III, p. 265 : « Guillelmus Auterii traxit unum

Les dossiers accumulés de Jacques Fournier et de
Bernard Gui, bien que tardifs, sont aussi révélateurs du
rite et de la terminologie liturgique appropriée que les
dépositions reçues au début de l'Inquisition. Toutefois,
on ne lit plus guère dans le Registre de Pamiers, au
premier quart du XIVe siècle, le terme ' *apparelhamentum* '
(non indiqué d'ailleurs aux Index) traduisant la confession
générale des parfaits. Il s'agit ici d'aveux faits aux
interrogatoires d'Inquisition, car les hérétiques considèrent
comme nulle la « confession des péchés aux prêtres »[84].
S'il y est fréquemment question du ' *melioramentum* '
ou de l'adoration, à l'inverse, n'apparaît point le terme
' *consolamentum* '[85], auquel la tradition a déjà substitué
les usuels : *receptio, receptare, hereticatio, hereticare*, qui
foisonnent tout au long du Registre. Les témoins déclarent
d'ailleurs que l'officiant prononce souvent des paroles
incompréhensibles pour le postulant. Ce ne sont pas des
mots magiques, comparables à ceux dont parle Euthyme
de la Péribleptos chez les Phoundagiagites, mais des prières
et invocations rituelles; trop affaibli, le malade ne peut en
saisir le contenu[86].

Plus on recule dans le temps, à l'origine des enquêtes
(1241, 1237, 1236...), mieux on s'aperçoit de la connaissance

librum subtus raubam suam et posuit ipsum super caput suum
dicendo quedam verba que ipse loquens non intelligebat, et postmodum
posuit dictum librum super unum humerum ipsius loquentis, et
postea super alium humerum, dicendo verba que ipse non intelligebat. »

84. *Ibid.*, I, p. 446 ; II, p. 38 : « Et cum ipse loquens interrogaret
dictum Petrum an domini, quando erant infirmi, confiterentur
sacerdotibus, qui Petrus respondit quod non, quia confessio peccatorum que a sacerdotibus fit nichil valet. »

85. Aucune investigation correspondant à la rubrique « Consolamentum » (t. III, p. 539) n'a donné de résultat. Pour *melioramentum*,
au contraire, cf. t. III, p. 128-129, 138, 202, 203, etc.

86. *Registre de Jacques Fournier* t. III, p. 265, cf. ci-dessus,
n.83. Pour Péribleptos, cf. *supra*, p. 130-131, n. 105b, 106. Voir Append.
nos 3-4, p. 264-265.

approfondie que les intéressés avaient de leurs cérémonies
et qu'ils ne craignaient pas de manifester devant les
enquêteurs. Beaucoup se contentent toutefois de mentionner l'adoration et l'*hereticatio seu consolatio*; certains
révèlent aussi la confession ou ' *apparelhamentum* ' et
déclarent tenir les Évangiles[87]. Le cérémonial décrit par
les rituels plus anciens s'est, on le constate, maintenu
à travers toutes les péripéties de la guerre albigeoise et

87. Doat, 21, 144^r : « 1237... Alamannus de Roaxio... hereticos
in domo sua receptaverit et eos pluries et frequenter adoraverit...
144^v... et in super hereticationi faciende ab hereticis consilium et
auxilium prestiterit... » 163^v : « 1236... B. Othonem... esse de heresi
publice diffamatum deffensorem ac receptatorem hereticorum
existere... et osculum pacis pluries ab eis accepisse et audi-(164^r)
visse multotiens predicationem eorum et eos multotiens et in pluribus
locis adorasse... » 164^v-165^r : « 1236 ... Guillelmum ‖ de Aniorto...
constitit etiam nobis quod ipse pluries et in pluribus locis hereticos
adoraverat dicendo ' Benedicite, orate pro me peccatore '. « Sur la
famille Niort cf. 166^{r-v}, 167^{r-v}. — 179^v-180^r : « 1237... P. Chammat.. ‖
..eosdem adoravit. » 181^{r-v} : « 1237... invenimus per inquisitionem
Ademarium de Turre et Poncium Ymberti ... adoraverunt eos
et quod interfuerunt pluribus hereticationibus seu consolationibus
ab hereticis factis... » 182^v, 183^r-184^r, 186^r : « adoraverat... adoraverunt... adoravit. » 185^v : « 1241... Huga... interfuit hereticationi
dicti viri sui... » 187^r : « P. Peregrini adoravit totiens hereticos... et
interfuit hereticationi duorum credentium et duobus apareillamentis... » 187^r : « G. Bonaldi... legit eis pluries Evangelium in
Romano... 187^v... interfuit cuidam hereticationi... B. de Lator...
adoravit eos... et portavit quandam infirmam ad hereticandum
et interfuit hereticationi in domo de Rothas... » 190^r : « Gaubert
de Mosati ...adoravit eos... Guiralda del Riu recessit a viro et fecit
se hereticam perfectam... — Guillelma de Vina... interfuit cuidam
appareillamento et vidit hereticos pluries et in diversis locis et
recepit pacem de libro hereticorum et ibi adoravit eos... » 190^v :
« Guillelmus de Maperier... interfuit appareillamento facto in domo
sua et adoravit hereticos... et interfuit hereticationi cuidam... »
196^r : « Arnalda... tenuit librum hereticorum scienter... 196^v :
Raimundus Auriol... portabit librum hereticorum... », etc. Doat, 22,
2^v, etc. Voir *supra*, p. 33-34, n. 2-3. Sur la famille Niort, voir
W. L. Wakefield « The family of Niort in the Albigensian Crusade
and before the Inquisition », dans *Names* 18, 1970, p. 97-117 et 286-303.

les épreuves inquisitoriales. Sa relation, notoire dans certaines confessions émises à des dates diverses, atteste sa pérennité et son usage par des adultes, et non seulement par des malades à l'article de la mort, comme on le voit fréquemment dans le Registre de Jacques Fournier.

Conclusion

De l'examen de tous ces textes : rapports et dires des hérésiologues, simples aperçus ou aveux très complets de témoins jurés, le tout étalé sur un siècle environ, il ressort que, assez rares ont été les théologiens de l'époque réellement avertis du rite cathare, qualifié même de ' singerie ' par Bernard Gui[88]. Il importe peut-être plus aux hérétiques de recevoir une véritable ordination de la secte, comme le révèlent textuellement les enquêtes, correspondant d'ailleurs à l'esprit de la liturgie cathare, que de substituer un baptême spirituel au baptême d'eau. Cette ordination implique soit l'admission à l'état de ' parfait ', soit le changement d'ordre tel qu'il se produit à Saint-Félix-de-Caraman, ou dans les communautés italiennes du début du XIIIᵉ siècle[89]. Dans la seconde moitié du XIIIᵉ on aurait, grâce à Anselme d'Alexandrie, à défaut des deux rituels, une notion assez exacte de la cérémonie du consolamentum[90]. Les hérésiologues ont mis du temps à en déceler les modalités authentiques, tant le secret était bien gardé ou les aveux souvent incomplets; et encore sont-ils souvent muets sur la *Traditio orationis*.

---

88. BERNARD GUI, cf. *supra*, p. 167, n. 55. Appendice n° 17, p. 279.
89. Cf. *supra*, p. 147-148, n. 22-23 ; p. 152, n. 31 et p. 155, n. 38. A. DONDAINE, « La hiérarchie cathare », I (*AFP*, XIX, 1949), p. 284-286 ; II (*ibid.*, XX, 1950), p. 240-243.
90. Cf. *supra*, p. 163-166. Appendice n° 16, p. 277.

Il faut remonter jusqu'à Euthyme de la Péribleptos (milieu du xie s.), pour connaître chez les dualistes le temps d'épreuves, le serment, l'imposition des Évangiles, et au Zigabène (c. 1111-1118) qui révèle les deux cérémonies distinctes et circonstanciées de la *Traditio orationis* et de l'imposition des mains et du Livre[91]. Les hérésiologues occidentaux sont à peu près ignorants des cérémonies jusqu'au premier quart du xiiie siècle, à l'exception d'Évervin de Steinfeld qui relate l'existence des degrés dans la communauté cathare, et d'Ermengaud de Béziers plus au courant toutefois, vers 1210-1215, du consolamentum que de la tradition du *Pater* et de la liturgie qui l'accompagne[92]. Or, selon la chronologie authentique des documents, Bérenger de Lavelanet et ses amis pratiquent déjà le *melioramentum* avec des invocations peut-être révélatrices de la tradition du *Pater*, prélude en tout cas au consolamentum que, à Fanjeaux, près de Montségur, reçoivent Esclarmonde de Foix et ses compagnes[93]. Les révélations fort nettes des cérémonies célébrées vers 1204, si conformes aux textes des rituels connus, prouvent que, au tout début du xiiie siècle et probablement avant la fin du xiie, le cérémonial en usage chez les adeptes languedociens correspond à une liturgie déjà élaborée, dont les témoins latin et provençal ne sont que des codifications tardives.

On a souligné la correspondance de certains éléments du culte cathare avec diverses pratiques décrites par les deux Euthyme, mais on a aussi relevé leur réelle divergence en bien des points, dont l'agressivité des Phoundagiagites et des Bogomiles envers le rite romain, leur omission volontaire de la doxologie, etc., ne sont pas des moindres[94]. Quant à la liturgie (litanies, invocations,

---

91. Cf. *supra*, p. 129-132. Appendice, nos 3-6.
92. Cf. *supra*, p. 142 s. et 153. Appendice, nos 7 et 9.
93. Cf. *supra*, p. 170-171. Appendice, no 18.
94. Cf. *supra*, p. 132, 134-135.

Pater, Évangile de Jean), qui précède et accompagne le cérémonial, la similitude avec le texte slavon ne paraît pas fortuite. Écrit en cyrillique, ce dernier suit littéralement le Rituel provençal pour la *Traditio orationis*, mais ses détails s'apparentent aussi à la section finale du consolamentum, tel que le décrit le manuscrit de Florence. Il y a donc parallélisme entre la liturgie des hérétiques de Dalmatie, Bosnie, et celle des sectes de Lombardie et du Languedoc, sans que l'on puisse, faute de documents, déterminer leur filiation[95]. Cette identité de formules a, malgré la diversité des ' ordres ', marqué le dualisme médiéval de son unicité. Cependant, le cérémonial qui fait suite aux prières, dans les deux Rituels latin et provençal, illustré par les aveux des adeptes, offre le spectacle d'une célébration particulière qui, empreinte d'une spiritualité émanant de la plus haute antiquité chrétienne, demeure spécifique et propre au catharisme occidental.

C. NOTE COMPLÉMENTAIRE

Le Rituel cathare et le rite de profession des moines orthodoxes.

Peut-on en déduire que le rituel des dualistes « ne serait autre que le rite de profession religieuse pratiqué par les moines orthodoxes et auquel les cathares auraient ajouté des éléments hérétiques, telle que l'interprétation exagérée de la réception de l'Esprit-Saint » ? Certaines expressions et analogies invitent à le penser : ainsi le terme *Christianus* revendiqué par les *Albanenses*, tous les Albigeois et dualistes, et qui est « le nom donné aux moines basiliens selon la Règle de saint Basile » ; leur sens d'une société fraternelle,

95. Cf. *supra*, p. 63-70.

d'après la *societas fraternitatis* des communautés auxquelles Basile s'adressait[96].

Il faut d'abord signaler que le fondateur et organisateur des communautés monastiques, S. Pachôme († 346), a voulu avec ses frères suivre la vie des premiers chrétiens de Jérusalem engagés envers Dieu par le baptême. La profession religieuse n'a chez lui aucun rapport avec un « second baptême »; il n'y est pas question d'un ' rite '. Devenir moine : c'est prendre l'habit, revêtir le ' schème '. On ne peut établir de comparaison entre le baptême spirituel des cathares et la liturgie pachômienne de la profession monastique, réduite à une vêture d'habit monacal, auquel on a ajouté ensuite les promesses d'obéissance, de pureté et l'interdiction du vol, du faux serment, du mensonge, etc.[97]. Quel que soit le mode considéré : byzantin, arménien, syrien occidental, chaldéen ou syrien oriental, copte, la profession monacale est — en dehors de la tonsure — centrée sur la vêture[98].

Quant à Basile, qui n'a jamais été un fondateur de monastère, son idéal est tout différent. Vers 358, délaissant la rhétorique étudiée à Césarée, Constantinople, finalement Athènes, pour une vie d'ascèse en Cappadoce dans le sillon d'Eustathe de Sébaste († 380), il en comprit très tôt les dangers et se stabilisa dans la voie de l'Évangile où il puisa ses *Règles morales*. Visitant les disciples d'Eustathe,

96. M. MILETIĆ, *I ' Krstjani ' di Bosnia alla luce dei loro monumenti di pietra* (*Orientalia christiana analecta*, 149), Rome 1957, p. 49-55 ; 58-59 et notes ; 64, 66 s., spécialement 78-79, 180.

97. F. HALKIN, *Sancti Pachomii Vitae Graecae*, § 24-25 (*Subsidia hagiographica* 19), Bruxelles 1932, p. 14-16. P. RAFFIN, *Les rituels orientaux de la profession monastique* (*Spiritualité Orientale* 4), ronéot., Abbaye de Bellefontaine 1968, p. 13-14, 15-16. A. VEILLEUX, *La liturgie dans le cénobitisme pachômien au quatrième siècle* (*Studia Anselmiana*, 57), Rome 1968, p. 167-171 ; 172, 176-177 ; 213 et note 65 ; 219-220 ; 224, 225.

98. P. RAFFIN, *Les rituels orientaux, passim.* Tableau comparatif, p. 143-144, 154-159.

il répondait à leurs questions et ses réponses improvisées constituent l'Ascéticon, dénommé à tort ' Petites et Grandes Règles '. Il est donc erroné de parler de ' Règle ' de saint Basile, qui n'a pas voulu en donner, ni fonder un ordre[99].

D'autre part, le terme χριστιανός qui frappe par sa fréquence dès la lecture de l'Ascéticon, est conforme à sa pensée : en cela Basile n'est que le témoin d'un usage général en Asie mineure, spécialement dans la Syrie du Nord. Il n'a jamais appliqué à ses interlocuteurs le nom de moines, qu'il a rigoureusement proscrit en faveur de celui de ' chrétiens '[100], tenus à vivre selon l'Évangile et en esprit de charité. De même, les communautés auxquelles il s'adresse, ou *fratrum societates*[101], n'ont rien

---

99. J. GRIBOMONT, « Le monachisme au IVᵉ s. en Asie Mineure : de Gangres au Messalianisme », dans *Studia Patristica* II (*Texte und Untersuchungen zur Geschichte der Altchristlichen Literatur*, 64), Berlin 1957, p. 400-415. Cf. p. 407-412. ID., « Les Règles Morales de saint Basile et le Nouveau Testament », *ibid.*, p. 416-426. ID., « Saint Basile », dans *Théologie de la vie monastique* (*Théologie* 49), Paris 1961, p. 99-113 ; cf. p. 99-103. H. DELHOUGNE, « Autorité et participation chez les Pères du cénobitisme : II. Le cénobitisme basilien », dans *Revue d'ascétique et de mystique*, t. 46, 1970, p. 3-32, cf. p. 3-6.

100. BASILE DE CÉSARÉE, *Moralia*, τὸν Χριστιανόν, *Regula*, 38, 1 ; 53, 1 ; 59, 1 ; 62, 4 ; 63, 1, etc. *PG* 31, 757 C, 780 A, 792 B, 800 C, D, etc. Voir J. GRIBOMONT, *Histoire du texte des Ascétiques de S. Basile* (*Bibliothèque du Muséon*, 32), Louvain 1953, p. 187, n. 13, et la traduction française L. LÈBE, *Saint Basile, les règles morales et portrait du chrétien*, Maredsous 1969, aux règles correspondantes, p. 100, 116, 126, 132, etc.

101. BASILE DE CÉSARÉE, *Regulae brevius tractatae*, voir les *capitula* 85, 94, 102, 106, 181, 284-286, 303-304, 308, etc., et les textes correspondants *PG* 31 : 1060-1077 *passim*, ἀδελφότης, 1144-1301, *passim* ; la traduction de L. LÈBE, *Saint Basile*, aux mêmes numéros, p. 221, 225, 229-230, 328-329, 332, 339, 340, 343, etc. M. MILETIĆ, *I ' Krstjani '*, p. 58, et n. 2. — On lit cependant parfois la mention de « moines » : BASILE, *Sermo de renuntiatione seculi*, *PG* 31, 625 C D : « προσδραμεῖν τῷ σταυροφόρῳ βίῳ τῶν μοναχῶν ». *Regulae fusius*

d'une ascèse monacale qu'il interdit : ce sont des fraternités de chrétiens intégrés au clergé et pratiquant le renoncement évangélique de pauvreté, obéissance et chasteté : idéal accessible aux chrétiens vivant dans le monde et s'adonnant aux œuvres de charité[102]. Comme l'a judicieusement écrit Dom Gribomont : « Son rôle... fut de maintenir pleinement intègre dans la grande Église le radicalisme ascétique des disciples d'Eustathe », condamné au concile de Gangres vers 340, « en mettant en puissant relief les exigences chrétiennes essentielles centrées sur les engagements baptismaux ». « Sa vocation fut de purifier l'enthousiasme eustathien en le ramenant constamment au Nouveau Testament »; ce à quoi s'efforçait aussi le Pseudo-Macaire, auteur d'un *Ascéticon* d'où l'on a extrait, au XIe s., un florilège : les « Homélies dites spirituelles »[103]. Dans ces conditions, on ne pourrait envisager un seul instant, malgré des analogies de termes, prêtant à confusion, quelque rapport entre les communautés cathares et les fraternités de saint Basile. Sous une forme de vie tendant à certaine perfection évangélique, le ' chrétien ' des sectes dualistes ne peut se comparer au ' chrétien ' basilien, malgré l'identité des appellations. Que des

---

tractatae. PG 31, 1003 C : « sive in augendo monachorum numero » (τῶν ἀδελφῶν).

102. J. GRIBOMONT, « Obéissance et Évangile selon saint Basile le Grand », dans *La Vie spirituelle, supplément*, t. 20-23, 1952, p. 192-215. ID., « Le monachisme », p. 409, 413. ID., « Saint Basile », p. 104-109. M. WAWRYK, *Initiatio monastica in liturgia byzantina (Orientalia christiana analecta,* 180), Rome 1968, p. 49-54. H. DELHOUGNE, « Autorité et participation », p. 6-15, 22-28.

103. J. GRIBOMONT, *Histoire du texte*, p. 307. ID., « Saint Basile », p. 113. H. DÖRRIES-E. KLOSTERMANN-M. KROEGER, *Die 50 geistlichen Homilien des Makarios (Patristische Texte und Studien*, 4), Berlin 1964. J. GRIBOMONT, « Le dossier des origines du Messalianisme », dans *Epektasis (Mélanges patristiques offerts au cardinal Jean Daniélou)*, Paris 1972, p. 611-625, cf. p. 618-619. A. GUILLAUMONT, « Le problème des deux Macaire dans les *Apophthegmata Patrum* », dans *Irénikon*, t. 48, 1975, p. 41-59, cf. p. 57.

patarins aient été repérés dans des couvents bosniaques :
le fait est certain puisqu'en 1203, Innocent III envoie son
légat Jean de Casamari pour obtenir leur abjuration.
Peut-être même est-ce dans leurs associations que le
catharisme gravitait secrètement en Bosnie[104], mais ceci,
contrairement à l'idéal de saint Basile réfractaire à une
telle doctrine.

B. Petranović présente comme argument que le consolamentum cathare a pour modèle le rite de profession
religieuse de l'église orthodoxe serbe. A cet effet, il utilise
le Rituel provençal, les descriptions d'Ermengaud de
Béziers et, en les comparant, constate certains parallèles
avec la cérémonie monastique[105]. Or, la description que
l'énigmatique Pseudo-Denys, non encore identifié[106], donne
vers la fin du ve ou le début du vi[e] siècle de la profession
monacale, ne correspond en rien à cette hypothèse et
confirme au contraire les principes déjà connus :

« Le postulant se tient derrière le prêtre qui, devant
l'autel, récite l'invocation monastique ; il ne fléchit aucun
genou. L'officiant ne lui impose pas sur la tête les Écritures
données par Dieu mais prononce à son intention l'invocation
consécratoire (μυστικήν). Après lui avoir demandé de
renoncer aux divisions de sa conduite et de ses pensées,
il lui expose les teneurs de la vie la plus parfaite, susceptible
de l'élever au-dessus du niveau de la vie moyenne, et

104. Innocent III, *Ep.* VI, 141 (*PL* 215, 153-155), cf. 154 A.
T. Smičiklas, *Codex diplomaticus regni Croatiae, Dalmatiae et
Slavoniae*, t. III, Zagreb 1905, p. 24, n. 19. M. Miletić, *I ' Krstjani '*,
p. 55-66. Ch. Thouzellier, *Hérésie*, p. 216-219. F. Šanjek, *Les
chrétiens bosniaques*, Thèse (éd. 1976), p. 45-50 ; voir *supra*, p. 68,
n. 90-95.

105. B. Petranović, *Bogomili. Crkva bosanska i krstjani*, Zadar
1867, p. 75-78. Nous remercions M. F. Šanjek d'avoir bien voulu
nous traduire ces pages. M. Miletić, *I ' Krstjani '*, p. 74-77, résume
l'exposé de Petranović en comparant aussi les textes avec un rituel
russe orthodoxe ; p. 77, n. 1, elle remarque avec raison la différence
dans les invocations à l'Esprit « consolateur ».

106. R. Roques, « Introduction » à Denys l'Aréopagite, *La
hiérarchie céleste* (*SC* 58bis), Paris 1970, p. xiv-xix.

dans laquelle s'engage le requérant. Le prêtre le marque alors du signe de la croix, lui confère la tonsure en invoquant la Trinité et le revêt (dépouillé de ses vêtements) d'un nouvel habit. Avec les autres saintes personnes présentes il lui donne le baiser de paix (ἀσπασάμενος) et le fait participer aux mystères divins (θεαρχικῶν)[107]. »

On ne peut de même comparer le sacrement dualiste à un rituel de profession monastique récemment découvert, inclus dans le manuscrit *Vatican grec 1456*. Le document, d'origine italo-grecque, conservé dans un monastère calabrais et copié au XIe siècle, « contient en effet un texte latin écrit au XIVe dans des espaces de parchemin laissé libre par le texte grec ». Comme le démontre Dom P. Salmon, qui publie le document, « il est exclu que ce soit la traduction latine d'un texte grec ». L'analyse du rituel prouve qu'il ne dépend d'aucun type connu de monachisme « ni d'aucune des formules les plus anciennes » même d'origine bénédictine. « Il ne s'agit que de promesse d'obéissance et de persévérance, à l'exclusion de stabilité, séparation du monde, vœu de pauvreté », etc. Probablement du VIIIe siècle, le texte représenterait un schéma primitif et archaïque d'une tradition en usage « dans un monastère isolé de l'Italie méridionale que, vers la fin du IXe siècle, n'aurait pas encore atteint la diffusion de la règle bénédictine[108] ».

---

107. DENYS L'ARÉOPAGITE, *De ecclesiastica hierarchia* VI, 3 (*PG* 3, 533 A B) : « Μυστήριον μοναχικῆς Τελειώσεως » ; cf. la traduction littérale et complète dans M. DE GANDILLAC, *Œuvres complètes du Pseudo-Denys l'Aréopagite*, Paris 1943, p. 308. — Voir R. ROQUES, « Éléments pour une théologie de l'état monastique selon Denys l'Aréopagite », dans *Théologie de la vie monastique* (*Théologie*, 49), Paris 1961, p. 283-314 ; cf. p. 284-285. P. RAFFIN, *Les rituels orientaux*, p. 22-23. M. WAWRYK, *Initiatio monastica*, p. 62-63 et commentaires p. 63-68.

108. Nous remercions le R. Dom P. Salmon d'avoir bien voulu, avant sa publication, nous communiquer son étude qui confirme la disparité entre les rites des moines orientaux et ceux des profès

L'évolution postérieure du cérémonial avec Théodore
Studite († 826), fidèle aux normes dionysiennes du mystère
de ' la perfection monacale ' (τὴν μοναχικὴν τελείωσιν)[109],
l'amplitude du Schème aux siècles suivants, surtout dans
l'Église byzantine, n'altèrent pas les trois actes fonda-
mentaux de l'entrée dans l'ordre monastique : profession,
tonsure, vêture, et communs à la plupart des rites orientaux : arménien, syrien, chaldéen, copte, etc.[110]. On est
loin de toutes les explications précédemment énoncées
sur le consolamentum cathare dont B. Petranović semble
même oublier les rites essentiels de l'imposition du Livre
— absence remarquée par le Pseudo-Denys dans la profession
monacale — et des mains. L'historien yougoslave ne
paraît pas connaître le rituel de Radoslav le Chrétien,
mentionné plus haut, et de liturgie semblable au rituel
languedocien[111].

Enfin, il suffit de se rapporter à la minutieuse analyse
précédente du Rituel cathare pour constater combien sa
liturgie reflète toute l'ordonnance du culte chrétien
primitif. Elle est ancrée sur les normes des cérémonies
religieuses établies par l'Église des premiers siècles, depuis
l'*ordo scrutiniorum* jusqu'au choix de l'assemblée, en
passant par les probations, la *Traditio orationis*, l'imposition
de l'Évangile et des mains, etc. et l'engagement de l'élu.
Ce baptême de l'Esprit ne peut en rien correspondre à

cathares ; cf. P. Salmon, *Analecta Liturgica*. Extraits des manuscrits
liturgiques latins de la Bibliothèque Vaticane... (*Studi e Testi*, 273),
Città del Vaticano 1974, p. 315-321.

109. Théodore Studite, *Epistola* II, 165 (*PG* 99, 1524 A).
M. Wawryk, *Initiatio monastica*, p. 74-77.

110. Sur l'évolution du Schème, petit et grand habit aux ixe-
xiiie siècles, voir M. Wawryk, *Initiatio monastica*, p. 84-93 ; 121-126 ;
133-137, etc. R. Raffin, *Les rituels orientaux*, p. 38-39 ; 154-159.
Cf. *supra*, p. 184-185.

111. Cf. *supra*, p. 87 s., 105 s. et p. 153-154 (Ermengaud), p. 63 s.
Pour Radoslav, p. 63-67. Voir F. Šanjek, *Les Chrétiens bosniaques*,
Thèse (éd. 1976), p. 167, 185-188, 191-193.

la formule de profession religieuse signalée par B. Petra-nović et habituelle dans les monastères basiliens[112], notamment, en ce qui importe avant tout : l'Esprit consolateur invoqué par les cathares. Que la profession du moine ait pris, peu à peu, un caractère de ' second baptême ', c'est possible[113], que certaines formules offrent des résonances et des similitudes avec la cérémonie hérétique, il n'y a rien de surprenant : toutes deux empruntent leurs éléments aux pratiques du christianisme primitif. Depuis lors, dans l'Église, ont disparu bien des manifestations rituelles que le catharisme a reprises aux XIIᵉ-XIIIᵉ siècles[114] : il n'innove pas. Son rite suit les normes initiales du baptême des adultes précédé du catéchuménat chez les premiers chrétiens; bien mieux, ses commentaires du *Pater*, dans le manuscrit latin de Florence, se rapprochent de la glose du sacramentaire Gélasien due à Chromace d'Aquilée et reflètent les traditions de l'Église d'Afrique et d'Italie du nord[115].

On l'a démontré tout au long, la cérémonie cathare est une véritable ordination pour accéder à l'état de parfait ou recevoir une charge épiscopale. Elle résume, dans ses deux parties, les solennités diverses que, aux IVᵉ-Vᵉ siècles, l'Église pratiquait pour le baptême, la transmission du *Pater*, la réconciliation des pécheurs, la consécration des évêques.

*
* *

Toute liturgie initiatique manifeste, en des cultes divers, des points communs, mais avec des caractères spécifiques. Le christianisme n'a-t-il pas été l'un des

---

112. M. WAWRYK, *Initiatio monastica*, p. 49-54 ; p. 121-126, 187-190.

113. R. ROQUES, « *Éléments pour une théologie* », p. 285-296. R. RAFFIN, *Les rituels orientaux*, p. 165 s., 169-173.

114. J. GUIRAUD, *L'Inquisition*, t. I, p. 142.

115. Cf. *supra*, p. 47-51, 79 et 85.

grands pourvoyeurs de symboles, de rites initiateurs ?
Phundagiagites, bogomiles, cathares — sans compter les
autres sectes (Euchites, Pauliciens, Messaliens, etc.) —
n'ont eu qu'à puiser dans ce fonds commun original pour
alimenter les formes particulières de leur spiritualité.
Voilà pourquoi lorsque, aux xiie-xiiie siècles, les adeptes
de la doctrine des deux principes s'intitulent ' chrétiens '
dans leurs rituels, c'est aux éléments de la liturgie chrétienne dont ils se réclament qu'il faut remonter pour
comprendre le bien-fondé de leurs cérémonies et de leurs
prétentions. Loin d'être les représentants tardifs des
doctrines de Mani, comme le pensaient les critiques peu
éclairés du temps, ou les simples frères des hérétiques
orientaux et slaves, dont ils ont en commun des prières
et certaines formes rituelles, ces ' chrétiens ', si désireux
d'être ' parfaits ', ont cru pouvoir résoudre le problème
obsédant du mal en opposant un principe créateur mauvais
à un Dieu unique, bon et transcendant.

Sigles et abréviations

add.	addit, addidit	*legend.*	legendum
aliq.	aliquis	*ms.*	codex manu scriptus
cf.	confer, conferatur	*marg.*	in margine
cod.	codex	*om.*	omittit, omisit
codd.	codices	*Patrib.*	Patribus
corr.	correxit	*plur.*	plures, pluribus
del.	delevit	*ps.*	pseudo
ed.	edidit, editio	*quib.*	quibus
expunx.	expunxit	*rubr.*	rubrica
fol.	folio	*scrips.*	scripsit
ibid.	ibidem	*supra lin.*	supra lineam
inf.	inferior	*vers.*	versio
inv.	invertit	*Vet. Lat.*	Vetus Latina
lat.	latina	*Vg.*	Vulgate

* *

Sigles des codes bibliques

Se reporter à l'Introduction, *supra*, p. 27-32, et aux indications données dans le *Liber*, chap. V, p. 83-151. Ils ont été établis selon les normes formulées par la *Biblia Sacra* de Saint Jérôme à Rome (B.S.), la *Vetus Latina* de Beuron, Fribourg-en-Br. (V.L.) et le *Novum Testamentum* de Wordsworth-White (W.).

Les ' Types ' des codes bibliques sont indiqués d'après la *Vetus Latina* en cours d'édition, 1951 s.

Voir *supra* Type **I**, p. 30   **S**, p. 31
               K, p. 31   **T**, p. 31
               L, p. 27   **X**, p. 31

Le sigle Ω désigne les Correctoires du xiiie s. et le signe Ω indique un ensemble de codex qui, par leurs variantes, évoluent dans la ligne de ces Correctoires.

< predicatio ordinati sequitur >

37ʳ | **1.** ...mites leticiam in domino, et pauperes homines
in sancto Israel exultabunt ; quoniam defecit qui prevale-
bat, consumatus est illusor et succisi sunt omnes qui
vigilabant super iniquitatem, qui peccare faciebant
5 homines in verbo, et arguentem in porta supplantabant. »

De miseratione populi

Et sic pro istis rationibus et aliis multis, datur intelligi
quod pater sanctus vult sui populi misereri, et recipere
eum ad *pacem et concordium* illius per adventum filii
10 eius Ihesu Christi. Unde hec est causa quare hic estis
coram discipulis Ihesu Christi, ubi pater et filius et spiritus

---

1, 1 mites leticiam in Domino] mites in Domino laetitiam *Vg.*
(B.S. 13, 120)

1, 1-5 Is. 29, 19-21   9 Cf. Esther 13, 5

Nota. Nous remercions le R. P. A. Dondaine (*Rituel,* éd. 1939,
passim) et A. Borst (*Die Katharer,* p. 284-318), d'avoir bienveillam-
ment mis leurs notes à notre disposition.

1, 7. « Rationibus », cf. *Liber,* 21, 22, note ; « datur intelligi »,
formule usuelle chez les polémistes : AVICEBRON, *Fons vitae,* III, 12,

\<TRADITION DE LA SAINTE PRIÈRE\>

\<le début manque\>

\<suite de la prédication de l'Ordonné\>

1. ... « Les doux se réjouiront dans le Seigneur et les pauvres exulteront dans le Saint d'Israël; car il a disparu celui qui prévalait, le railleur a été consumé et ils ont été exterminés tous ceux qui guettaient l'iniquité, qui faisaient pécher les hommes en parole et qui, à la porte, confondaient le réfutateur. »

De la compassion envers le peuple.

Et ainsi pour ces raisons et pour beaucoup d'autres, on donne à penser que le Père saint veut avoir compassion de son peuple et le recevoir en sa paix et sa concorde par l'avènement de son Fils Jésus Christ. Voici donc la cause pour laquelle vous êtes ici en présence des disciples de Jésus Christ, où le Père, le Fils et le Saint-Esprit

---

éd. C. Baeumker (*Beiträge zur Geschichte der Philosophie des Mittelalters*, I, 2-4), Münster 1895, p. 104, 18 ; Eckbert de Schönau, 5, 7 (*PL*, 195, 32 A) ; Bernard de Fontcaude, *Adversus Waldenses*, 2, 4 (*PL* 204, 799 B) ; Durand de Huesca, *Contra Manicheos*, p. 200, 22 ; 235, 25 ; 286, 16 etc. Moneta de Crémone, p. 486 A. *Rituel provençal*, éd. L. Clédat, p. 474^b, l. 21 : « es donant az entendre », p. xiv^a.

7-17. Le *Rituel* latin correspond au *Rituel provençal*, p. 474^b, l. 19 - 475, 8 ; p. xiv, 5 s.

11-12. Trinité, cf. *infra* 6, 9-10 ; 9, 5-6 et note.

sanctus spiritualiter habitat, sicut superius hostensum
est, ut illam orationem sanctam recipere valeatis, quam
suis discipulis tribuit dominus Ihesus Christus, ita ut
15 *deprecationes et orationes vestre exaudiantur* a sanctissimo
nostro patre, sicut David ait : « Dirigatur oratio mea
sicut incensum in conspectu tuo. »

2. De receptione orationis sancte

Unde debetis intelligere quod modo debetis recipere
istam orationem sanctam, id est « Pater noster ». Oratio
quidem brevis est, sed magna continet. Unde ille qui
5 debet dicere « Pater noster » debet eum honorare cum
bonis operibus. *Filius* dicitur amor *patris* : unde qui
hereditarius filius esse desiderat, a malis operibus se
penitus dividat.

---

15 Ps. 38, 13   16-17 Ps. 140, 2
2, 6-7 Cf. Gal. 4, 7.

12. « Habitat », Durand de Huesca, *CM*, p. 96, 27 s. ; p. 97, 13-
26 ; « superius » renvoie à des considérations précédentes que le rituel
tronqué ne livre pas.

16-17. *Ps.* 140, 2 : *Recueil cathare* II, 1 (*Pater*, éd. Th. Venckeleer),
p. 762, 4-5 : ' endreiçada ' (l. 2) est une traduction plus exacte de
' dirigatur ', que ' exauzida ' (l. 4) qui traduit plutôt ' exaucer '.

2, 3. Tertullien, *De oratione* I (*PL* 1, 1153 A [1255 A]) :
« ... brevitas ista, quod ad tertium sophiae gradum faciat, magnae ac
beatae interpretationis substantia fulca est ». Cyprien, *De oratione
dominica* 9 (*PL* 4, 525 A [541 C]) « ... orationis dominicae sacramenta
quam multa, quam magna breviter in sermone collecta ». Pierre
Chrysologue, *Sermo* 67 (*PL* 52, 390 C) : « ... formam dominicae

habitent spirituellement, comme on l'a montré plus
haut, pour que vous puissiez recevoir cette sainte oraison
que le Seigneur Jésus Christ confia à ses disciples, de
telle sorte que vos supplications et prières soient exaucées
par notre très saint Père, ainsi que le dit David : « Que
ma prière soit dirigée comme de l'encens en ta présence! »

2. De la réception de la sainte oraison.

Par là vous devez comprendre que, maintenant, il
vous faut recevoir cette sainte oraison, c'est-à-dire le
« Pater noster ». Certes l'oraison est courte, mais elle
contient de grandes choses. Celui qui doit dire : « Notre
Père », doit donc l'honorer par de bonnes œuvres : le Fils
est appelé : amour du Père, donc que celui qui désire être
fils héritier s'abstienne entièrement d'œuvres mauvaises.

---

orationis audite : Christus breviter orare docuit ». YVES DE CHARTRES,
Sermo 22 (*PL* 162, 600 D) : « Pater noster... Haec oratio compendiosis
verbis, id est, septem petitionibus omnes species orationis compre-
hendit. » Pour comparer le *Pater* du *Rituel* latin aux divers commentaires patristiques, voir A. HAMMAN, *Le Pater expliqué par les Pères*[2],
Paris 1962. L'auteur traduit les commentaires consacrés au *Pater*
de Tertullien, Cyprien, Origène, Cyrille de Jérusalem, Grégoire
de Nysse, Ambroise, Jean Chrysostome, Théodore de Mopsueste,
Augustin, Jean Cassien, Pierre Chrysologue, Sacramentaire Gélasien,
et même de François d'Assise.

6. Cf. *Liber* 52, 23, PIERRE LOMBARD, *Sententiae* I, 10, 1 et 6
(*PL* 192, 549 et 551 ; éd. Quaracchi, 1916, I, p. 73 et 75 ; dernière
édition *Spicilegium Bonaventurianum* IV, t. I, Grottaferrata (Rome)
1971 : I, 10, *cap.* 1 (1-2), *cap.* 2 (4), p. 110 et 112). RICHARD DE SAINT-
VICTOR (*PL* 196, 1011-1012) : « Quomodo Spiritus Sanctus est amor
Patris et Filii. »

« Pater noster » dictio est vocativa ; quasi dicat : O pater
10 salvandorum tantum.

« Qui es in celis », id est qui *habitas in sanctis*, vel in
celestibus virtutibus. Et ideo dixit forsan « Pater noster
qui es in celis » ad differenciam *patris diaboli*, qui *mendax
est et pater* malorum, scilicet illorum qui ab omni misera-
15 tione salutis penitus sunt carentes. Et ideo dicimus
« Pater noster ».

« Sanctificetur nomen tuum » : Per nomen dei lex
Christi intelligitur, quasi dicat : lex tua firmetur in populo
tuo.

20   « Adveniat regnum tuum » : Per regnum dei intelligitur

---

9 s. Matth. 6,9 s.   11 Cf. Is. 57,15   13-14 Cf. Jn 8,44

---

9. Cyprien, *De oratione dominica* 8, 10 (*PL* 4, 524 A [541 A]) :
« ... non pro uno sed pro toto populo oramus, quia totus populus
unum sumus. Deus... qui docuit unitatem, sic orare unum pro omnibus
voluit » (525 C [542 B]) : « Pater noster id est eorum qui credunt. »
Mais Ébrard de Béthune déclare (1540 H) : « ... tam bonos quam
malos debere dicere orationem dominicam ».

9-11. *Traité cathare*, p. 109, 6 et note. Durand de Huesca,
CM (p. 272, 19), p. 275, 17 s. — Nous signalons chaque fois la glose
romane du *Pater* qui cependant ne correspond guère avec celle du
Rituel latin : *Recueil cathare* II, 762-789, bien que l'éditeur
Th. Venckeleer la suppose « issue d'une partie des 'Albanenses'
probablement de l'aile progressiste fondée par Jean de Lugio »
(p. 792, n. 3) ; ce que nous ne croyons pas.

11. Prosper d'Aquitaine, *In Psalm.*, 112, 5 (*PL* 51, 325 A) :
« Dominus habitat... in sanctis et spiritalibus atque coelestibus. »
Sacramentaire gélasien III, 1 (*PL* 74, 1189 C) : « Deus qui in sanctis
habitas. » Yves de Chartres, *Sermo* 22 (*PL* 162, 601 D) : « Pater
noster : omnes videlicet una oratione complectens qui se in Christo
fratres esse cognoscunt : ' qui habitas in coelis ', id est in his quorum
conversatio est in coelis. » Pour les dualistes, selon Georgius 1707 A :
« Coelum autem etiam creavit Deus, id est coelestes animas nostras.
1707 B : per coelum animas perfectas Paterinorum intelligas. » C'est
l'opinion du *Traité cathare*, p. 109-111 et 83.

12. Guillaume d'Auvergne, *De Universo* I, 2 (17), p. 709[1] C :
« Coelum, vel virtus coelestis ».

L'expression : « Notre Père » est au vocatif, comme
pour dire : Ô Père de ceux-là qui seuls doivent être sauvés.
« ... qui es dans les cieux » signifie : qui habites parmi
les Saints ou les Vertus célestes. Et voilà pourquoi il a
peut-être dit : « Notre Père qui es dans les cieux » pour
marquer la différence avec le père diable, qui est menteur
et ' père ' des mauvais, c'est-à-dire de ceux qui sont
totalement privés de toute miséricorde salvatrice. Et ainsi
nous disons : « Notre Père ».

« Que soit sanctifié ton nom! » : par « nom de Dieu »
est désignée la loi du Christ, comme pour dire : que ta loi
soit affermie dans ton peuple!

« Qu'advienne ton règne! » : par « Règne de Dieu » on

12-14. Il y a ici une explication qui vise les deux principes, dont
ne parle pas le commentaire roman, *Recueil cathare* II *(Pater)*,
p. 762-765.

13. Abélard, *Expositio orationis dominicae* 1 (*PL* 178, 611 D). —
De heresi catharorum (*AFP* 19, 1949, p. 309, 5-8) : « Et dicunt quod
lucifer est filius dei tenebrarum, eo quod dicitur (*Jn* 8, 44)... ' Vos
ex patre diabolo estis '. Et *infra:* ' Quia mendax est, et pater eius '
diabolus, scilicet lucifer, ut exponunt est mendax. » Ébrard de
Béthune, 1540 H. Alain de Lille, *Summa* I, 2 (*PL* 210, 309 A).
Durand de Huesca, *CM*, p. 66, 12-13 ; 145, 25-26. Sacconi (éd.
A. Dondaine), p. 73, 24 ; éd. Fr. Šanjek, p. 54, 10. Georgius, 1707 D.

17. *Recueil cathare* II, 2, p. 765-766 : très long commentaire sur
le Nom du Père ou ' Visitation '. Mais il y a aussi les ' visitations '
étrangères (p. 767, 87) : traces de dualisme.

18. Tertullien, *Adv. Marcion.* IV, 9 (*PL* 2, 376 B [405 D] ;
CSEL 47, 443, 22-23) : « Sed et eo quod indulsit legi obsequium,
bonam legem (Christus) confirmavit. »

20. Cyprien, *De oratione* 13 (*PL* 4, 528 A [545 A]) : « Potest...
ipse Christus esse regnum Dei, quem venire quotidie cupimus. »
Recueil cathare II, 3, p. 768.

20-21. Durand de Huesca, *CM*, p. 142, 10 s., 22-23 : « ... regnum
Dei... id est corpus Christi » ; 144, 4 : « Regnum... factum est Domini
Ihesu Christi » ; 146, 9 : « Primum (regnum) est Christus vel fides
eius. » Voir *Catharisme et Valdéisme*, p. 335, 337.

20-30. *Recueil cathare* II, 3, p. 768-771. Mêmes arguments pour
démontrer que le Christ, c'est le règne de Dieu.

Christus, sicut in evangelio Christus ait : « Ecce regnum dei intra vos est. » Vel per regnum dei intelligitur populus 37ᵛ dei qui salvaturus erat, | quasi dicat educ domine populum tuum *de terra inimici.* Unde propheta Ioel ait : « Inter 25 vestibulum et altare plorabunt sacerdotes, ministri domini, et dicent : parce, domine, parce, populo tuo ; et ne des hereditatem tuam in opprobrium, ut dominentur eis nationes. Quare dicunt in populis : ubi est deus eorum? » Et ideo cottidie rogant christiani piissimum suum patrem 30 pro salute dei populi.

« Fiat voluntas tua, sicut in celo et in terra » ; quasi dicat : sic tua voluntas perficiatur in populo isto, qui terrene nature adhesit, sicut perficitur in superno regno, vel in Christo, qui ait : Non veni « ut faciam voluntatem 35 meam, sed voluntatem eius qui misit me patris ».

3. « Panem nostrum supersubstancialem » : Per panem

2, 21 Ecce] Ecce enim *Vg.* ‖ 22 intelligitur] intelligi ‖ 32 qui *supra lin.* ‖ 35 sed *supra lin.* ‖ me+patris *cum vers. lat.* Cf. Jn 6, 39 (W. I 547)] *om. Vg.*

21-22 Lc 17, 21   24 Cf. Jér. 31, 16   24-28 Joël 2, 17   34-35 Jn 6, 38

22-23. Durand de Huesca, *CM*, p. 142, 18-19 : «... aliud regnum Dei... id est ecclesiam Christi » ; 23-24 : « ecclesia militans » ; p. 146, 10 : « Tertium (regnum) militans ecclesia sua catholica... ».

29. « Piissimum patrem », cf. *Liber*, 53, 13-14.

31. *Recueil cathare* II, 4, p. 771-773.

34-35. *Recueil cathare* II, 4, 20-22, p. 772.

35. Moneta de Crémone, p. 56 B.

3, 1. « Panem... supersubstancialem » : c'est la forme même de la Vulgate (*Matth.* 6, 11. W. I, 60 et XXXIV). Bien avant celle-ci, un des premiers à avoir opté pour cette expression est Origène, pour qui le pain supersubstantiel, loin d'être matériel, est spirituel : c'est le Verbe de Dieu ou pain de vie : *De oratione* 27 (*PG* 11, 505-522), 505-506 A : « Τὸν ἄρτον ἡμῶν τὸν ἐπιούσιον δὸς ἡμῖν σήμερον » ;

entend le Christ, comme le Christ le dit dans l'Évangile :
« Voici que le règne de Dieu est parmi vous » ; ou encore
par « règne de Dieu » est désigné le peuple de Dieu qui
37ᵛ sera sauvé, | comme pour dire : fais sortir, Seigneur, ton
peuple de la terre de l'ennemi ! C'est pourquoi le prophète
Joël dit : « Entre le portique et l'autel se lamenteront les
prêtres, ministres du Seigneur, et ils diront : Pitié, Seigneur,
pitié pour ton peuple et ne livre pas ton héritage à
l'opprobre, au point que les nations dominent sur eux.
Pourquoi dit-on parmi les peuples : Où est leur dieu ? »
Et c'est la raison pour laquelle chaque jour les chrétiens
invoquent leur Père infiniment bon pour le salut du peuple
de Dieu.

« Que soit faite ta volonté, autant sur la terre qu'au
ciel », comme s'il disait : que ta volonté soit accomplie
dans ce peuple qui adhère à la nature terrestre, comme
elle est exécutée dans le royaume d'en-haut, ou dans le
Christ, qui a dit : Je ne suis pas venu « faire ma volonté,
mais la volonté de mon Père qui m'a envoyé ».

3. « Notre pain supersubstantiel » : par « pain super-

---

sur ἐπιούσιος, « substantialis », cf. 509-510 C s. Voir Jérôme, *Contra
Pelagianos* III, 15 (*PL* 23, 585 B [613 A]) : « Panem quotidianum sive
super omnes substantias ». Sans employer l'épithète ' supersubstantialis ', Augustin interprétait le ' pain quotidien ' comme aliment
spirituel. On le voit dans la *Traditio orationis dominicae*, que
l'évêque d'Hippone associait à la première ' reddition ' du Symbole,
dans l'antique liturgie du baptême du Christ, *Sermo* 56, 10 (*PL* 38,
381 ; éd. P. Verbraken, *Rev. Bénéd.* 68, 1958, p. 32, 170-173) :
« ... panis quotidianus quem petunt filii, ipse est sermo dei, qui nobis
quotidie erogatur. Panis noster quotidianus est : inde vivunt non
ventres, sed mentes », voir p. 5. *Sermo* 57, 7 (*PL* 38, 389) : « Ergo
Eucharistia panis noster quotidianus est... sic accipiamus illum...
et mente reficiamur. » *Sermo* 58, 5 (*ibid.*, 395) : « Panem nostrum...
Eucharistiam tuam, quotidianum cibum. » *Sermo* 59, 6 (*ibid.*, 401) :
« ... quotidianum panem illum intelligamus quem accepturi estis
de altari... Et verbum Dei... panis est. » Dans une lettre à Bernard
de Clairvaux, Abélard, *Epist.* 10 (*PL* 178, 336-337) démontre la

supersubstancialem intelligitur *lex* Christi, que data fuit super *universum populum*. Unde Ysayas ait de hoc pane, ut creditur : « Et apprehendent in die illa septem
5 mulieres virum unum, dicentes : panem nostrum comedemus, et vestimentis nostris operiemur ; tantummodo invocetur nomen tuum super nos. » Et David ait : « Percusus sum ut fenum, exaruit cor meum, quia oblitus sum comedere panem meum. » Et in libro Sapiencie
10 scriptum est : « Esca angelorum nutristi populum tuum,

3, 2 intelligitur] intelligi ‖ 3 *post* populum *ms. add. et del.* Da nobis hodie : quasi dicat, sancte pater, tribue nobis tuas vires ut in hoc tempore gracie perficere valeamus legem et precepta filii tui qui vivus est panis. Cf. *infra*, 4, 1 s. ‖ 3-4 de hoc pane ut creditur *add. marg.* ‖ 4-5 apprehendent in die illa septem mulieres virum unum] adprehendent septem mulieres virum unum in die illa *Vg.* (B.S. 13, 51) ‖ 6 operiemur *corr. cum Vg.* (*ibid.*)] operimur ‖ 7 invocetur *cum aliq. codd. et* Ω, *edit. cum Hieron. et Liber Commonei* (B.S. 13, 51)] vocetur ‖ 8 percus <s> us sum *cum Ps. Rom.* (ed. R. WEBER, 244)] percussum *om.* sum *Vg.* ‖ exaruit] et aruit *Vg.*

10 Esca angelorum] angelorum esca *Vg.*

3, 2-3 Cf. Hébr. 9, 19   4-7 Is. 4, 1   8-9 Ps. 101, 5   10-15 Sag. 16, 10-21

---

supériorité dans la Vulgate de Jérôme du texte de *Matthieu* 6, 11 (« panem supersubstantialem ») sur celui de *Luc* (11, 3 : « p. quotidianum ») ; 336 D : « Patet... quod perfectius... Matthaeus quam Lucas scripserit » et cela grâce au choix des Grecs eux-mêmes favorables à la version hébraïque, 337 D : « Quamvis enim Lucas Graece, Matthaeus scripserit Hebraice, antiquiorem tamen et perfectiorem peregrinae linguae orationem frequentare potius Graeci decreverunt, et translationem magis quam propriae linguae Scripturam sequi. » Voir *supra*, p. 52 s., ce qu'il faut penser de ce jugement. *Expositio orat. dominicae* 4 (*ibid.*, 615 D) : «... panem spiritualem... intus per te capiamus ». ANONYME, *Expositio in orationem dominicam* 4 (*PL* 184, 814 D) : « Panem istum vocat *supersubstantialem* (*Matth.* 6, 11), quia super omnes substantias est, et *quotidianum* eum vocat Lucas (11, 3), quia eum quotidie aliquo supradictorum modorum comedimus. » YVES DE CHARTRES, *Sermo* 22 (*PL* 162, 602 C) : « Ipsum

substantiel » est désignée la loi du Christ, qui a été donnée
pour l'ensemble du peuple. C'est pourquoi, semble-t-il,
Isaïe dit de ce pain : « Et sept femmes se saisiront en ce
jour-là d'un seul homme, en lui disant : Nous mangerons
notre pain, et nous nous couvrirons de nos vêtements;
que du moins ton nom nous soit donné. » Et David dit :
« J'ai été frappé comme le foin; mon cœur s'est desséché
au point que j'ai oublié de manger mon pain. » Et dans le
livre de la Sagesse il est écrit : « De la nourriture des anges

Christum intellige qui est supersubstantialis animae panis, quia
omnem superat substantiam qui de seipso ait : Ego sum panis vivus »
(*Jn* 6, 35). Dans le même sens s'exprime JOCELIN, évêque de Soissons,
Expos. de orat. dom. 9 (*PL* 186, 1494 A). Dans un opuscule récemment
découvert, ALAIN DE LILLE transmet les deux termes et explique
supersubstantialem... « quasi dicatur : da nobis utrumque panem
anime et corporis ». Voir N. HÄRING, « A commentary on the Our
Father by Alan of Lille », dans *Analecta Cisterciensia*, t. 31, 1975 (2),
p. 149-177 ; cf. p. 166-167, § 35. MONETA DE CRÉMONE, p. 295-302
ne se prononce pas. La forme ' supersubstancialem ' est aussi
utilisée dans le *Rituel provençal* (éd. L. CLÉDAT), p. 470 a, l. 11 :
« Panem nostrum supersubstancialem » et dans le *Nouveau
Testament* (*ibid.*, p. 9 a, l. 7-8) : « E dona a nos or lo nostre pa qui es
sobre tota causa ». Même formule dans la glose romane du *Pater*,
Recueil cathare II, 5, p. 773 : « Panem nostrum supersustancialem »,
mais alors que le Rituel latin interprète le verset comme la loi du
Christ *(lex Christi)* et identifie ce pain aux préceptes de la loi et
des prophètes (*infra*, **3**, 62 s.), la glose y voit le Christ lui-même qui se
déclare le pain de vie (p. 774, 13, 15 : pan vio) et conseille au peuple de
demander un autre pain supersubstantiel qui est la charité : p. 774,
l. 16-18 : « el ensigna a lor que queran encar al Paire aotre pan, ço
es lo sobre sustancial, ço es la carita ». — Voir la note complémentaire
de A. BORST, *Die Katharer*, p. 191, 6.

3. Très probablement le scribe se disposait à continuer de transcrire
la glose sur le *Pater* : « Da nobis hodie — vivus est panis » (voir
premier apparat, note **3**, 3), glose absente du *Rituel* roman et que,
à l'instar de l'Église du ivᵉ siècle, le cathare introduit dans la
cérémonie préparatoire au baptême ou *consolamentum*. Mais il a cru
bon de l'interrompre, pour développer le texte du ' *Panem nostrum* '.
Il en donne une explication doctrinale appuyée sur les citations
scripturaires fort connues des hérésiologues et objets de leurs polé-
miques avec les dualistes. Voir les notes ci-après.

et paratum panem de celo prestitisti illis sine labore,
omne delectamentum in se habentem, et omnem saporis
suavitatem. Substanciam enim tuam et dulcedinem
quam in filios habes hostendebas, et serviens unius-
15 cuiusque voluntati, ad quod quis volebat convertebatur. »
Et per Ysaiam dominus ait : « Frange esurienti panem
tuum, egenos vagosque induc in domum tuam ; ' si '
videris nudum operi eum, et carnem tuam ne despexeris. »
De isto pane, ut creditur, Ieremias in Trenis ait : « Parvuli
20 pecierunt panem, et non erat qui frangeret eis. » Et
Christus in evangelio Iohannis, ad Iudeos ait : « Amen,
amen dico vobis, non Moyses dedit vobis panem de celo,
38ʳ sed pater meus dat vobis panem de celo verum. | Panis
enim dei est, qui descendit de celo, et dat vitam mundo. »
25 Et iterum : « Ego sum panis vite », id est ego habeo
mandata vite, « qui venit ad me non esuriet, et qui credit
in me non siciet unquam ». Et iterum : « Amen, amen
dico vobis : qui credit in me, habet vitam eternam. Ego
sum panis vite. Patres vestri in deserto manducaverunt
30 mannam, et mortui sunt. Hic est panis de celo descendens,

11 de celo (B.S. 12, 88)] e celo *Vg.* ‖ 12 omnem saporis] omnis
saporis *Vg.* ‖ 13 substanciam... tuam *cum multis codd. S. Script.* → *Ω*
vers. lat. (ibid.)] substantia... tua *Vg.* ‖ tuam+et *cum multis codd.*
S. Script. → *Ω (ibid.)*] om. *Vg.* ‖ dulcedinem *om.* tuam *cum cod.*
Monac. (ibid.)] dulcedinem+ tuam² *Vg.* ‖ 14 hostendebas *cum multis*
codd. S. Script. → *Ω vers. lat. et Patribus (ibid.)*] ostendebat *Vg.* ‖ 17
tuum] tuum+et *Vg.* (B.S. 13, 209. ‖ 17 si videris] cum videris *Vg.*
(ibid.)

29 in deserto manducaverunt *cum cod. Holmiens.* (W. I 549)]
manducaverunt in deserto *Vg.* ‖ 30 mannam *cum plur. codd. vers. lat.*
(ibid.)] manna *Vg.* ‖ sunt] sum

16-18 Is. 58, 7   19-20 Lam. 4, 4   21-24 Jn 6, 32-33   25-
27 Jn 6, 35   27-37 Jn 6, 47-52

tu as nourri ton peuple, et tu lui as fourni du ciel un pain préparé sans peine, rempli de délice et d'un goût parfaitement suave. Tu montrais ainsi ta nature et la douceur que tu éprouves à l'égard de tes fils, te pliant à la volonté de chacun d'eux, qui se tournait vers ce qu'il préférait. » Et par Isaïe le Seigneur dit : « Partage ton pain avec l'affamé ; introduis les indigents et les vagabonds dans ta maison ; si tu vois un homme nu, habille-le, et ne méprise pas ta chair. » C'est de ce pain, semble-t-il, que Jérémie parle dans les Lamentations : « Les petits enfants demandèrent du pain, et personne n'était là pour le leur rompre. » Et, dans l'Évangile de Jean, le Christ dit aux Juifs : « En vérité, en vérité je vous le dis : Moïse ne vous a pas donné le pain du ciel, mais c'est mon Père qui vous donne le vrai pain du ciel ; | car le pain de Dieu est celui qui descend du ciel et donne la vie au monde. » Et encore : « Moi, je suis le pain de vie », c'est-à-dire : c'est moi qui ai les commandements de la vie ; « celui qui vient à moi n'aura plus faim, et celui qui croit en moi n'aura plus jamais soif ». Et encore : « En vérité, en vérité, je vous le dis : celui qui croit en moi a la vie éternelle. Moi, je suis le pain de vie. Vos pères dans le désert mangèrent la manne et moururent... Voici le pain descendant du ciel, afin que

38ʳ

16-20. Abélard, *Expos. orat. dom.* 4 (*PL* 178, 614 D, 615 D) : « Si illi (praelati et doctores) non curant panem istum (spiritualem) nobis frangere tu ipse nos pasce per occultam Spiritus tui aspirationem ut intus per te capiamus panem », *supra*, 3, 1 note. Innocent III à Bérenger de Narbonne, *Ep.* VI, 81, 30 mai 1203 (*PL* 215, 84 B) : « ... parvulis petentibus panem, juxta quod ad officium pertinet pastorale, non frangis ». Cf. *Catharisme et Valdéisme*, p. 184. Durand de Huesca, *CM*, p. 258, 19-20. — *Recueil cathare*, II, 5, 7-8, p. 773.

28. Ps.-Prévostin, p. 86 (11).

ut si quis ex ipso manducaverit, non morietur. Ego sum
panis vivus, qui de celo descendi. Si quis manducaverit
ex hoc pane », id est si quis observaverit precepta mea,
« vivet in eternum ; et panis quem ego dabo ' ei ', caro
35 mea est pro mundi vita », id est populi. « Litigabant
ergo Iudei ad invicem, dicentes : Quomodo potest hic
nobis carnem suam dare ad manducandum ? » quasi
dicat : *questio* erat *inter iudaicum* populum qua ratione
Christus potest tradere illis precepta illius ad observan-
40 dum? Ignorabant enim divinitatem filii dei. Dixit ergo
eis Ihesus : « Amen, amen dico vobis, nisi manducaveritis
carnem filii hominis », id est *nisi observaveritis precepta*
filii dei, « et eius sanguinem biberitis », id est nisi spiritualem
intentionem novi testamenti receperitis, « non habebitis
45 vitam in vobis. Qui manducat meam carnem et bibit
meum sanguinem habet vitam eternam ; et ego resuscitabo
eum in novissimo die. Caro enim mea vere est cibus, et
sanguis meus vere est potus ». Alio Christus ait : « Meus
cibus est ut faciam voluntatem patris ' mei ' qui misit

---

31 morietur *cum codd. Dunelm. Egerton. Rushw. (ibid.)*] moriatur
Vg. ‖ 34 dabo+ei] *om. Vg.* ‖ 37 nobis carnem suam dare *cum
multis codd. S. Script. vers. lat.* (W. I, 549)] carnem suam nobis
dare *Vg.* ‖ 38 ratione ex intentione *corr. ms.* ‖ 43 eius sanguinem
biberitis] biberitis eius sanguinem *Vg.* ‖ 49 voluntatem+patris *cum
cod. Rushw.*+mei (W. I, 528)] *om. Vg.*

---

38 Cf. Act. 28, 29   41-48 Jn 6, 53-55   42 Cf. Dan. 3, 30
48-50 Jn 4, 34

31-32. *Recueil cathare* II, 5, 12-13, p. 774.
31-35. Ps.-Prévostin, p. 183 (4). Moneta de Crémone, p. 246 B :
« Quidam enim cathari credunt eam (carnem Christi) caelestem, et
ipsum Christum indutum illa carne intrasse in Mariam et cum ipsa
de ea exivisse. Istud autem volunt habere ex *Jn* 6, 51 » ; cf. p. 297 B.
34-35. Ébrard de Béthune, 1547 G. Ps.-Prévostin, p. 53 (19),
183 (4). Moneta de Crémone, 297 B.

quiconque en aura mangé ne meure pas. Moi, je suis le pain vivant, qui suis descendu du ciel : si quelqu'un mange de ce pain », c'est-à-dire : si quelqu'un observe mes préceptes, « il vivra éternellement; et le pain que moi, je lui donnerai, est ma chair pour la vie du monde », c'est-à-dire : <pour la vie> du peuple. « Les Juifs discutaient entre eux, disant : Comment celui-ci peut-il nous donner sa chair à manger ? », comme pour dire : Une question se posait parmi le peuple juif <pour savoir> en quel sens le Christ peut leur donner à observer ses propres préceptes ? Car ils ignoraient la divinité du Fils de Dieu. Jésus leur dit donc : « En vérité, en vérité je vous le dis : si vous ne mangez pas la chair du Fils de l'homme », c'est-à-dire : si vous n'observez pas les préceptes du Fils de Dieu, « et si vous ne buvez pas son sang », c'est-à-dire : si vous n'acceptez pas la pensée spirituelle du Nouveau Testament, « vous n'aurez pas la vie en vous; qui mange ma chair et boit mon sang a la vie éternelle; et moi je le ressusciterai au tout dernier jour; car ma chair est vraiment une nourriture et mon sang est vraiment un breuvage ». Ailleurs, le Christ dit : « Ma nourriture est de faire la volonté de mon Père, qui m'a envoyé afin de parfaire son

35-37. Moneta de Crémone, p. 298 A ; 301 A.

38. Tertullien, *Adv. Marcion*. IV, 10 (*PL* 2, 380 A [409 A] ; *CSEL* 47, 448, 5-6) : « Judaei, solummodo hominem ejus (Christi) intuentes necdum et Deum. »

41-42. Ébrard de Béthune, 1547 G. Ps.-Prévostin, p. 181 (1); 182 (4) ; 277 (4).

41-45. Eckbert de Schönau, 11, 11-12 (*PL* 195, 90 D, 91-92). Georgius, 1729 C.

41-48. Ps.-Bonacursus, *Adv. haeret.* 7 (*PL* 204, 782 B). Ps.-Prévostin, p. 53-54 (19) ; 63 (11) ; 183 (4) ; 258 (19). Alain de Lille, *Summa* I, 60 (*PL* 210, 364 A). Moneta de Crémone, p. 297-298.

45-46. Eckbert de Schönau, 11, 12 (*PL* 195, 91 B).

45-48. Ébrard de Béthune, 1548 A ; 1547 H.

50 me, ut perficiam eius opus. » Et iterum : « Qui manducat
meam carnem, et bibit meum sanguinem, in me manet
et ego in illo. » Vere ergo falsi presbiteri carnem domini
nostri Ihesu Christi non manducant, nec bibunt eius
sanguinem, quia non manent in domino Ihesu Christo.
55 Unde beatus Iohannes in epistola prima ait : « Qui autem
servat verbum eius, vere in hoc caritas dei perfecta est ;
in hoc scimus quoniam ' ex deo ' sumus. Qui dicit se in
ipso manere, debet sicut ' ipse ' ambulavit et ille ambulare. »

60 De isto pane scriptum est in evangelio beati Mathei,
ut creditur : « Cenantibus autem ' illis ', accepit Ihesus
panem », id est spiritualia precepta legis et prophetarum,
38ᵛ et « benedixit », | id est laudavit et confirmavit ea, « ac
fregit », id est spiritualiter ea exposuit, et « deditque
65 discipulis suis », id est precepit illis ut ea spiritualiter
observarent, « et ' dixit ' : Accipite », id est conservate ea,
« et comedite », id est aliis predicate — unde beato
Iohanni evangeliste dictum fuit : « Accipe librum et
devora illum » et cetera. « Et dixit michi : oportet te
70 iterum prophetare populis, et gentibus, et linguis, et
regibus multis » — « hoc est corpus meum ». Hic dicit

50 eius opus] opus eius *Vg.* ‖ 56 est *supra lin.* ‖ 57 ex deo] in ipso
Vg. ‖ 58 ipse ambulavit] ille ambulavit *Vg.* ‖ ille ambulare *cum cod.*
typ. **K.** *Carthag.* (W. III, 346 ; V.L. 26/1, 266-268)] ipse ambulare ‖
61 illis] eis *Vg.* ‖ 62 et prophetarum *add. infra lin.* ‖ 64 fregit] fegit ‖
spiritualiter *ex* spiritualia *corr. ms* ‖ 66 dixit] ait *Vg.* ‖ 67 aliis] alios ‖
69 dixit (dicit *plur. codd. vers. lat.* W. III, 492-493)] dicunt *Vg.*

50-52 Jn 6, 56
55-59 I Jn 2, 5-6   60-62 s. Matth. 26, 26   66-67 Matth. 26,
26   68-71 Apoc. 10, 9, 11   71-72 Matth. 26, 26

50-52. Ps.-Bonacursus, *Adv. haeret.* 7 (*PL* 204, 782 C).
Ps.-Prévostin, p. 54 (19) ; 181 (3) ; 183 (4) ; 258 (19). Alain de Lille,
Summa I, 60 (*PL* 210, 364 B). Moneta de Crémone, p. 298 A.

œuvre. » Et encore : « Qui mange ma chair et boit mon
sang, demeure en moi et moi en lui. » Il est donc bien vrai
que les faux prêtres ne mangent pas la chair de notre
Seigneur Jésus Christ et qu'ils ne boivent pas son sang,
puisqu'ils ne demeurent pas dans le Seigneur Jésus Christ.
Voilà pourquoi le bienheureux Jean, dans sa première
épître, dit : « Mais celui qui garde sa parole, c'est vraiment
en lui que réside la parfaite charité de Dieu ; en cela nous
savons que nous sommes de Dieu. Qui se dit demeurer
en lui, doit marcher comme lui-même a marché. »

De ce pain, semble-t-il, il est écrit dans l'Évangile du
bienheureux Matthieu : « Pendant qu'ils dînaient, Jésus
prit du pain », c'est-à-dire : les préceptes spirituels de la
38ᵛ Loi et des Prophètes, « et il <le> bénit », | c'est-à-dire :
il en fit l'éloge et le confirma, « et il <le> rompit », c'est-à-
dire : exposa leur sens spirituel, « et il <le> donna à ses
disciples », c'est-à-dire : il leur enjoignit de les observer
spirituellement, « et il dit : Prenez », c'est-à-dire :
conservez-les, « et mangez », c'est-à-dire : prêchez-les aux
autres, — dans ce sens, il a été dit au bienheureux Jean
l'Évangéliste : « Prends le livre et dévore-le », etc. « Et
<l'ange> m'a dit : Il faut que tu prophétises encore aux
peuples, aux nations, aux langues et à beaucoup de rois » —,
« ... ceci est mon corps ». Ici <Jésus> parle du pain :

57-59. *Recueil cathare* I, 9, 25-26, p. 827.

61-67. Eckbert de Schönau, 11, 2 (*PL* 195, 84 D). Ps.-Bona-
cursus, *Adv. haeret.* 7 (*PL* 204, 782 A). Ébrard de Béthune,
1547 C, E. Ps.-Prévostin, p. 182 (1) ; 277 (1). Alain de Lille,
Summa I, 60 et 61 (*PL* 210, 363 D - 364 A, 365 A). Moneta de
Crémone, p. 296 A ; 297 A. Georgius, 1730 E.

71-72. Thème fort discuté par les cathares et les hérésiologues qui
commentent le verset : Eckbert de Schönau, 11, 2 (*PL* 195, 84 D,
85 A). Ps.-Bonacursus, *Adv. haereticos* 7 (*PL* 204, 782 A). Ébrard
de Béthune, 1547 C, F. Ps.-Prévostin, p. 181 (3) ; 182 (1) ; 277 (1).
Alain de Lille, *Summa* I, 61 (*PL* 210, 364-365 : « Dicunt haeretici,
quod cum Christus ait ' Accipite, hoc est corpus meum ', non demons-
travit corpus quod sub forma latebat in fine prolationis verborum,

de pane « hoc est corpus meum » ; superius dixit : « Et
panis quem ego dabo ei, caro mea est pro mundi vita. »
De preceptis legis et prophetarum spiritualiter intellectis,
75 ut creditur, dixit « hoc est corpus meum » vel « caro mea »,
quasi dicat : ibi sum, ibi habito. Unde Apostolus in prima
ad Corinthios ait : « Calix benedictionis, cui benedicimus,
nonne comunicatio sanguinis Christi est ? et panis, quem
frangimus, nonne participatio corporis domini est ? Quo-
80 niam unus panis, unum corpus multi sumus, omnes enim
« de uno pane » et de uno calice « participamur », id est
de una spirituali intentione legis et prophetarum et novi
testamenti. Et iterum : « Ego enim accepi a domino
quod et tradidi vobis, quoniam dominus Ihesus, in qua
85 nocte tradebatur, accepit panem, et gratias agens fregit
et dixit : accipite, et manducate, hoc est corpus meum,
quod pro vobis tradetur » — quasi dicat : hec spiritualia

74 et prophetarum *add. marg.* ‖ 79 *post* corporis *expunx.* Christi ‖
80 omnes enim *cum codd. Langob. Paris. vers. lat.* (W. II, 230)]
omnesque *Vg.* ‖ 85 *post* agens *add. in marg.* fregit *et al. man. supr.*
lin. benedixit *et sic legend. est* : gratias agens benedixit fregit et
dixit (cf. *Can. missae romanae*)
86 dixit+accipite et manducate *cum aliq. codd. S. Script. et
lection.* (W. II, 238)] *om. Vg.*

72-73 Jn 6, 51   75 Matth. 26, 26 ; Jn 6, 51   77-81 I Cor.
10, 16-17   83-87, 89-93 I Cor. 11, 23-25.

sed seipsum. Quasi dicat : Ego sum qui do ; hoc est, corpus meum
est quod vobis do, non hunc panem et ideo dignius quam panis est
quod do. » MONETA DE CRÉMONE, p. 295 B, dira aussi plus tard
(p. 296 A) : « ... dixit haereticus... quod per pronomen ' hoc ' demons-
travit Deus corpus proprium, intelligens sic : Accipite materialem
panem et comedite eum ; et postea tangens corpus suum dixit :
' Hoc est corpus meum ' » ; 297 B ; 301 B. GEORGIUS, 1731 A, C,
copie Moneta.
73. Cf. ci-avant 3, 34-35 et note.

« ceci est mon corps »; plus haut il avait dit : « Et le pain que moi je lui donnerai, est ma chair pour la vie du monde. » C'est, semble-t-il, des préceptes de la Loi et des Prophètes entendus spirituellement qu'il a dit : « ceci est mon corps », ou : « ma chair », comme s'il disait : je suis là, j'habite là. Voilà pourquoi, dans la première aux Corinthiens, l'Apôtre dit : « Le calice de bénédiction que nous bénissons, n'est-il pas une communication du sang du Christ ? et le pain que nous rompons, n'est-il pas une participation au corps du Seigneur ? Parce qu'il n'y a qu'un seul pain, nous sommes quoique nombreux un seul corps, car tous, c'est à un seul pain » et à un seul calice que « nous participons », c'est-à-dire : à une seule pensée spirituellement, <celle> de la Loi, des Prophètes et du Nouveau Testament. Et encore : « Car moi, j'ai reçu du Seigneur ce que je vous ai aussi transmis, à savoir que le Seigneur Jésus, en la nuit où il fut livré, prit du pain, et en rendant grâces le rompit et dit : Prenez et mangez, ceci est mon corps, qui sera livré pour vous », comme s'il disait : ces préceptes spirituels des

---

74-75. Aux Cathares pour qui le ' pain ', présenté par le Christ à la Cène, ce sont les préceptes de la loi et des prophètes, MONETA DE CRÉMONE répond p. 298 A : « Caro enim ibi non sumitur pro verbo Dei, vel pro facere voluntatem Dei, nec sanguis pro Spiritu Sancto, ut aliqui haeretici fabulantur, sed pro ipso Christo...corpore ejus et sanguine ipsius... ergo cum dicitur ' Hoc est corpus meum ' vel ' hic est sanguis meus ', per pronomina illa demonstratur corpus Christi, et ejus sanguis. »

77-79. ECKBERT DE SCHÖNAU, 11, 7 (*PL* 195, 88 A).

77-81. Ps.-BONACURSUS, *Adv. haeret.* 7 (*PL* 204, 782 C). MONETA DE CRÉMONE, p. 298 B, 299 A.

80-81. *Recueil cathare* II, 5, 3-4, p. 773.

83-93. Ps.-BONACURSUS, *ibid. (ibid.)*. ALAIN DE LILLE, *Summa* I, 60 (*PL* 210, 364 B, C). MONETA DE CRÉMONE, p. 299 A.

85-87. ÉBRARD DE BÉTHUNE, 1547 D. GEORGIUS, 1732 B.

85-90. Ps.-PRÉVOSTIN, p. 184 (5).

86-87. ECKBERT DE SCHÖNAU, 11, 14 (*PL* 195, 93 B).

precepta veterum scripturarum sunt corpus meum, que
pro vobis tradentur populo — «hoc facite in meam
90 commemorationem. Similiter et calicem, postquam cenavit,
dicens : hic calix novum testamentum est in meo sanguine,
hoc facite quocienscumque biberitis in meam commemorationem.» Hic intelligitur panis supersubstantialis.

4. Sequitur : «Da nobis hodie», id est in hoc tempore
gracie, vel dum sumus in hac temporali vita da nobis
virtutem tuam ut perficere valeamus legem filii tui Ihesu
Christi.

5 «Et dimitte nobis debita nostra», id est peccata comissa
et preterita non imputabis nobis, qui precepta tui filii
observare volumus.

«Sicut et nos dimittimus debitoribus nostris», id est
sicut et nos dimittimus persecutoribus et malefactoribus
10 nostris.

«Et ne nos inducas in temptationem», id est non

---

89 tradentur] tradetur ‖ 92 biberitis *cum aliq. codd. S. Script.
edit. et lection. (ibid..)*] bibetis *Vg.* ‖ 93 intelligitur] intelligi

---

89-90. Eckbert de Schönau, 11, 5 et 6 (*PL* 195, 86 C, D et 87 B).
90-93. Ébrard de Béthune, 1547 D. Ps.-Prévostin, p. 184, 6.
Alain de Lille, ci-dessus l. 83.
4, 1. *Recueil cathare* II, 5, p. 773.
1-3. Augustin, *Sermo* 57, 7 (*PL* 38, 389) : «... ideo hodie, id est,
hoc tempore ». Eckbert de Schönau, 7, 4 (*PL* 195, 43 C) : « Stulte...
nunquid non cognoscitis tempus? An nescitis quoniam Scripturae
sanctae vocant tempus gratiae omne hoc tempus, quod a Christi
nativitate usque ad finem saeculi decurrit? ».
5. *Recueil cathare* II, 6, p. 776.
5-7. Cyprien, *De orat. dom.* 22 (*PL* 4, 535 A [552 C]) : « Qui
orare nos pro debitis et peccatis docuit, paternam misericordiam
promisit et veniam secuturam. » Abélard, *Expos. orat. dom.* 5
(*PL* 178, 615-616).
8. *Recueil cathare* II, 6, p. 776, sans précision sur les ' debitoribus '.
8-10. Cyprien, *op. cit.* (*PL* 4, 535-535 [552-553]). Augustin,

Anciennes Écritures sont mon corps, pour vous ils seront livrés au peuple, « faites ceci en ma commémoration. De même <il prit> le calice, après avoir dîné, en disant : Ce calice est la nouvelle alliance en mon sang; faites ceci, chaque fois que vous en boirez, en ma commémoration ». Tel est le sens <de l'expression :> « pain supersubstantiel ».

4. Vient ensuite : « Donne-nous aujourd'hui », c'est-à-dire : en ce temps de grâce, ou bien : tant que nous sommes dans cette vie temporelle, donne-nous ta force pour que nous puissions accomplir parfaitement la loi de ton Fils Jésus Christ.

« Et remets-nous nos dettes », c'est-à-dire : tu ne nous imputeras pas les péchés commis et passés, à nous qui voulons observer les préceptes de ton Fils.

« Comme nous les remettons à nos débiteurs », c'est-à-dire : comme nous aussi nous les remettons à nos persécuteurs et à ceux qui nous font du mal.

« Et ne nous induis pas en tentation », c'est-à-dire :

Sermo 56, 13 (*PL* 38, 383 ; éd. *Rev. Bén.* 68, 1958, p. 35, 240) : « Sponsionem facimus cum deo, pactum et placitum. Hoc tibi dicit dominus deus tuus : Dimitte et dimitto. Non dimisisti? Tu contra te tenes, non ego » ; *Sermo* 59, 7 (*PL* 38, 401). Yves de Chartres, *Sermo* 22 (*PL* 162, 602 D) : « Forte peccavit in te aliquis, dimitte illi veniam a te petenti, ne dum fratri negas misericordiam tibi claudas patris indulgentiam. »

11. *Recueil cathare* II, 7, 56-59, p. 778-780, mentionne deux tentations : celle de Dieu mène à la vie, celle du diable mène à la mort. Très différent, le *Rituel* latin ne conçoit pas la tentation *a vita* mais comme double tentation : l'une, diabolique, procède du cœur : erreur, mauvaises pensées, haine ; l'autre, charnelle, est inhérente à l'humain : la faim, la soif, etc.

11-14. Tertullien, *De fuga in persecutione* 2 (*PL* 2, 105 B - 106 [126 C] ; *CC* 2, 1138) : « ... ne nos induxeris in temptationem permittendo nos maligno ». Cyprien, *op. cit.*, 22, 25-26 (*PL* 4, 536-537 [552-555]). Augustin, *Sermo* 57, 9 (*PL* 38, 390-391). Yves de Chartres, *Sermo* 22 (*PL* 162, 603 A) : « ... id est, ne patiaris nos induci, id est a tentatore seduci ». Abélard, *Exp. orat. dom.* 6 (*PL* 178,

permitas nos amplius in temptationem induci, postquam
39ʳ legem tuam | observare cupimus. Temptatio vero alia
est carnalis et alia diabolica. Diabolica est illa que
15 suggestione diaboli *a corde procedit*, veluti error, *cogita-*
tiones inique, odium et similia. Carnalis est illa que fit
propter humanitatem, ut *fames, sitis, frigus* et similia,
et illam evitare non possumus. Unde Apostolus in prima
ad Corinthios ait : « Tenptatio vos non apprehendat
20 nisi humana. Fidelis autem deus est, qui non pacietur
vos temptari supra id quod potestis ; sed faciet cum
temptatione etiam proventum ut positis sustinere. »

« Sed libera nos a malo », id est a diabolo, qui temptator
est fidelium, et ab operibus illius.

25 « Quoniam tuum est regnum » — hoc verbum dicitur
esse in libris grecis vel hebraicis — quasi dicat : hec ratio
est quare quod petimus nobis facere debes, quia populus
tuus sumus.

4, 18 possumus] possimus ‖ 25-34 quoniam tuum est regnum et
virtus et gloria in secula Amen *cum codd. Brixian. Monacens. et gr.*
(W. I, 60-61)] *om. Vg.* ‖ 27 debes *ex* debet *corr. ms*

4, 15-16 Cf. Mc 7, 21-23 ; Matth. 15, 19   17 Cf. II Cor. 11, 27
19-22 I Cor. 10, 13   25, 29-34 texte grec : ὅτι σοῦ ἐστιν ἡ βασιλεία
καὶ ἡ δύναμις καὶ ἡ δόξα εἰς τοὺς αἰῶνας. Texte hébreu : cf. I
Paralip. 29, 11-12.

---

617 A, B) : «... da ut per tentationes probemur, non reprobemur...
Tria autem sunt quae nos tentant : caro, mundus, diabolus... (quis)
omnibus modis nos aggreditur. »

15. *Traité cathare*, p. 97, 8-10 et p. 79. DURAND DE HUESCA,
CM (p. 166, 20-21) ; 171, 1-2 ; 327, 10-11 ; — Voir aussi p. 121, 9
et s. ; 190, 10 ; 193, 3-4 ; 241, 19-25, etc. Cf. *Catharisme et Valdéisme*,
sur le problème du mal, p. 349, 369, 401-402.

19-20. *Recueil cathare* II, 7, 4-5, p. 778.

23. *Recueil cathare* II, 8, 14-16, p. 780 et 781, ce mal est le diable :
« Aquest mal del cal lo poble de Dio prega esser desliora, entendem
que es lo diavol. Car en las Sanctas Scrituras el es apela mal et
Satanas e diavol. » Pour *Matth.* 6, 13, cf. *ibid.* I, 7, 11-12, p. 825.

ne permets pas que nous soyons plus longtemps induits
39ʳ en tentation, après avoir désiré observer ta loi. | Or,
autre chose est une tentation charnelle, autre chose une
tentation diabolique. Est diabolique, celle qui par une
suggestion du diable procède du cœur, telles l'erreur,
les pensées iniques, la haine et choses semblables. Est
charnelle, celle qui résulte de la nature humaine, comme
la faim, la soif, le froid, et choses semblables, et celle-là
nous ne pouvons pas l'éviter. Voilà pourquoi, dans la
première aux Corinthiens, l'Apôtre dit : « Qu'aucune
tentation ne vous assaille, qui ne soit humaine. Or Dieu
est fidèle, il ne tolérera pas que vous soyez tentés au-delà
de vos forces; mais <en tolérant> la tentation, il vous
donnera le moyen de la supporter. »

« Mais libère-nous du mal », c'est-à-dire : du diable,
qui est le tentateur des fidèles, et de ses œuvres.

« Car c'est à toi qu'appartient le règne » — ce texte
se trouve, dit-on, dans les livres grecs ou hébreux —
comme pour dire : voici la raison pour laquelle tu dois nous
accorder ce que nous demandons : parce que nous sommes
ton peuple.

25-34. « Quoniam tuum est regnum... Amen », même doxologie,
d'origine grecque ou hébraïque, dans le *Rituel provençal* (éd.
L. Clédat), p. 470ᵃ, et la glose sur le *Pater, Recueil cathare* II, 9-11,
p. 783-785 : « Quoniam tuum est regnum, et virtus, et gloria. Amen. »
Mais ici, l'interprétation est différente. Le 'règne' est l'esprit
d'Adam, 9 (p. 783, 2) : « D'aquest regne entenden l'esperit del primier
forma (= Adam) »; la 'virtus' est la puissance qui réside dans la
vie du premier format, 10 (p. 784, 2) : « D'aquesta vertus nos entenden
que es la vita del primer format »; la gloire symbolise les âmes, 11
(p. 784, 2-3) : « Entenden quae aquesta gloria es l'arma del nostre
paire David e atresi las armas de li fill de luy... (p. 785, 15) : Regne
e la Vertus e la Gloria, ço es l'esperit e la Vita e l'arma, son del
Saint Paire », appartiennent au Père céleste. — Voir *Liber*, p. 105,
Matth. 6, 13.

« Et virtus », quasi dicat : potestatem salvandi nos
30 habes tu.

« Et gloria », id est laus et honor est tuus, si hoc facis
populo tuo.

« In secula », id est in celestibus creaturis.

« Amen », id est sine defectu.

5. Unde debetis intelligere si hanc orationem recipere
vultis, quia oportet vos peniteri de omnibus peccatis
vestris, et dimittere omnibus hominibus, quia in evangelio
Christus ait : « Nisi dimiseritis hominibus peccata eorum,
5 nec pater vester celestis dimittet vobis peccata vestra. »
Item oportet ut preponatis in corde vestro observare
istam sanctam orationem toto tempore vite vestre, si
deus recipiendi gratiam vobis tribuerit, secundum consue-

---

29 nos *supra lin.*

5, 5 vester+celestis *cum codd. Armach. Lichfeld. W. de Halès*
(W. I, 61)] *om. Vg.* ‖ dimittet+vobis *cum aliq. codd. S. Script.
(ibid.)] om. Vg.*

5, 4-5 Matth. 6, 14-15   8 Cf. II Cor. 6, 1

---

31. « Gloria, laus et honor », cf. *Missale Romanum*, hymne des
Rameaux.

31-34. Yves de Chartres, *Sermo* 22 *in fine* (*PL* 162, 604 A) :
« Christo cui est honor et gloria in saecula saeculorum Amen. »

33. « Celestes creaturae », Augustin, *De civit. Dei* XI, 1 et 29
(*PL* 41, 317, 343 ; *CSEL* 40[1], p. 511-512 ; 556-557) : « Angelos. »
Durand de Huesca, *CM*, p. 270, 23, 24 : « Apostoli et alii sancti
predicatores » ; p. 288, 23-24 : « Sancti angeli et... omnes sancti » ;
voir *Catharisme et Valdéisme*, p. 327-328 et tableau des allégories.
Moneta de Crémone, p. 36[b] : « Coelestes creaturae quas solemus
angelos appellare. »

34. Abélard, *Expos. orat. dom.* (*PL* 178, 618 A) : « Amen interpretatur *vere* et concludit omnes precedentis orationis petitiones...
vere sanctificetur nomen tuum, vere adveniat regnum tuum, vere

« et la force », comme pour dire : toi, tu as le pouvoir de
nous sauver.

« et la gloire », c'est-à-dire : à toi sont louange et honneur,
si tu fais cela à ton peuple.

« pour les siècles », c'est-à-dire : dans les créatures
célestes.

« Amen! », c'est-à-dire : sans défection.

5. Voilà pourquoi vous devez comprendre, si vous
voulez recevoir cette oraison, qu'il faut vous repentir de
tous vos péchés, et pardonner à tous les hommes, vu que
dans l'Évangile le Christ dit : « Si vous ne remettez pas
aux hommes leurs péchés, votre Père céleste ne vous
remettra pas non plus vos péchés. » De même, il convient
que vous vous décidiez dans votre cœur à mettre en
pratique cette sainte oraison tout le temps de votre vie,
si Dieu vous accorde de recevoir la grâce, selon la coutume

fiat voluntes tua... vere panem nostrum, etc. » ; le rituel l'explique :
« Id est, sine defectu », soit : en vérité et en éternité.

5, 1-3. CYPRIEN, *De orat. dom.* 29 (*PL* 4, 538 C [556 C]) : « Si
ille orabat (Dominus) qui sine peccato erat, quanto magis peccatores
oportet orare. »

1-15. Le *Rituel* latin suit le texte provençal (éd. L. CLÉDAT),
p. 475ª, l. 8 - 475ᵇ, l. 3 : « Per laqual causa devetz entendre... de
la vostra salvatio. Parcite nobis », p. XIV.

2. « Peniteri », ALAIN DE LILLE, *Summa* I, 47 (*PL* 210, 352 C) :
« Alii heretici asserunt quod post remissionem quae fit in baptismo
non habet locum alia quae fit per penitentiam ; 50 (355 D) : Sunt
alii asserentes nullam poenitentiam valere ad peccati remissionem. »
SACCONI (éd. A. DONDAINE), p. 66, « De falsa paenitentia catharorum » ; p. 67, « De confessione catharorum » ; éd. F. ŠANJEK, p. 44,
45. MONETA DE CRÉMONE, p. 302-303, sur les erreurs cathares relatives
à la pénitence ; p. 302 B : « Errant cathari dicentes eam (poenitentiam) esse non iterabilem de aliquibus peccatis » ; 304 A-B : « Contri-
tionem... errant cathari dicentes eam in nullo casu sufficere. »
BERNARD GUI, *Manuel de l'Inquisiteur*, éd. G. MOLLAT, I, p. 12 et 26.

4-5. *Recueil cathare*, II, 6, 43-45, p. 777.

tudinem ecclesie dei, cum obedientia et castitate et
10 omnibus aliis virtutibus bonis, quas deus vobis tribuere
voluerit. Unde rogamus bonum dominum, qui virtutem
recipiendi hanc orationem tribuit discipulis Ihesu Christi
cum firmitate, quod ipse tribuat vobis vim recipiendi
illam cum firmitate, ad onorem illius et ad salutem
15 vestram. Parcite nobis.

Tunc ordinatus accipiat librum de manibus credentis
et dicat : Iohannes — si sic vocatur nomen eius — habetis
voluntatem recipiendi istam sanctam orationem sicut
memoratum est et retinere illam toto tempore vite vestre
20 cum castitate et veritate et humilitate et cum omnibus
39ᵛ | aliis virtutibus bonis, quas deus vobis tribuere voluerit? »
— Et credens respondeat : «Sic, habeo, rogate patrem
sanctum quod ipse tribuat michi vim suam.» — Et
ordinatus dicat : «Deus tribuat vobis gratiam recipiendi
25 illam ad honorem eius et vestram salutem.»

6. De ministerio ecclesiastico

Tunc ordinatus dicat credenti : «Dicite orationem mecum
verbo ad verbum, et perdonum dicite [sicut dixerit

---

18 voluntatem] voluntatit
6, 3-4 sicut dixerit ille. Et dicat *add. coni*

6, 1 Cf. Rom. 16, 1

---

9 et 20. PIERRE DES VAUX-DE-CERNAY, *Hystoria albigensis* 13
(éd. P. GUÉBIN-E. LYON, t. I, Paris 1926), p. 14 : « Qui dicebantur
perfecti... castitatem se tenere mentiebantur.» Sur la chasteté voir
encore **8**, 10, **13**, 22.

14. VACARIUS XIX, 1 (*Studi e Testi* 115), p. 526 : «... ad honorem
Christi et populi salutem... ad honorem Dei et populorum salutem».
Ordo Missae, après le ' Lavabo ' : « Suscipe... ut illis proficiat ad
honorem, nobis autem ad salutem. »

de l'Église de Dieu, avec obéissance, chasteté et toutes
les autres bonnes vertus que Dieu voudra vous accorder.
C'est pourquoi, nous demandons au bon Seigneur qui
accorda aux disciples de Jésus Christ le pouvoir de recevoir
cette oraison avec fermeté, de vous accorder lui-même la
force de la recevoir avec fermeté, pour son honneur et
pour votre salut. Ayez pitié de nous.

Que l'ordonné reçoive alors le livre des mains du croyant
et dise : « Jean — si tel est son nom — avez-vous la volonté
de recevoir cette sainte oraison telle qu'on vous l'a apprise
et de la retenir tout le temps de votre vie avec chasteté,
39ᵛ vérité, humilité et toutes les | autres bonnes vertus que
Dieu voudra vous accorder ? — Et que le croyant réponde :
« Oui, je l'ai, priez le Père saint de m'accorder lui-même
sa force. » — Et que l'Ordonné dise : « Que Dieu vous
accorde la grâce de recevoir cette oraison pour son honneur
et votre salut ! »

6. Du ministère ecclésiastique.

Que l'Ordonné dise alors au croyant : « Dites avec moi
l'oraison mot à mot et dites le *perdonum* <comme celui-ci

15. Fin de la correspondance avec le *Rituel provençal*, ci-dessus,
l. 1.

16, 24 et *passim*. « Ordinatus », voir ci-après **6,** 2 s. ; **7,** 6 s. ;
14 *passim* ; même expression dans la liturgie de l'ordination catholique.

16-18. Ermengaud de Béziers, 14 (*PL* 204, 1262 B) : «... librum
Evangeliorum in manibus suis tenens » ; cf. *infra*, **14,** 2-4.

18. « Orationem » : = « Pater noster », cf. Bernard Gui, *Manuel*,
I, p. 20.

19-21. Cf. ci-dessus, l. 6-11 et *Rituel provençal*, p. 475ᵃ, 17 s.
et p. xiv.

24-25. Cf. ci-dessus l. 13-15 ; *infra*, **14,** 10-11.

6, 1. *Rituel provençal*, p. 480ᵃ, 13-14 : « le menester de la gleisa »,
p. xxii.

3. Le *perdonum*, c'est l'aveu général des fautes, dont on obtient
l'indulgence, cf. du Cange, t. VI, 269. Il précède le *melioramentum*,
cf. ci-dessous, l. 22-25.

ille. » — Et dicat] sicut dixerit ille qui est iuxta ordinatum.
5 Tunc ordinatus incipiat perdonum. Postea dicat orationem
sicut est consuetudo. Finita oratione et gratia, tunc
credens cum reverentia dicat coram ordinato : « Benedicite,
parcite nobis, amen. *Fiat* nobis, domine, *secundum verbum
tuum.* » — Et ordinatus dicat : « Pater et filius et spiritus
10 sanctus dimittat vobis omnia peccata vestra. » — Et tunc
credens surgat. Ordinatus dicat : « A deo et nobis et ab
ecclesia et suo sancto ordine et a suis sanctis preceptis
et discipulis habeatis potestatem istius orationis dicendi
eam ad *comestionem* et *potationem* vestram de *die nocteque*,
15 solus et cum societate, sicut est consuetudo ecclesie
Ihesu Christi ; et non debeatis comedere neque bibere
sine ista oratione. Et si fallimentum adherit, quod manifestabitis ad ordinatum ecclesie cicius quam poteritis,
et portabitis illam penitentiam quam ipse vobis dare
20 voluerit. Dominus deus verus det vobis graciam observandi
illam ad honorem illius et salutem vestri. » — Tunc
credens faciat tres reverencias dicendo : « Benedicite,

---

4 dixerit] deixerit ‖ 14 comestionem *ex* comestitionem *corr. ms* ‖
15 et *supra lin.* ‖ 17 adherit] aderit *ex* adherit *corr. ms*

8-9 Cf. Lc 1, 38   14 Cf. I Pierre 4, 3 ; Gen. 31, 40

---

4. Le « ille qui est iuxta ordinatum », c'est l'*ancianus*, cf. ci-dessous,
7, 4, 11.

5. L'*ordinatus*, c'est l'*ancia* du rituel roman, p. 475ᵇ, 5 et xv :
« E puis l'ancia diga la oracio » ; celui qui l'assiste ' ille qui est iuxta
ordinatum ' est appelé 'bos homes ' dans le texte provençal, p. 473ᵃ 7,
et xi : « La us dels bos homes aquel que es apres l'ancia » ; il est
nommé *ancianus* dans le texte latin, ci-après 7, 4 et 11. ERMENGAUD
DE BÉZIERS, 14 (*PL* 204, 1262 A) : « Ille qui ' major ' et ordinatus
dicitur... (B) A quibus personis... scilicet ab illis, qui inter eos
' ordinati ' dicuntur » ; cf. *infra*, 14 et *passim*. Cf. *supra*, p. 82, n. 136.

l'aura dit. — Et que le croyant le dise : > comme l'aura dit
celui-ci qui est à côté de l'Ordonné. Que l'Ordonné commence alors le *perdonum*. Qu'il dise ensuite l'oraison,
comme c'est la coutume. La prière terminée ainsi que les
' grâces ', que le croyant dise alors avec respect devant
l'Ordonné : « Bénissez, ayez pitié de nous, amen! Qu'il
nous soit fait, Seigneur, selon ta parole. » — Et que
l'Ordonné dise : « Que le Père et le Fils et le Saint-Esprit
vous remettent tous vos péchés! » — Et que le croyant
se lève alors. Que l'Ordonné dise : « De par Dieu et nous,
et de par l'Église et son saint ordre, et de par ses saints
préceptes et ses disciples, ayez le pouvoir de dire cette
prière avant de manger et de boire, de jour et de nuit,
seul ou en compagnie, comme c'est la coutume de l'Église
de Jésus Christ; et vous ne devez pas manger ni boire sans
< avoir dit > cette prière. Et s'il survient quelque
défaillance, vous la manifesterez le plus tôt possible à
l'Ordonné de l'Église et vous accepterez la pénitence que
lui-même voudra vous imposer. Que le Seigneur, vrai Dieu,
vous donne la grâce de mettre en pratique < cette oraison >
en son honneur et pour votre salut! » — Que le croyant fasse
alors trois révérences, en disant : « Bénissez, bénissez,

---

7. « Benedicite » : formule monacale de salutation.

7-9. *Rituel provençal*, p. 470[a] 1-3 et *in fine*.

9-10. *Ibid.*, p. 470[a], *in fine*. Sur la Trinité, cf. *infra*, 9, 5-6 et note.

10-19. « Tunc credens surgat... penitentiam. » *Rituel provençal*,
p. 475[b], 5-15 et p. xv : « E puis diga l'ancia... qu'en portessetz
penendensa. » A. DONDAINE, p. 39. Voir *infra*, Appendice, n° 21, p. 292.

17. « Fallimentum » (et non « culpa »), comme dans le texte
roman : « falha ».

22. « Tres reverencias », *De heresi catharorum* (*AFP*, XIX, 1949),
p. 308, 33 : « ... in reverentiis faciendis » : inclinations ou révérences.
Cf. A. BORST, *Die Katharer*, p. 198, n. 25. Voir note suivante et *infra*,
7, 5.

benedicite, benedicite, parcite nobis. Dominus deus
tribuat vobis bonam mercedem de illo bono quod fecistis
25 michi amore dei. »

Tunc si credens non debet *consolari*, oportet accipere
servicium et *ire ad pacem*.

7. <DE ACCEPTIONE CONSOLAMENTI>

Et si credens debet consolari in presenti postquam
recepit orationem, tunc ipse credens debet venire cum
illo qui ancianus est de hospicio illius et debent facere
5 tres reverentias coram ordinato, et rogare de bono illius
credentis. Hoc facto, tunc ordinatus et christiani et
christiane debent rogare deum cum septem orationibus,
ita quod ordinatus audiatur ; et hoc facto, tunc ordinatus
dicat : « *Fratres et sorores*, si dixissem vel fecissem aliquid
10 contra deum et salutem meam, *rogate dominum deum*
10ʳ *pro me quod | ipse michi parcat.*» — Et ille ancianus
qui est iuxta ordinatum dicat : « Pater sanctus, *iustus
et verax et misericors*, qui *potestatem habet in celo et in*

7, 1 addidi ‖ 9 dixissem *ex* dissxissem *corr. ms*

---

26. Cf. Rom. 1, 11-12 : ad confirmandos vos, id est simul consolari... per... fidem vestram   27. Cf. Jac. 2, 16
7, 9. Jac. 2, 15   10. Ex. 10, 17   12-13. Ps. 114, 5 ; 85, 15
13-14. Matth. 28, 18 ; 9, 6

22-25. Le rite de l'inclination avec la demande au ministre de la
bénédiction est selon le texte roman le *melioramentum*, *Rituel
provençal*, p. 473ᵃ, 14-15 : « Et puis le crezent fasza so meloier ;
p. 475ᵇ, 15-19 et p. xv : « E el deu dir : Eu la recebi de deu, e de vos,
e de la gleisa. E puis fassa so miloirer e reda gracias. » A. DONDAINE,
p. 37 et 39. ANSELME D'ALEXANDRIE, *Tractatus de hereticis*, éd.
A. DONDAINE (*AFP*, 20, 1950), p. 317, 1 : « Possumus facere de nostro

bénissez, ayez pitié de nous. Que le Seigneur Dieu vous accorde une bonne récompense de ce bien que vous m'avez fait pour l'amour de Dieu. »

Si alors le croyant ne doit pas être ' consolé ' il faut qu'il reçoive le *servitium* et qu'il aille en paix.

7. <DE LA RÉCEPTION DU CONSOLAMENTUM>

Si le croyant doit être ' consolé ' tout de suite après avoir reçu l'oraison, alors le croyant doit venir en personne avec celui qui est l'Ancien de son ' hospice ', et ils doivent faire trois révérences devant l'Ordonné et prier pour le bien de ce croyant. Après quoi, l'Ordonné, les chrétiens et les chrétiennes doivent alors prier Dieu avec sept oraisons, afin que l'Ordonné soit exaucé; et cela fait, que l'Ordonné dise : « Frères et sœurs, si j'ai dit ou fait quelque chose contre Dieu et mon salut, priez pour moi le Seigneur 10ʳ Dieu | de m'épargner. » — Et que cet Ancien qui est à côté de l'Ordonné dise : « Que le Père saint, juste, véridique et miséricordieux, qui a dans le ciel et sur la terre le pouvoir

melioramento... (7) Tunc ille qui venit inclinat se et facit veniam profunde. Et dicit : Benedicite. » BERNARD GUI, *Manuel* I, p. 20. Voir *supra*, p. 35, n. 5 et p. 87, n. 3.

23-24. ANSELME D'ALEXANDRIE, p. 316, 9-10 : « Dominus reddat vobis bonam mercedem »; cf. *infra*, **14,** 51.

26. « Consolari ». Voir ci-après **8,** 7-9 : « baptismum spirituale... cum impositione manuum ». A. BORST, *Die Katharer*, p. 195, n. 16.

27. Le *servicium* ou *apparelhamentum*, c'est la confession générale une fois par mois des fautes vénielles. RAYNIER SACCONI, *Summa*, (éd. A. DONDAINE), p. 67, 23-24 ; p. 69, 10-13 ; éd. F. ŠANJEK, p. 46, 17-18 ; p. 48, 20-24. Voir *supra*, p. 33 et *infra*, **14,** 53 et note.

7, 4 et 11. « Ancianus », cf. ci-dessus, **6,** 4 : « Ille qui est iuxta ordinatum » (= « le bos homes »).

5-8 et s. ERMENGAUD DE BÉZIERS (*PL* 204, 1262 B).

11 et 14. « Parcat... », *Rituel provençal*, p. 470ᵃ, 4-5 et *in fine*.

ⁱ *terra dimittendi peccata,* ipse dimitat vobis et parcat
15 omnia peccata vestra in hoc seculo, et futuro faciat vobis
misericordiam. » — Et ordinatus dicat : « Amen. *Fiat*
nobis, domine, *secundum verbum tuum.* » — Tunc omnes
christiani et christiane faciant tres reverentias, dicendo :
« Benedicite, benedicite, benedicite, parcite nobis. Si
20 dixissemus aut fecissemus aliquid contra deum et salutem
nostram, rogate *deum misericordie* quod ipse nobis parcat ;
benedicite, parcite nobis. » — Et ordinatus respondeat :
« Pater sanctus, iustus, verax, et misericors » et cetera,
sicut superius dictum est.

8. De acceptione libri

Et hoc facto, tunc ordinatus aptet discum coram se.
Tunc credens veniat coram ordinato et *accipiat librum
de manibus* ordinati, cum tribus reverentiis, sicut ad
5 orationem fecit et superius memoratum est. Tunc dicat
ordinatus : « Iohannes, habetis voluntatem recipiendi
baptismum spirituale Ihesu Christi et perdonum vestrorum
peccatorum, propter deprecationem bonorum christianorum cum impositione manuum, et retinere illud toto
10 tempore vite vestre cum castitate et humilitate et cum
omnibus aliis virtutibus bonis, quas deus vobis tribuere
voluerit ? » — Et credens respondeat : « Sic, habeo, rogate
deum quod ipse tribuat michi vim suam. » — « Et ordinatus
dicat : « Deus tribuat vobis gratiam recipiendi illud ad
15 honorem illius et salutem vestram. »

20 dixissemus] dixisemus
8, 3 coram] corat

15-16. Lc 1, 38   21. Cf. Sag. 9, 1
8, 3-4. Cf. Apoc. 10, 8.

16-17. Cf. *supra*, 6, 8-9.

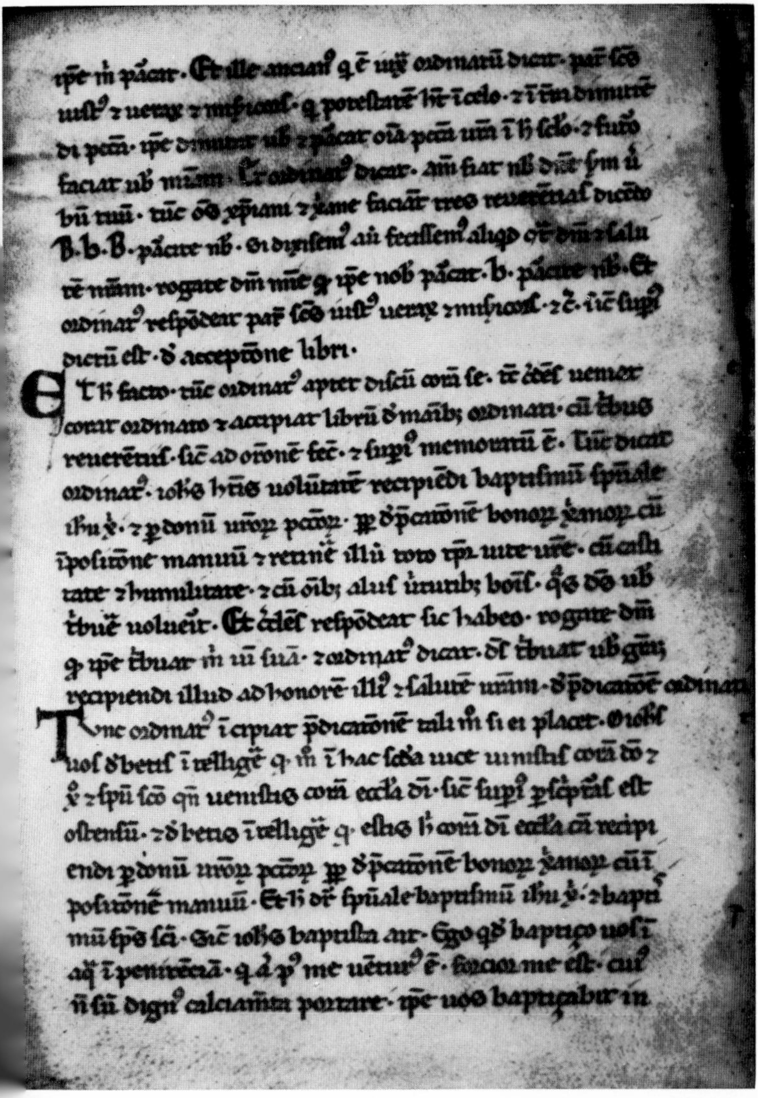

Florence. Conventi soppressi I ii 44 ; fol. 40r

de remettre les péchés, vous remette lui-même et vous pardonne tous vos péchés en ce siècle, et vous fasse miséricorde dans <le siècle> futur. » — Et que l'Ordonné dise : « Amen! Qu'il nous soit fait, Seigneur, selon ta parole. » — Que tous les chrétiens et les chrétiennes fassent alors trois révérences, en disant : « Bénissez, bénissez, bénissez, ayez pitié de nous. Si nous avons dit ou fait quelque chose contre Dieu et notre salut, priez le Dieu de miséricorde qu'il ait lui-même pitié de nous; bénissez, ayez pitié de nous. » — Et que l'Ordonné réponde : « Que le Père saint, juste, véridique et miséricordieux... », etc., comme on l'a dit plus haut.

8. De la réception du livre.

Et cela fait, que l'Ordonné dispose une table *(discum)* devant lui. Que le croyant vienne alors devant l'Ordonné et reçoive le livre de ses mains, avec trois révérences, comme, on le rappelait ci-dessus, il l'avait fait pour l'oraison. Que l'Ordonné dise alors : « Jean, avez-vous la volonté de recevoir le baptême spirituel de Jésus Christ et le *perdonum* de vos péchés, grâce aux supplications des bons chrétiens avec l'imposition des mains, et de le garder tout le temps de votre vie avec chasteté, et humilité, et avec toutes les autres bonnes vertus que Dieu voudra vous accorder? — Et que le croyant réponde : « Oui, j'ai (cette volonté), priez Dieu qu'il m'accorde lui-même sa force. » — Et que l'Ordonné dise : « Que Dieu vous accorde la grâce de le recevoir pour son honneur et votre salut. »

23. Cf. *supra*, l. 12-13.

8, 2. « Discus, mensa scribarum » : bureau ; « tabula » : petite table, DU CANGE, t. III, 134.

4-5. Cf. *supra*, 6, 22-25 et note.

6-9. Cf. ci-dessous, 9, 8-10 et notes explicatives.

9-15. Cf. *supra*, 5, 19-25. Le formulaire liturgique répète le précédent où l'*ordinatus* demande à l'impétrant s'il veut 'recevoir' la sainte oraison.

9. De predicatione ordinati

Tunc ordinatus incipiat predicationem tali modo, si ei placet :

O Iohannes ! vos debetis intelligere quod modo in hac
5 secunda vice venistis coram deo et Christo et spiritu
sancto quando venistis coram ecclesia dei, sicut superius
per scripturas est ostensum, et debetis intelligere, quod
estis hic coram dei ecclesia causa recipiendi perdonum
vestrorum peccatorum propter deprecationem bonorum
10 christianorum cum impositione manuum. Et hoc dicitur
spirituale baptismum Ihesu Christi et baptismum spiritus

9, 5 venistis] vinistis

9, 12-15. Matth. 3, 11

9, 5-6. Doctrine trinitaire de l'*Ecclesia Dei* : TERTULLIEN, *De
baptismo* 6 (*PL* 1, 1206 C [1315 A] ; *CSEL* 20, 206, 26 ; *CC* 1, 282) :
« ... ubi tres, id est Pater et Filius et Spiritus sanctus, ibi ecclesia,
quae trium corpus est ». Après avoir reçu l'Oraison, le postulant se
présente, pour la seconde fois, devant la Trinité en revenant devant
l'*ecclesia Dei*. « Superius » : 1, 10-12 ; 6, 9-10 ; cf. *infra*, 13, 8-9.
L'auteur du *Liber de duobus principiis* dénigre au contraire la Trinité :
Liber, 53, 16-17. Voir ce qu'en dit MONETA DE CRÉMONE, p. 267 B
et comparer avec *infra*, 14, 36-39 note, 44, 46-47.
   8. « Perdonum », cf. *supra*, 6, 3 et note.
   10. « Impositio manuum » : c'est le rite du consolamentum.
Voir BONACURSUS, *Manifestatio* (*PL* 204, 777 C) : « Credunt nullum
posse salvari nisi quadam sua impositione manuum, quam baptismum
appellant, et renovationem sancti Spiritus. » ALAIN DE LILLE, *Summa*
I, 45 (*PL* 210, 351 C-D). ERMENGAUD DE BÉZIERS XII et XIV
(*PL* 204, 1255 C ; 1262-1264). PIERRE DES VAUX-DE-CERNAY, § 13,
14, 15 (t. I, p. 15-16). DURAND DE HUESCA, *Liber antiheresis* I, 16,
p. 57. Cf. *Catharisme et Valdéisme* p. 67 n. 77 ; — *Contra Manicheos*,
p. 238, 9 et 267, 26-27. SALVO BURCE (*Aevum*, 19 1945), p. 314.
PIERRE MARTYR, *Summa* 16 (*AFP*, 17, 1947, p. 329). ANSELME

9. De la prédication de l'Ordonné.

Que l'Ordonné commence alors la prédication de cette
manière, si cela lui plaît :

Ô Jean, vous devez comprendre qu'en cet instant pour
la seconde fois vous êtes venu devant Dieu et le Christ et
l'Esprit-Saint lorsque vous êtes venu devant l'Église de
Dieu, comme on l'a montré plus haut par les Écritures,
et vous devez comprendre que vous êtes ici devant l'Église
de Dieu en vue de recevoir le *perdonum* de vos péchés,
grâce aux supplications des bons chrétiens avec l'imposition
des mains. Et cela s'appelle baptême spirituel de Jésus
Christ et baptême de l'Esprit Saint, comme le dit Jean-

d'Alexandrie (*AFP* 50, 1950, p. 314). Moneta de Crémone,
p. 293-295. Bernard Gui, *Manuel* I, p. 12. Voir *Catharisme et
Valdéisme*, p. 13-14 ; 22, n. 35 ; 40, n. 103 ; 67, n. 77 ; 89, n. 56 ;
278-279.

10-15. « Impositione manuum... baptismum spiritus sancti », et
jusqu'à 11, 7. Voir les rapports avec le *Rituel provençal*, p. 476[a] et
p. xvi-xvii et la concordance des citations en ordre différent avec
l'*Apologie cathare*, chap. II et XI (éd. Th. Venckeleer, *Recueil
cathare* I), p. 822-823 et 829-831.

11. « Spirituale baptismum, baptismum spiritus sancti ». —
Dissertatio ad synodos in causa baptismi haereticorum 8 (*PL* 3, 1222 C) :
« Haeretici... non habent Spiritum sanctum nec baptizare spiritaliter
possunt. » Durand de Huesca, *Liber antiheresis*, I, 14, p. 43-51 ;
Cf. *Catharisme et Valdéisme*, p. 65-66, n. 72. Sacconi (éd.
A. Dondaine), p. 65, 11 s. : « Manus impositio vocatur ab eis consolamentum et spirituale baptismum, sive baptismum spiritus sancti » ;
éd. F. Šanjek, p. 43, 23-24. Georgius, 1726 C-D : « Manichaeus :
... baptizabat Jesus... in aqua ; ... per aquam intelligitur praedicatio
Spiritus sancti. » Sur le baptême d'eau que dénigraient les cathares,
voir Eckbert de Schönau 8 (*PL* 195, 51-55). Moneta de Crémone,
p. 291-293.

sancti, sicut Iohannes Baptista ait : « Ego quidem baptizo
vos in aqua in penitenciam ; qui autem post me venturus
est forcior me est, cuius non sum dignus calciamenta
40ᵛ portare ; ipse vos baptizabit in | spiritu sancto et igni »,
16 id est ipse vos lavabit et mundabit in spirituali intellectu
et in operibus bonis. Per hoc baptismum intelligitur
illa spiritualis renasio de qua Christus ad Nichodemum
ait : « Nisi quis renatus fuerit ex aqua et spiritu sancto,
20 non potest introire in regnum dei. » Baptismum dicitur
lavatio vel supertinctio. Unde intelligendum est, quod
Christus non venit causa lavandi sordes carnis, sed causa
abluendi sordes animarum dei, que contagio malignorum
spirituum sorditate erant. Sicut dominus per Baruch
25 prophetam ait ad Israel : « Audi, Israel, mandata vite ;
auribus percipe ut scias prudenciam. Quid est, Israel,
quod in terra inimicorum es, inveterasti in terra aliena,
coinquinatus es cum mortuis, deputatus es cum descen-
dentibus in inferno ? Dereliquisti fontem vite et sapiencie.
30 Nam si in via dei ambulases, habitases utique in pace

12-13 baptizo vos *cum quib. codd. S. Script. et edit.* (W. I, 49)] vos
baptizo *Vg.* ‖ 17 intelligitur] intelligi ‖ 19 spiritu+ sancto *cum plur.
codd. S. Script. edit. et vers. lat.* (W. I, 519)] *om. Vg.* ‖ 21 super-
tinctio] supertictio ‖ 26 scias *supra lin.* ‖ 28 cum¹] cun ‖ 29 in inferno
add. marg.

19-20. Jn 3, 5   24-31. Bar. 3, 9-13

12-13. MONETA DE CRÉMONE, p. 288 B.
12-15. RABAN MAUR, *De sacris ordinibus* (*PL* 112, 1174 A).
Rituel provençal, p. 476ᵃ, 21 - 476ᵇ, 3 et p. XVI. ÉVERVIN DE STEINFELD,
Epist. (*PL* 182, 678 B). ECKBERT DE SCHÖNAU, *Sermo* VIII, 1 (*PL* 195,
51 B).
13-15. *Recueil cathare* I, 11, 3-4, p. 829.
19-20. RABAN MAUR, *op. cit.* (*PL* 112, 1174 A). ECKBERT DE
SCHÖNAU, 8, 4 (*PL* 195, 53 A). ÉBRARD DE BÉTHUNE, 1542 F.

Baptiste : « Pour moi, je vous baptise dans l'eau pour la pénitence ; mais celui qui doit venir après moi est plus fort que moi, lui dont je ne suis pas digne de porter les **0ᵛ** sandales : c'est lui-même qui vous baptisera dans | l'Esprit Saint et le feu », ce qui veut dire : lui-même vous lavera et purifiera dans l'entendement spirituel et dans les bonnes œuvres. Par ce baptême il faut entendre cette renaissance spirituelle dont le Christ dit à Nicodème : « Si quelqu'un ne renaît pas de l'eau et de l'Esprit Saint, il ne peut entrer dans le royaume de Dieu ». Le baptême est appelé ablution ou super-baptême *(superlinctio)*. C'est pourquoi il faut comprendre que le Christ n'est pas venu pour laver les souillures de la chair, mais pour effacer les souillures des âmes de Dieu, qui étaient maculées par la contagion des esprits malins. C'est ainsi que le Seigneur dit à Israël par le prophète Baruch : « Écoute, Israël, les préceptes de vie ; ouvre tes oreilles pour apprendre la prudence. Qu'est-il arrivé, Israël, pour que tu sois dans le pays de tes ennemis, que tu aies été enraciné dans une terre étrangère, que tu te sois souillé avec les morts, que tu aies été confondu avec ceux qui descendent dans l'enfer ? Tu as abandonné la source de la vie et de la sagesse. Car, si tu avais marché dans la voie de Dieu, tu serais, dans

Ps.-Prévostin, p. 175 (8), 275 (8). Alain de Lille, *Summa* I, 42 et 43 (*PL* 210, 348 A, 350 C). Ermengaud de Béziers 12 (*PL* 204, 1256 A-C). Moneta de Crémone, p. 287 B. Georgius, 1726 B. *Rituel provençal*, p. 476ᵃ, 18-21 et p. xvi.

20-21. Isidore de Séville, *Etymologiae* VI, 19, 43 (*PL* 82, 256 A ; éd. W.-M. Lindsay, Oxford 1911) : « Baptismus Graece, latine tinctio interpretatur, quae idcirco tinctio dicitur. » Raban Maur, *De sacris ordinibus* (*PL* 112, 1174 A) : « Hac enim tinctione et hoc lavacro Ecclesia vegetatur. »

26-27. *Traité cathare*, p. 111, 7. Durand de Huesca, *CM*, p. 274, 1. Moneta de Crémone, p. 21 A.

sempiterna.» Et David ait : «Deus venerunt gentes in
hereditatem tuam ; poluerunt templum sanctum tuum ;
posuerunt Ierusaiem in pomorum custodiam.» Et sic dei
populus pollutus fuit propter societatem spirituum mali-
35 gnorum. Unde placuit sanctissimo patri lavare populum
suum a sordibus peccatorum per baptismum sui sancti
filii Ihesu Christi. Sicut beatus Apostolus ad Hephesios
ait : «Viri, diligite uxores vestras, sicut et Christus dilecxit
ecclesiam, et semetipsum tradidit pro ea, ut illam sancti-
40 ficaret, mundans eam lavacro aque in verbo vite, ut
exiberet ipse sibi gloriosam ecclesiam, non habentem
maculam aut rugam aut aliquid huiusmodi, sed ut sit
sancta et immaculata.»
   Et sic propter *adventum domini nostri Ihesu Christi*
45 per virtutem patris sanctissimi per spirituale baptismum
illius mundati fuerunt discipuli Ihesu Christi a sordibus
peccatorum illorum. Qui virtutem et potestatem receperunt
a domino Ihesu Christo, sicut ipse acceperat a sanctissimo
suo patre ut possent et ipsi per illius baptismum peccatores
50 alios mundifficare. Sicut in evangelio beati Iohannis
reperitur post resurrectionem domini Ihesu Christi, qui
ait discipulis suis : «Sicut misit me pater et ego mitto

---

39 semetipsum *cum plur. codd. S. Script. et Patribus typ.* **I** (W.
II, 445 ; V.L. 24/1, 241)] se ipsum *Vg.* ‖ 40 verbo + vite *cum
plur. codd. S. Script. et edit. typ.* **I** (W. *ibid.* ; V.L. 24/1, 243)]
om. Vg.

42 huiusmodi *cum codd. Armach. Oxon. Cantabr. Tolet. et Patribus
typ.* **I** (W. II, 445 ; V.L. 24/1, 247)] eius modi *Vg.* ‖ 47 receperunt *ex*
reperunt *corr. ms*

31-33. Ps. 78, 1   37-43. Éphés. 5, 25-27   44. Cf. I Cor. 1, 8

---

31. *De heresi catharorum* (*AFP*, 19, 1949), p. 309, 25.
35-36. *Missale mixtum* (*PL* 85, 470 B) : «... salutaris lavacri

tous les cas, demeuré dans une paix éternelle. » Et David
dit : « Ô Dieu, les nations sont venues dans ton héritage ;
elles ont souillé ton temple saint, ont réduit Jérusalem
à l'état d'une cabane à garder les fruits. » Et ainsi le peuple
de Dieu a été souillé par la fréquentation des esprits
malins. Voilà pourquoi il a plu au Père très saint de laver
son peuple des souillures des péchés par le baptême de
son saint Fils Jésus Christ. Comme le bienheureux Apôtre
le dit aux Éphésiens : « Maris, aimez vos épouses, comme
le Christ a aimé l'Église et s'est livré lui-même pour
elle, afin de la sanctifier, la purifiant dans le bain baptismal
et par la parole de vie, pour qu'elle paraisse devant lui
glorieuse Église, sans tache ni ride, ni rien de ce genre,
mais pour qu'elle soit sainte et immaculée. »

Et ainsi, à cause de l'avènement de notre Seigneur
Jésus Christ, par la vertu du Père très saint, les disciples
de Jésus Christ ont été purifiés par son baptême spirituel
des souillures de leurs péchés. Ils ont reçu force et puissance
du Seigneur Jésus-Christ, comme lui-même les avait
reçues de son Père très saint, afin de pouvoir eux aussi
purifier les autres pécheurs par le baptême <de Jésus
Christ>. De même, on trouve dans l'Évangile du bienheureux Jean qu'après sa résurrection le Seigneur Jésus
Christ dit à ses disciples : « De même que le Père m'a

percipere innovationem. Sicque eos a cunctis peccatorum sordibus
baptismi unda purificet » ; cf. ci-après, l. 49-50.

38-39. Ps.-Prévostin, p. 70 (6) ; 262 (6). Moneta de Crémone,
p. 326 B.

38-40. Eckbert de Schönau 8 (*PL* 195, 55 B).

38-43. *Recueil cathare* I, 1, 49-53, p. 821.

51. « Resurrectio J.-C. » Cf. Sacconi (éd. A. Dondaine), p. 71,
29-30 : «... nec eius resurrectio fuit vera, sed... putative » ; éd.
F. Šanjek, p. 51, 24-25.

52-55. *Rituel provençal*, p. 477ᵃ, 10-16 et p. xvii.

vos. Hec cum dixiset, insufflavit, et dixit eis : accipite
spiritum sanctum ; quorum remiseritis peccata, remit-
41ᴿ tuntur eis ; et quorum | retinueritis, retempta sunt. »
56 Et in evangelio Mathei Christus ait ad discipulos suos :
« Amen dico vobis, quecumque alligaveritis super terram
erunt ligata in celo ; et quecumque solveritis super terram
erunt soluta et in celo. Iterum dico vobis, quia si duo
60 ex vobis consenserint super terram, de omni re quamcumque pecierint fiet illis a patre meo qui in celis est. »
Et iterum : « Quem dicunt homines esse filium hominis ?
At illi dixerunt : Alii Iohannem Baptistam, alii autem
Elyam, alii vero Yeremiam, aut unum ex prophetis.
65 Dicit illis Ihesus : Vos autem quem me esse dicitis ?
Respondens Simon Petrus dixit : Tu es Christus, filius
dei vivi. Respondens autem Ihesus, dixit ei : Beatus es,
Simon Bariona, quia caro et sanguis non revellavit tibi,
sed pater meus qui in celis est. Et ego dico tibi quia tu
70 es petrus, et super hanc petram hedifficabo ecclesiam
meam, et porte inferi non prevalebunt adversus eam. Et
tibi dabo claves regni celorum » — tibi pro omnibus —,
« et quodcumque ligaveris super terram erit ligatum et
in celis, et quodcumque solveris super terram erit solutum
75 et in celis ». Et iterum discipulis suis ait : « Euntes in
mundum universum, predicate evangelium omni creature,

53 hec *cum codd. Beneven. Ingolst. edit. et vers. lat.* (W. I, 641)] hoc
Vg. ‖ *post* cum *scrips. et del.* dissi ‖ 55 retempta *ex* reptempta *corr.*
ms ‖ 60-61 quamcumque *cum multis codd. S. Script. et edit.* (W. I,
116)] quacumque
65 illis+Ihesus cum *multis codd. S. Script. Vg. et vers. lat.* (W. I,
108)] *om. Vg.* ‖ 73 ligaveris *ex* ligaveritis *corr. ms* ‖ 74 solveris *ex*
solveritis *corr. ms* ‖ 74-75 solutum+et *cum quib. codd. S. Script.*
(W. I, 108)] *om. Vg.* ‖ 75 in[1] *supra lin.*

52-55. Jn 21, 21-23   56-61. Matth. 18, 18-19   62-75. Matth.
16, 13-19   75-82. Mc 16, 15-18

53-55. *Recueil cathare* I, 2, 3-6, p. 822.

envoyé, moi aussi je vous envoie. Ayant ainsi parlé, il
souffla sur eux et leur dit : « Recevez l'Esprit Saint;
les péchés seront remis à ceux à qui vous les remettrez,
11ʳ et | seront retenus à ceux à qui vous les retiendrez. » Et
dans l'Évangile de Matthieu, le Christ dit à ses disciples :
« En vérité je vous le dis : tout ce que vous aurez lié sur
la terre sera lié dans le ciel; et tout ce que vous aurez délié
sur la terre, sera délié aussi dans le ciel. Je vous dis encore :
si deux d'entre vous se mettent d'accord sur la terre, quel
que soit l'objet de leur demande, elle sera exaucée par mon
Père qui est dans les cieux. » Et encore : « Au dire des
hommes, qui est le Fils de l'homme ? Ils répondirent :
les uns Jean Baptiste, mais d'autres Élie, et d'autres
Jérémie, ou l'un des Prophètes. Jésus leur dit : Mais vous,
qui dites-vous que je suis ? Répondant, Simon Pierre dit :
Tu es le Christ, le Fils du Dieu vivant; et lui répondant
Jésus dit : « Tu es heureux, Simon Bariona, parce que ce
n'est pas la chair et le sang qui te l'ont révélé, mais mon
Père qui est dans les cieux. Et moi, je te dis que tu es Pierre
et que sur cette pierre je construirai mon Église, et les
portes de l'enfer ne prévaudront pas contre elle. Et à toi
je donnerai les clefs du royaume des cieux » — à toi pour
tous — « et tout ce que tu lieras sur la terre sera lié aussi
dans les cieux, et tout ce que tu délieras sur la terre sera
délié aussi dans les cieux ». Et il dit encore à ses disciples :
« Allez dans le monde entier, prêchez l'Évangile à toute

57-59. *Rituel provençal*, p. 477ᵃ, 21 - 477ᵇ, 4 et p. XVII.

57-61. *Recueil cathare* I, 2, 12-16, p. 822.

66-67. Durand de Huesca, *CM*, p. 164, 11.

69-71. *Rituel provençal*, p. 477ᵃ, 18 s. et p. XVII. *Recueil cathare* I,
1, 34-36, p. 821.

71. Durand de Huesca, *CM*, p. 70, 30 ; 72, 2.

75-78. Moneta de Crémone, p. 283 A. *Rituel provençal*, p. 476ᵇ,
13-17 et p. XVI. *Recueil cathare* I, 11, 9-11, p. 830.

76-79. Ermengaud de Béziers 12 (*PL* 204, 1257 B). Alain de
Lille, *Summa* I, 42 (*PL* 210, 347-348, 350 C).

qui crediderit et baptizatus fuerit, salvus erit ; qui vero
non crediderit, condempnabitur. Signa autem eos qui
crediderint, hec sequentur : in nomine meo demonia
80 eicient, linguis loquentur novis, serpentes tollent, et
<si> mortiferum quid biberint non nocebit eis, super
egros manus imponent et bene habebunt.» Et iterum :
«Undecim autem discipuli abierunt in Galileam, in
montem ubi constituerat illis Ihesus. Et videntes eum,
85 adoraverunt ; quidam autem dubitaverunt. Et accedens
Ihesus locutus est eis, dicens : Data est michi omnis
potestas in celo et in terra. Euntes ergo, docete omnes
gentes, baptizantes eos in nomine patris et filii et spiritus
sancti, docentes eos servare omnia quecumque mandavi
90 vobis. Et ecce ego vobiscum sum omnibus diebus usque
ad consumationem seculi.»

10. Nullus ergo sapiens credat quod ecclesia Ihesu
Christi istud *baptismum* faciat *impositionis manuum* sine
manifesta ratione scripturarum, nec presumat quod
ecclesia dei istud faciat ordinamentum per illorum
41ᵛ presumptionem et humanam divi|nationem aut per
6 ignotam et invisibilem inspirationem spirituum, sed

81 si *om. ms*] si *Vg.* ‖ nocebit eis] eos nocebit *Vg.* ‖ eis *cum plur.
codd. S. Script.* (W. I, 268) ‖ 82 egros *cum aliq. codd. S. Script.
(ibid.)*] aegrotos *Vg.* ‖ 83 Galileam *ex* gagilileam *corr. ms*
10, 3 presumat] presomat ‖ 5 presumptionem] presuntionem ‖
ante humanam *add. et del.* humationem cf. *supra*, Prélim. p. 19, n. 10
‖ divinationem *ex* divinitatem *corr. ms*

83-91. Matth. 28, 16-20
10, 2. Hébr. 6, 2

77-78. *Recueil cathare* I, 11, 17-18, p. 830.
78-82. *Ibid.*, I, 2, 23-26, p. 822.
82. *Rituel provençal*, p. 476ᵇ, 10-12 et p. xvi.
86-87. *Brevis summula* I, IV (éd. C. Douais), p. 120 et 137.
86-90. Moneta de Crémone, p. 284 A.

créature; celui qui aura cru et aura été baptisé sera sauvé;
mais celui qui n'aura pas cru sera condamné. Or voici
les signes qui accompagneront ceux qui auront cru : en
mon nom ils chasseront les démons, parleront des langues
nouvelles, prendront des serpents et, s'ils boivent un poison
mortel, cela ne leur nuira point; ils imposeront les mains
sur les malades, qui guériront. » Et encore : « Et les onze
disciples partirent en Galilée, sur la montagne que Jésus
leur avait désignée. En le voyant, ils l'adorèrent, mais
certains doutèrent. Et s'approchant Jésus leur parla en
ces termes : « Tout pouvoir m'a été donné dans le ciel et
sur la terre : allez donc, enseignez toutes les nations,
les baptisant au nom du Père, et du Fils, et de l'Esprit-
Saint, leur enseignant à garder tout ce que je vous ai
confié. Et voici que moi je suis avec vous tous les jours
jusqu'à la consommation du siècle. »

10. Par conséquent, que nul sage ne croie que l'Église
de Jésus Christ puisse faire ce baptême d'imposition des
mains sans une raison manifeste <tirée> des Écritures,
ni ne prétende que l'Église de Dieu puisse faire cet
ordinamentum par présomption de ses disciples ou par
une | divination humaine ou par une inspiration inconnue
et invisible des esprits. Mais, aux yeux de tous, les disciples

---

87-89. Eckbert de Schönau 8 (*PL* 195, 53 B). Alain de Lille,
Summa I, 42 (*PL* 210, 348 B). *Recueil cathare* I, 11, 7-8, p. 829.

87-91. *Rituel provençal*, p. 474ᵃ, l. 18 et 476ᵃ, l. 12-13, p. xiii
et xvi : « A l'acabament del segle », le Nouveau Testament (Clédat),
p. 61ᵇ, 10 dit comme le latin : « al cosumanent del segle », ainsi que
le *Recueil cathare* I, 11, 73-74, p. 831.

10, 2. « Baptismum... impositio manuum », cf. *supra*, 9, 10, 10-15
et notes. Tertullien, *De baptismo* 8 (*PL* 1, 1207 A [1316 A];
CSEL 20, 207, 7-8; *CC* 1, 283) : « ... manus imponitur per benedictionem advocans et invitans Spiritum sanctum ». Isidore de Séville,
Etymologiae VI, 19, 54 (*PL* 82, 256 D ; éd. W. M. Lindsay) : « Manus
impositio ideo fit ut per benedictionem advocatus invitetur Spiritus
sanctus. »

visibiliter *discipuli* Ihesu Christi *abierunt* et steterunt
cum domino Ihesu Christo, qui ab eo receperunt potestatem baptizandi et dimittendi peccata, sicut hodie faciunt
10 veri christiani, qui tanquam discipulorum heredes gradatim
potestatem ab ecclesia dei receperunt istud baptismum
impositionis manuum visibiliter faciendi et dimittendi
peccata. Unde palam invenitur per scripturas novi testamenti, discipuli Ihesu Christi post ascensionem illius hoc
15 ministerium impositionis manuum visibiliter utaverunt,
sicut palam perpenditur in scripturis. In Actibus apostolorum scriptum est : « Cum autem audissent apostoli,
qui erant Ierosolimis, quia recepit Samaria verbum
dei, miserunt ad eos Petrum et Iohannem ; qui cum
20 venissent, oraverunt pro ipsis, ut acciperent spiritum
sanctum : nondum enim in quemquam illorum venerat,
sed baptizati tantum erant in nomine domini Ihesu.
Tunc imponebant manus super illos, et accipiebant
spiritum sanctum. » Et iterum : « Factum est autem,
25 cum Apollo esset Corinthi, et Paulus, peragratis superioribus partibus, veniret Ephesum, et inveniret quosdam
discipulos, dixit ad eos : Si spiritum sanctum accepistis
credentes? At illi dixerunt ad eum : Sed neque si spiritus
sanctus est, audivimus. Ille vero ait : In quo ergo baptizati

13 *post* per *scrips. et expunx.* st ‖ 18 quia *add. marg.* ‖ 19 eos *cum
multis codd. S. Script.* (W. III, 88)] illos *Vg.* ‖ 25 et Paulus *cum aliq.
codd. S. Script.* (W. III, 163)] ut Paulus *Vg.*

26 quosdam *ex* qdam *corr. ms* ‖ 27 dixit *cum vers. lat. et Hieron.*
(W. III, 163)] dixitque *Vg.* ‖ 28 illi+dixerunt *cum multis codd.
S. Script. vers. lat. (ibid.)*] om. *Vg.*

7. Cf. Matth. 28, 16   16-24. Act. 8, 14-17   24-37. Act. 19, 1-7

9-10. « Veri Christiani », cf. *Liber*, 45, 70 et note ; 66, 14 ; 69, 9 ;
infra, 12, 27 ; 13, 6-7.

10. « Heredes », TERTULLIEN, *Scorpiace* 9 (*PL* 2, 139 A [161 C];

de Jésus Christ s'en allèrent et demeurèrent avec le Seigneur Jésus Christ; ils reçurent de lui le pouvoir de baptiser et de remettre les péchés, ainsi que le font aujourd'hui les vrais chrétiens qui, en tant qu'héritiers des disciples, reçurent graduellement de l'Église de Dieu le pouvoir de faire au grand jour ce baptême d'imposition des mains et de remettre les péchés. Ainsi on trouve manifestement dans les Écritures du Nouveau Testament que les disciples de Jésus Christ, après son ascension, firent aux yeux de tous usage de ce ministère de l'imposition des mains, comme cela ressort manifestement des Écritures. Il est écrit dans les Actes des Apôtres : « Or, lorsque les apôtres qui étaient à Jérusalem apprirent que les Samaritains avaient accueilli la parole de Dieu, ils leur envoyèrent Pierre et Jean; ceux-ci, une fois arrivés, prièrent pour eux, afin qu'ils reçussent l'Esprit-Saint, car il n'était encore venu en aucun d'eux : ils avaient été seulement baptisés au nom du Seigneur Jésus. Ils leur imposaient alors les mains et ils recevaient l'Esprit-Saint. » Et encore : « Or il arriva, lorsqu'Apollo était à Corinthe, que Paul, ayant parcouru les régions montagneuses, vint à Éphèse et y trouva certains disciples; il leur dit : Avez-vous reçu, en tant que croyants, l'Esprit-Saint? Ils lui répondirent : Mais nous n'avons même pas entendu dire qu'il y eût un

---

CSEL 20, 162-163 ; *CC*, 2, 1084 : « ... cum traduce Spiritus sancti, in nos quoque spectasset etiam persecutionis obeundae disciplina, ut in haereditarios discipulos et apostolici seminis frutices. »

    11-12. Cf. ci-dessus, l. 2.

    16. « Sicut... perpenditur in scripturis », mêmes expressions dans *Liber 33*, 35 ; 36, 9-10.

    17-24. *Rituel provençal*, p. 476[b], 18-26 et p. xvii ; il manque ici le verset : « sed baptisati... nomine... Ihesu » qui se trouve dans le N.T. (Clédat), p. 221[a], 15-24, cf. l. 21-23 : « Mais eran solament bateiadi el nom del senhor ihesu. » Totalité des versets dans *Recueil cathare* I, 11, 60-65, p. 831. Moneta de Crémone, p. 290 B.

    25-30. Moneta de Crémone, p. 281 B.

    26-36. *Recueil cathare* I, 11, 47-54, p. 831.

30 estis? Qui dixerunt : In Iohannis baptismate. Dixit
autem Paulus : Iohannes baptizavit baptismum penitentie
populum, dicens in eum qui venturus esset post ipsum
ut crederent, hoc est, in Ihesum. His auditis, baptizati
sunt in nomine domini nostri Ihesu Christi. Et cum
35 imposuisset illis manus Paulus, venit spiritus sanctus
super eos, et loquebantur linguis et prophetabant. Erant
autem omnes viri fere duodecim.» Et in eisdem Christus
ad Annaniam ait : «Surge, et vade in vicum qui vocatur
Rectus, et quere in domum Iude Saulum nomine, Tar-
40 sensem ; ecce enim orat. Et vidit virum Ananiam nomine,
introeuntem, et imponentem sibi manum ut visum
recipiat» et cetera. «Et abiit Ananias, et introivit in
domum, et imponens ei manum, dixit : Saule frater,
Dominus Ihesus misit me, qui apparuit tibi in via qua
45 veniebas, ut videas et implearis spiritu sancto. Et confestim
42ʳ ceciderunt ab occulis | eius tanquam squame, et visum
recepit ; et surgens baptizatus est. Et cum accepisset
cibum, confortatus est.» Et iterum : «Contingit autem
patrem Publii febribus et discenteria vexatum iacere.
50 Ad quem Paulus intravit ; et cum orasset et imposuisset
ei manus, sanavit eum.» Et ad Timotheum Apostolus
ait : «Propter quam causam amoneo te ut resuscites
gratiam dei, que est in te per impositionem manuum

---

31 baptismum *cum codd. Fuld. Rosas, Gigas* (W. III, 164)] baptisma *Vg.* ‖ 34 domini+nostri *cum Hieron. Ambr. (ibid.)] om.
Vg.* ‖ ihesu+christi *cum codd. Theod. W. de Hales, Gigas (ibid.)]
om. Vg.*

38 surge+et *cum quib. codd. S. Script.* (W. III, 94)] *om. Vg.* ‖
39 in domum *cum codd. Rosas Sangall. vers. lat. (ibid.)]* in domo
Vg. ‖ 41 manum *cum codd. Theod. Iuvenian. Sangall. Ulm.* (W. III,
95)] manus *Vg.* ‖ 42 introivit] introvit ‖ 43 manum *cum codd. Iuvenian.
Monac. Sangall. Ulm. lectiones* (W. III, 95)] manus *Vg.*

44 ihesus misit me *cum quib. codd. S. Script. (ibid.)]* misit me
Iesus *Vg.* ‖ 49 discenteria] dysenteria *Vg.* ‖ 51 sanavit *cum lectio
Bentl.* (W. III, 224)] salvavit *Vg.*

Esprit-Saint. Alors il dit : En qui donc avez-vous été
baptisés ? Ils dirent : Dans le baptême de Jean. Paul
répliqua : Jean a baptisé le peuple d'un baptême de
pénitence, disant qu'on devait croire en celui qui viendrait
après lui, c'est-à-dire en Jésus. L'ayant écouté, ils furent
baptisés au nom de notre Seigneur Jésus Christ. Et lorsque
Paul leur eut imposé les mains, l'Esprit-Saint descendit
sur eux, et ils parlaient en langues et prophétisaient.
Or ces hommes étaient en tout au nombre de douze
environ. » Et dans les mêmes <Actes des Apôtres> le
Christ dit à Ananias : « Lève-toi et va dans la rue appelée
<rue> droite et cherche dans la maison de Judas un
nommé Saül, de Tarse, car le voici en prière. Et <Saül>
vit l'homme nommé Ananias entrant et lui imposant
la main pour qu'il récupère la vue », etc. « Et Ananias
partit et entra dans la maison, et lui imposant la main
il dit : Saül, frère, le Seigneur Jésus m'a envoyé, lui qui
t'est apparu sur la route par laquelle tu venais, afin que
tu voies et sois rempli de l'Esprit-Saint. Et aussitôt
12ʳ tombèrent de ses yeux | comme des écailles, et il récupéra
la vue ; et se levant il fut baptisé ; et lorsqu'il eut pris de
la nourriture, il fut réconforté. » Et encore : « Or il arriva
que le père de Publius gisait accablé par la fièvre et la
dysenterie. Paul entra chez lui et, après avoir prié et lui
avoir imposé les mains, il le guérit. » Et l'apôtre dit à
Timothée : « A cause de cela, je t'avertis de ressusciter
la grâce de Dieu qui est en toi de par l'imposition de mes

38-42. Act. 9, 11-12   42-48. Act. 9, 17-19   48-51. Act.
28, 8   51-54. II Tim. 1, 6

33-36. MONETA DE CRÉMONE, p. 281 B.
38-48. Cf. ÉVERVIN DE STEINFELD, *Epist.* (*PL* 182, 678 C).
52-54. *Recueil cathare* I, 11, 67-68, p. 831.

mearum. » Et iterum : « Manus cito nemini imposueris,
55 neque comunicaveris peccatis alienis. » Et ad Hebreos
idem ait : « Baptismatum doctrine, impositionis quoque
manuum. »

11. Et de isto baptismate beatus Petrus, ut creditur,
in epistola prima ait : « In diebus Noe, cum fabricaretur
arca, in qua pauci, id est octo anime salve facte sunt
per aquam ; quod et vos nunc similis forme salvos facit
5 baptisma, non carnis depositio sordium, sed conscientie
bone interrogatio in deum per resurrectionem Ihesu
Christi. » Sed hic aliquantulum considerandum est quia
illi qui salvati fuerunt in arca Noe secundum istoriam
veteris testamenti non bene fuerunt salvati, ut videtur,
10 quia invenitur quod Noe cum filiis et uxoribus et animan-
tibus exivit de arca illius dei et plantavit vineam et bibit
de mero et ebrius fuit et cecidit et ostendit turpitudinem
suam. Maledixit filium suum Canaan, dicens : « Canaan
maledictus, servus servorum erit fratrum suorum », qui
15 unus fuerat ex salvatis de arca. Invenitur etiam in veteri
testamento quod illi, qui exierunt de arca illa et eorum
heredes, peccata multa et scelera turpissima perpetraverunt

---

56 doctrine *ex* dotne *corr. ms*
11, 10 uxoribus *ex* uxobus *corr. ms* ‖ 13-14 Canaan maledictus]
maledictus canaan *Vg.* ‖ 14 fratrum suorum *cum varia lectio. Vet.
Lat. typ.* **L** (V.L. 2, 132)] fratribus suis *Vg.* ‖ 15 fuerat *ex* furat *corr.
ms* ‖ salvatis *ex* savati *corr. ms*

54-55. I Tim. 5, 22   55-57. Hébr. 6, 2
11, 2-7. I Pierre 3, 20   13-14. Gen. 9, 25   16-19. Cf. Ex. 32,
27 ; Deut. 28, 57

11, 2-4, 5. MONETA DE CRÉMONE, p. 61 A. *Recueil cathare*, I,
11, 76-77, p. 831 : « Salvas per la archa ».
8-13. Pour l'auteur, Noé et sa postérité n'ont donc pas été sauvés.
SACCONI (éd. A. DONDAINE), p. 75, 17-19, attribue à J. de Lugio

mains. » Et encore : « N'impose pas trop vite les mains à
qui que ce soit, et ne participe pas aux péchés des autres. »
Et le même, s'adressant aux Hébreux, parle « de la doctrine
relative au baptême et à l'imposition des mains ».

11. Et c'est de ce baptême-ci, semble-t-il, que le
bienheureux Pierre dit dans sa première Épître : « ... Au
temps de Noé, on fabriquait l'arche, dans laquelle peu de
personnes, à savoir huit, furent sauvées par l'eau. Maintenant ce qui vous sauve vous aussi, c'est un baptême
analogue, qui consiste non à purifier des souillures de la
chair, mais à demander à Dieu une bonne conscience,
par la résurrection de Jésus Christ. » Mais ici il faut un
peu considérer que ceux qui furent sauvés dans l'arche de
Noé selon le récit historique de l'Ancien Testament, ne
furent pas sauvés comme il faudrait, semble-t-il, car on
constate que Noé, avec ses fils et leurs épouses et les
animaux, sortit de l'arche de ce Dieu, et planta une
vigne, but du vin pur, s'enivra et qu'il tomba et laissa voir
sa honte. Il maudit son fils Canaan en ces termes : « Maudit
soit Canaan : il sera l'esclave des esclaves de ses frères »,
lui qui avait été l'un des rescapés de l'arche. On trouve
aussi dans l'Ancien Testament que ceux qui sortirent de
cette arche et leurs héritiers, commirent nombre de péchés

---

l'idée qu'ils ont vécu dans le monde supérieur : « ... fuerunt homines
in alio mundo » ; éd. F. Šanjek, p. 57, 1-3. Durand de Huesca,
CM, p. 264-265, combat l'opinion cathare qu'ils étaient des esprits
déchus (265, 11) : « Non enim angeli mali fuerunt secundum opinio-
nem apostatarum » ; voir aussi Moneta de Crémone, p. 61 A, et *infra*,
16-19 n.

11-13. Moneta de Crémone, p. 215 B : « De Noe inducitur quod
inebriavit se vino. »

16-19. Durand de Huesca, *CM*, p. 265, 9, 12-13 : les ' heredes
eorum ' : « Omnes predicti principes... fuerunt... homines pessimati,
qui terrorem dedisse in terra vivencium referuntur », cf. ci-avant,
l. 8-13 et n.

et postea penuriam maximam et contumeliam nimiam
receperunt ita ut occiderent se invicem. Unde creditur
20 quod beatus Petrus non dixit de illo Noe veteris testamenti
nec de illa arca, sed dixit de arca testamenti quam fecit
dominus pro salute populi sui, de qua Apostolus ad
Hebreos ait : « Fide Noe, responso accepto de his que
adhuc non videbantur, metuens aptavit arcam in salute
25 domus sue, per quam dampnavit mundum ; et iusticie,
que per fidem est, heres est institutus. » Et Ihesu filius
Syrach ait : « Noe inventus est perfectus, et in tempore
42ᵛ iracundie factus est reconciliatio. | Ideo dimissum est
reliqum terre, cum factum est diluvium. Testamenta
30 seculi posita sunt apud illum, ne deleri possit diluvio
omnis caro. » Et de isto Noe dixit beatus Petrus in
epistola secunda, ut creditur : « Et originali mundo non
pepercit, sed octavum Noe iustitie preconem custodivit,
diluvium mundo impiorum inducens. » Et hoc est quod
35 dicitur, scilicet quod pater sanctus legem et testamentum
antiquitus suo populo tribuit et omnes illi qui *intraverunt
in arcam* illam, scilicet qui observaverunt testamentum
illud, salvi fuerunt ; sicut salvantur omnes qui intrant in
arcam novi *testamenti* et remanent in ea.

12. Et secundum hoc bene potuit dicere beatus Petrus :
« Sed nunc baptisma facit nos salvos similis forme »,

---

24 in salute *cum cod. Sangerm.* (W. II, 744)] in salutem *Vg.*
26 que *cum Vg.*] quem ‖ 27 perfectus]+iustus *Vg.* ‖ 33 *post* sed
scrips. et exponx. orig. ‖ preconem *cum Vg.*] precone ‖ 39 et *supr. lin.*
12, 2 nunc baptisma... similis forme] et vos nunc similis formae
salvos fecit baptisma *Vg.* (W. III, 297-298 ; V.L. 26/1, 148-149) ‖
nos *cum quib. Patr. (ibid.)*] vos *Vg.*

23-36. Hébr. 11, 7   27-31. Sir. 44, 17-19   32-34. II Pierre
2, 5   36-37. Cf. Matth. 24, 38   39. Cf. Hébr. 9, 4 ; Apoc. 11,
19
12, 2. I Pierre 3, 21

et de crimes très honteux et ensuite tombèrent dans une
très grande disette et une excessive abjection au point
de s'entretuer les uns les autres. D'où l'on pense que le
bienheureux Pierre ne parlait pas de ce Noé de l'Ancien
Testament, ni de cette arche-là, mais qu'il parlait de
l'arche du Testament fait par le Seigneur pour le salut
de son peuple, et dont l'Apôtre dit aux Hébreux : « Par
la foi, Noé, avisé de ce qui ne se voyait pas encore, fabriqua
avec crainte une arche pour le salut de sa maison, et par
là condamna le monde; et il fut constitué héritier d'une
justice qui repose sur la foi. » Et Jésus, fils de Sirach, dit :
« Noé fut trouvé parfait, et au temps de la colère <divine>,
2ᵛ il devint l'élément de réconciliation. | De sorte qu'une
réserve <humaine> fut laissée à la terre après qu'eût
lieu le déluge : des alliances séculaires furent conclues
<par Dieu> avec Noé, afin qu'aucune chair ne puisse
être exterminée par un déluge. » Et c'est de ce Noé que,
semble-t-il, le bienheureux Pierre a dit, dans sa seconde
Épître : « Et <Dieu> n'a pas épargné le monde des
origines, mais il garda <Noé>, le huitième, héraut de la
justice, quand il a provoqué le déluge sur le monde des
impies. » Et c'est ce que l'on veut dire quand on rappelle
que le Père saint accorda dans l'antiquité à son peuple
une Loi et un Testament et que tous ceux qui entrèrent
dans cette arche, c'est-à-dire qui observèrent ce Testament,
furent sauvés; comme sont sauvés tous ceux qui entrent
dans l'arche du Nouveau Testament et restent en elle.

12. Et, suivant cette donnée, le bienheureux Pierre a
bien pu dire : « Mais maintenant le baptême fait de nous
des sauvés de forme semblable », comme s'il disait : de

32-34. Durand de Huesca, *CM*, p. 126, 9-10.
12, 2. Moneta de Crémone, p. 282 A; *Recueil cathare* I, 11, 75-77,
p. 831. Voir ci-après l. 12-13.

quasi dicat : sicut illi salvati fuerunt per ordinamentum
illud, ita et per baptismum Ihesu Christi modo salvantur
5 christiani similis forme. Ad hoc consonat quod propheta
David ait : « Et enim deus noster ante secula, operatus
est salutem in medio terre. » Et Ysaias ait : « Transit
messis, finita est estas, et nos salvati non sumus. » Et
Apostolus de Christo ad Hebreos ait : « Decebat enim
10 eum, propter quem omnia, et per quem omnia, qui multos
filios in gloriam adduxerat, autorem salutis eorum per
passionem consumari. » Et « non depositio sordium carnis
facit nos salvos, sed interrogatio in deum bone conscientie »,
quasi dicat : non per opera ecclesie salvari possumus
15 sine hoc baptismate, scilicet per interrogationem bone
conscientie, que fit ad deum per *ministros Christi*. Sicut
Apostolus in prima ad Corinthios ait : « Et adhuc excellen-
tiorem viam vobis demonstro. Si linguis hominum loquar
et angelorum, caritatem autem non habeam, factus sum
20 velud es sonans aut cinbalum tiniens. Et si habuero
propheciam et noverim misteria omnia et omnem scientiam,
et si habuero omnem fidem ita ut montes transferam,

---

6 deus noster *om.* autem rex (B.S. 10, 172)] deus autem rex noster
Vg. et Ps. Rom. ‖ secula *cum Ps. Rom.* (ed. R. WEBER, 175)]
saeculum *Vg.*

7 salutem *cum Ps. Rom. (ibid.)*] salutes *Vg.* ‖ transit] transiit
Vg. ‖ 10 per quem *cum Vg.*] per quam ‖ 12 consumari *cum multis
codd. S. Script. vers. lat. et Patribus* (W. II, 698)] consummare *Vg.* ‖
non depositio sordium carnis] non carnis depositio sordium *Vg.* ‖
13 facit nos salvos *add.*] *om. Vg.* Cf. *supra* l. 2 ‖ sed interrogatio...
conscientie] sed conscientiae bonae interrogatio in deum *Vg.* ‖
14 salvari] salvare ‖ 18 demonstro *cum Vg.*] demostro

20 velud *ex* vellid *corr. ms* ‖ 20 et si habuero *cum plur. codd.
S. Script. et Patribus* (W. II, 247)] *om.* si *Vg.*

6-7. Ps. 73, 12   7-8. Ysaias revera Jér. 8, 20   9-12. Hébr.
2, 10   12-13. Cf. I Pierre 3, 21   16. Cf. II Cor. 11, 23   17-
26. I Cor. 12, 31-13, 3

même que ceux-là furent sauvés par cet *ordinamentum*
<= par ce rite>, ainsi les chrétiens sont maintenant
sauvés par le baptême de Jésus Christ de forme semblable.
A cela s'accorde ce que dit le prophète David : « En effet,
notre Dieu <existe> avant les siècles ; il a opéré le salut
au milieu de la terre. » Et Isaïe dit : « La moisson est passée,
l'été est fini, et nous, nous ne sommes pas sauvés... ». Et,
<parlant> du Christ, l'Apôtre dit aux Hébreux : « Car
il convenait à celui pour qui et par qui toutes choses
existent, qui avait conduit beaucoup de fils à la gloire,
de perfectionner par la passion l'auteur de leur salut. »
Et <le bienheureux Pierre avait raison de dire :> « ce
n'est pas la purification des souillures de la chair qui nous
sauve, mais la demande à Dieu d'une bonne conscience »,
en d'autres termes : nous ne pouvons pas être sauvés par
les œuvres de l'Église sans ce baptême, à savoir la demande
d'une bonne conscience, adressée à Dieu par les ministres
du Christ. Comme dit l'Apôtre dans la première aux
Corinthiens : « Et je vous indique en outre une voie encore
meilleure. Si je parle les langues des hommes et des anges
sans avoir la charité, je deviens comme un airain qui
résonne, ou comme une cymbale qui retentit. Et si j'avais
le don de prophétie et si je connaissais tous les mystères
et toute science, et si j'avais toute la foi au point de

9-12. Moneta de Crémone, p. 53 B.

12-13. *Id.*, p. 282 A.

14-15. Cf. *Liber*, 37, 5-7.

16. « Ministros », cf. *Liber*, 23, 16.

20-23. *Traité cathare*, p. 102, 16-18 et 103, 12-13. Durand de
Huesca, *CM* (p. 216, 22-217, 1, 13) ; p. 103, 15-16 ; 221, 31. Salvo
Burce (*Aevum*, 19, 1945), p. 339 (f. 219 rb) : « Apostolus loquitur
in persona bene predicancium et male operantium, qui non habent
caritatem habent malum opus. » Moneta de Crémone, p. 303 A.
Voir J. Dupont, *Gnosis, La connaissance religieuse dans les Épîtres
de saint Paul* (*Univ. cath. Lovan. Diss. in Fac. Theol. Ser.* II, t. 40),
Paris 1949, p. 188.

caritatem autem non habeam, nichil sum. Et si distribuero
in cibos pauperum omnes facultates meas, et si tradidero
25 corpus meum ita ut ardeam, caritatem autem non habuero,
nichil michi prodest », id est sine hoc baptismate *spiritus
caritatis.* Unde veri cristiani docti ab ecclesia primitiva
hoc ministerium impositionis manuum visibiliter faciunt
sine quo nullus salvari potest, ut creditur.

43ʳ | **13. De receptione spiritualis baptismatis**

Unde debetis intelligere quod hec est causa quare hic
estis coram ecclesia Ihesu Christi, scilicet occasione
recipiendi istud baptismum sanctum impositionis manuum
5 et perdonum peccatorum vestrorum, propter interrogationem bone conscientie que fit ad deum per bonos
cristianos. Unde debetis intelligere sicut estis temporaliter
coram dei ecclesia, ubi pater et filius et spiritus sanctus
spiritualiter habitat, quod ita spiritualiter cum anima
10 vestra debetis esse coram deo et Cristo et spiritu sancto
preparatus ad recipiendum istud ordinamentum sanctum
Ihesu Christi ; et sicut recipistis librum in manibus
vestris ubi precepta Christi scripta sunt et conscilia et
mine, sic, spiritualiter debetis recipere legem Christi in

23 non habeam *cum plur. codd. S. Script. et vers. lat.* (W. II,
248)] non habuero *Vg.* ‖ 25 ita ut *cum aliq. codd. S. Script. vers.
lat. et Patribus (ibid.)] om.* ita *Vg.* ‖ 29 salvari] salvare, *supra,* 12, 14
13, 11 recipiendum] recipendum ‖ 14 mine] minas

26-27. Cf. Gal. 5, 22

23-26. Durand de Huesca, p. 218, 6-8.
27. « Veri Christiani ». Cf. *Liber,* 45, 70 et note ; 69, 9 et note ;
supra, 10, 9-10 ; *infra,* 13, 6-7.
13, 4-5. « Impositio manuum et perdonum », cf. *supra,* 6, 3, 5 ;
9, 8, 10 ; 10, 11-12, 15, etc.

transporter des montagnes, sans avoir la charité, je ne suis rien. Et si je distribuais en nourriture pour les pauvres tous mes biens, et si je livrais mon corps pour être brûlé, sans avoir la charité, cela ne me sert de rien », ce qui veut dire : sans avoir ce baptême de l'esprit de charité. Voilà pourquoi les vrais chrétiens, instruits par l'Église primitive, remplissent aux yeux de tous ce ministère de l'imposition des mains, sans lequel, comme on le croit, nul ne peut être sauvé.

43ʳ   ### 13. De la réception du baptême spirituel.

Vous devez donc comprendre que telle est la raison de votre présence ici devant l'Église de Jésus Christ, c'est-à-dire à l'occasion de la réception de ce saint baptême de l'imposition des mains et du *perdonum* de vos péchés, à cause de la demande d'une bonne conscience adressée à Dieu par les bons chrétiens. Voilà pourquoi vous devez comprendre que, de même que vous êtes temporellement devant l'Église de Dieu, où le Père et le Fils et l'Esprit-Saint habitent spirituellement, de même vous devez être spirituellement avec votre âme devant Dieu et le Christ et l'Esprit-Saint, préparé à recevoir ce saint *ordinamentum* de Jésus Christ; et de même que vous avez reçu en vos mains le livre où sont mis par écrit les préceptes du Christ, ses conseils et ses menaces, ainsi vous devez recevoir spirituellement la loi du Christ dans les activités de votre

5-6. « Interrogatio bonne conscientie », cf. **12**, 13, 15-16.

6-7. « Bonos christianos », voir ci-dessus, **12**, 27 et note.

8-9. « Ecclesia Dei », et la Trinité, cf. *supra*, **9**, 5-6 et note et **1**, 11-12.

12. Tertullien, *Adv. Marcion.* II, 17 et III, 14 (*PL* 2, 305 A et 341 A [331 C et 369 B] ; *CSEL* 47, 358, 25-26 ; 400, 6-7) : « ... ad inspectationem... praeceptorum consiliorumque ejus (Dei) ; ... praecepta et minae (Christi) ».

15 operationibus anime vestre, ad observandum illam toto
tempore vite vestre sicut scriptum est : « Diliges dominum
deum tuum ex toto corde tuo, et ex tota anima tua, et
ex omnibus viribus tuis, et ex omni mente tua ; et
proximum tuum sicut teipsum. »

20 Unde debetis intelligere quod oportet vos diligere deum
cum veritate, cum *benignitate*, cum *humilitate*, cum
misericordia, cum castitate et cum aliis virtutibus bonis,
quia scriptum <est> : « Castitas facit hominem esse
proximum deo ; similiter autem et corruptio facit

25 ellongare. » Et iterum : « Castitas et virginitas angelis
proxima est. » Et Salamon ait : « Incorruptio facit esse
proximum deo. »

Item debetis intelligere quia oportet vos esse fidelem
et legalem in temporalibus et in spiritualibus, quia si vos

30 non fuissetis fidelis in temporalibus non credimus quod
possetis esse fidelis in spiritualibus, nec credimus quod
possetis salvari, quia Apostolus ait : « Neque rapaces
regnum dei possidebunt. » Item oportet vos facere hoc
votum et hanc promissionem deo, quod *nunquam facietis*

---

15 observandum] observadum ‖ 25 ellongare] ellaongare ‖ 30
fidelis] fideles

13, 16-19. Lc 10, 27   21-22. Cf. Col. 3, 12   26-27. Sag. 6, 20
32-33. I Cor. 6, 10   34-35. Cf. Matth. 19, 18 ; 15, 19

22-24. Sur le mariage, cf. *Liber*, **59,** 21-22, **62,** 19-20 et note. Le
chroniqueur Pierre des Vaux-de-Cernay, § 13, 17 (t. I, p. 15, 17)
blâme leur libertinage : « Credentes hereticorum dediti erant...
carnis illecebris. »

23-27. Defensor, *Liber Scintillarum* XIII, 16 et 21 (*PL* 88, 632 D,
633 A ; meilleures éditions H. M. Rochais, *CC* 117, Turnhout 1957,
66 et 67 ; *SC* 77, Paris 1961, 228, 230) : « Qui casti perseverant et
virginis, angelis Dei efficiuntur aequales. — Continentia hominem
Deo proximum facit ; ubi iuxta manserit, ibi et Deus manet. »
Bernard de Clairvaux, *Liber de modo bene vivendi* 22, 64 (*PL*
184, 1239 D) : « Continentia facit hominem proximum deo. »

âme, pour l'observer tout le temps de votre vie, ainsi qu'il est écrit : « Tu aimeras le Seigneur, ton Dieu, de tout ton cœur, de toute ton âme, de toutes tes forces, et de tout ton esprit; et ton prochain comme toi-même. »

En conséquence, vous devez comprendre qu'il faut que vous aimiez Dieu avec vérité, avec douceur, avec humilité, avec miséricorde, avec chasteté, et avec d'autres bonnes vertus, parce qu'il est écrit : « La chasteté rend l'homme tout proche de Dieu, mais pareillement la corruption l'en éloigne. » Et encore : « La chasteté et la virginité sont toutes proches des anges. » Et Salomon dit : « L'incorruptibilité fait qu'on est tout proche de Dieu. »

De même vous devez comprendre que vous devez être fidèle et soumis à la loi dans les choses temporelles comme dans les choses spirituelles, parce que si vous, vous n'étiez pas fidèle dans les choses temporelles, nous ne croyons pas que vous puissiez être fidèle dans les choses spirituelles et nous ne croyons pas que vous puissiez être sauvé, vu que l'Apôtre dit : « Et les voleurs ne posséderont pas non plus le royaume de Dieu. » De même, il faut que vous fassiez ce vœu et cette promesse à Dieu que jamais vous ne

29-31. GUILLAUME D'AUVERGNE. *De Universo* I, 2 (3), p. 687[a] A : « Generaliter intelligunt de rebus omnibus, hoc est, temporalibus et spiritualibus. »

32-33. DURAND DE HUESCA, *CM*, p. 143, 28-29. *Recueil cathare* I, 4, 16, p. 824.

34-37. Cette phrase résume toutes les prescriptions morales de l'Église de Dieu exposées dans ce recueil et mentionnées dans le *Rituel provençal*, p. 478[a], 6-9, p. xviii : « E sapiatz que el a comandat que hom no avoutre, ni ausisa, ni menta, ni jure negu sagrament, ni pane, ni raube. » Elles sont longuement commentées dans le *Recueil cathare* (éd. Th. VENCKELEER), I, ch. III, IV, V, VI, VII, p. 823-826. Contre l'homicide, l'adultère, le vol et le serment ordonnés par le mauvais dieu, cf. *Liber*, 49, 33-37 ; 50-51, *passim* ; 53, 2-3. Au sujet de l'homicide et du serment proscrits par les cathares, voir la réplique des hérésiologues signalée en note, *ibid.*, p. 336-337 et 301. Tout consolé qui commettrait l'une de ces fautes perdrait le privilège du consolamentum, ERMENGAUD DE BÉZIERS, XIV (*PL* 204, 1262 D).

35 *homicidium nec adulterium nec furtum* palam nec privatim,
nec iurabitis voluntarie aliqua occasione nec per vitam
nec per mortem. Unde David ait : « Vota mea domino
reddam coram omni populo eius. Preciosa in conspectu
domini mors sanctorum eius. » Item facietis hoc votum
40 deo, quod nunquam comedetis scienter nec voluntarie
caseum nec lactem, ovum, nec carnem avium reptilium
nec bestiarum prohibitam per dei ecclesiam.

Item per hanc iusticiam Christi oportuerit vos sustinere
famem, sitim, scandala, persecutionem et mortem, quod
45 omnia hec sustinebitis amore dei et vestra salute.

43ᵛ Item quod *eritis obediens* | deo et ecclesie ad vestrum
posse, ad dei voluntatem et eius ecclesie et quod nunquam
dimittetis hoc donum, si dominus vobis recipiendi gratiam
tribuerit, pro aliqua re que possit vobis evenire, quia
50 Apostolus dicit ad Hebreos : « Non sumus filii subtractionis in perditione, sed fidei in acquisitione anime. »
Et iterum in secunda ad Timotheum ait : « Nemo militans
deo implicat se negotiis secularibus, ut ei placeat cui se
probavit. » Et in evangelio Luce ait : « Nemo mittens
55 manum suam in aratrum, et aspiciens retro, aptus est
' in ' regno dei. » Et Ihesus filius Sirach ait : « Qui baptizatur
a mortuo et iterum tangit eum, quid proficit lavatio illius ?

35 homicidium *ex* homicium *corr. ms* ‖ 42 prohibitam] prohi-
bicam
48 recipiendi] recipiedi ‖ 50 sumus+filii *cum multis codd. S. Script.
sed post* subtractionis (W. II, 742)] *om. Vg.* ‖ subtractionis *ex*
subtrationis *corr. ms* ‖ 51 in perditione] in perditionem *Vg.* ‖ in
acquisitione *cum Theod.* ((adq-W. II, 742)] in acquisitionem *Vg.* ‖
54 mittens manum *ex* manum mittens *corr. ms* ‖ 55 est+in] *om. Vg.* ‖
57 eum *cum plur. codd. S. Script. et edit.* (B.S. 12, 298)] illum *Vg.* ‖
lavatio *cum cod. Amiat. (ibid.)*] lavatione *Vg.*

36-38. Ps. 115, 14-15   46. Cf. II Cor. 2, 9   50-51. Hébr. 10,
39   52-54. II Tim. 2, 4   54-56. Lc 9, 62   56-60. Sir. 34, 30-31

ferez d'homicide, ni d'adultère, ni de vol, en public ou en privé, que vous ne jurerez volontairement en aucune occasion ni sur la vie, ni sur la mort. Ce qui a fait dire à David : « J'acquitterai mes vœux au Seigneur en présence de tout son peuple : elle est précieuse aux yeux du Seigneur la mort de ses saints. » De même, faites ce vœu à Dieu de ne jamais manger, sciemment ou volontairement, du fromage, ou du lait, un œuf ou la chair d'oiseau, de reptile et de bête prohibée par l'Église de Dieu.

De même, par cette justice du Christ, il faudrait que vous supportiez la faim, la soif, les scandales, la persécution et la mort : vous supporterez tout cela pour l'amour de Dieu et pour votre salut.

43ᵛ   De même, soyez obéissant | à Dieu et à l'Église selon votre possibilité, pour <accomplir> la volonté de Dieu et de son Église, et ne rejetez jamais ce don, si le Seigneur vous accorde la grâce de le recevoir, quoi qu'il puisse vous arriver, puisque l'Apôtre dit aux Hébreux : « Nous ne sommes pas des fils de défection pour notre perdition, mais des fils de foi pour le salut de notre âme. » Et il dit encore dans la seconde à Timothée : « Aucun de ceux qui militent pour Dieu ne s'embarrasse des affaires séculières, afin de plaire à celui qui l'a enrôlé. » Et dans l'Évangile de Luc, <le Christ> dit : « Quiconque met sa main à la charrue et regarde en arrière n'est pas apte au royaume de Dieu. » Et Jésus, fils de Sirach, dit : « Celui qui s'est purifié d'avoir touché un mort et le touche à nouveau, à quoi lui sert-il de

---

40-42. Sur les aliments défendus, cf. *Liber*, **59**, 24-25 ; **62**, 21 et note.

43-44. Cf. *Liber*, **66**, 8-9.

47-49. Voir ci-après, 1. 69-70.

54-56. MONETA DE CRÉMONE, p. 303 B.

Sic homo qui ieiunat in peccatis suis, et iterum eadem faciens, quid facit humiliando se ? Orationem illius quis
60 exaudiet? » Et beatus Petrus in secunda epistola ait : « Si enim refugientes coinquinationes mundi in cognitione domini nostri et salvatoris Ihesu Christi, his rursum implicati superantur, facta sunt eis posteriora deteriora prioribus. Melius enim erat illis non cognoscere viam
65 iustitie, quam post agnitionem retrorsum converti ab eo sancto mandato, quod traditum est illis. Contingit enim illis illud veri proverbii : Canis reversus ad suum vomitum ; et, sus lota in volutabro luti. »

Quare debetis intelligere si hoc donum dei receperitis
70 quod oportebit vos retinere illud toto tempore vite vestre cum *puritate cordis* et mentis.

Item non intelligat quisquam quod per istud baptismum quod recipere intelligitis, quod debeatis contempnere aliud baptismum, nec cristianitatem nec bonum aliquod
75 quod fecistis vel dixistis usque tunc, sed debetis intelligere

---

59 facit] proficit *Vg.* ‖ 62 rursum *cum codd. Armach. Harleian. typ.* **X** (W. III, 326-327 ; V.L. 26/1, 219)] rursus *Vg.* ‖ 63 implicati cum *codd. Karolin. Sarisb. (ibid.)*] inpliciti *Vg.* ‖ 66 sancto mandato ... est illis] ab eo quod illis traditum est sancto mandato *Vg.* (W. III, 327 ; V.L. 26/1, 220) ‖ contingit *cum cod. Perpign. (ibid.)*] contigit *Vg.*

67 illis *cum codd. Cavens. I. Vallic. Tolet. Harleian. typ.* **ST** (W. *ibid.*, V.L. 26/1, 221)] eis *Vg.* ‖ 72 intelligat quisquam *ex* quisquam intelligat *corr. ms* ‖ 74 aliud] alliud ‖ 75 vel *coni*] nec

---

61-68. II Pierre 2, 20-22   71. Cf. I Tim. 1, 5

67-68. Durand de Huesca, p. 170, 7 ; 332, 16.
69-70. Augustin, *De civit. Dei* X, 32, 2 (*PL* 41, 313 ; *CSEL* 40[1], 505-506) : « Nondum receptum hoc donum Dei ». Pierre Lombard,

s'être lavé ? Ainsi l'homme qui jeûne pour ses péchés et
les commet à nouveau, à quoi lui sert-il de s'être humilié ?
Qui exaucera sa prière ? » Et le bienheureux Pierre dans sa
seconde Épître dit : « Si donc ceux qui fuient les souillures
du monde, dans la connaissance de notre Seigneur et
Sauveur Jésus Christ, y retombent par faiblesse, leur dernier
état devient pire que le précédent. Car pour eux il eût mieux
valu ne pas connaître la voie de la justice que, l'ayant
connue, revenir en arrière de ce saint commandement
qui leur avait été transmis. Car il leur arrive de justifier
la vérité de ce proverbe : « Le chien retourne à ce qu'il a
vomi ; la truie lavée va se vautrer dans la fange. »

C'est pourquoi vous devez comprendre, si vous avez
reçu ce don de Dieu, qu'il vous faudra le garder tout le
temps de votre vie avec pureté de cœur et d'esprit.

De même, personne ne doit penser que, par ce baptême
que vous avez l'intention de recevoir, vous deviez mépriser
l'autre baptême, <votre premier> christianisme et le
bien quel qu'il soit que vous avez fait ou dit jusqu'à
présent, mais vous devez comprendre qu'il vous faut

Sententie I, 18, 3, 4 (*PL* 192, 570 ; éd. Quaracchi 1916, I, 2, p. 118) :
« Spiritus sanctus et donum dicitur et datum sive donatum... Donum
vero dicitur... ex proprietate quam habuit ab aeterno... Sempiterne
enim donum fuit » ; 2ᵉ éd., Grottaferrata 1971, I, 18, 2 (3), p. 153 ;
cf. *supra*, p. 197, 6 et ci-dessus, l. 47-49. Le ' don de Dieu '
dont parle le cathare, c'est bien le Saint-Esprit reçu par le baptême
de l'imposition des mains.

72-78. Le rituel reconnaît la valeur du premier baptême et de la
vie chrétienne menée jusqu'ici par l'impétrant et qu'il doit parfaire.
Au témoignage du moine de CERNAY, le néophyte devait au contraire
en Languedoc abjurer sa foi en l'Église romaine et renier le baptême
catholique par la formule «Abrenuntio » répétée trois fois, § 19
(t. I, p. 19-20). Cf. *Catharisme et Valdéisme*, p. 290. Voir *supra*, p. 154-
155.

254 RITUEL CATHARE

quod oportet vos recipere istud sanctum ordinamentum
Cristi pro supplemento illius quod deficiebat ad salutem
vestram.

Sed dominus deus verus tribuat vobis gratiam recipiendi
80 hoc bonum ad honorem illius et salutem vestram. Parcite
nobis.

14. De officio consolamenti

Tunc ordinatus accipiat librum de manibus credentis
et dicat : « Iohannes — si sic vocatur eius nomen —,
habetis voluntatem recipiendi istud sanctum baptismum
5 Ihesu Christi, sicut memoratum est, et retinere illud
toto tempore vite vestre cum puritate cordis et mentis
et non deficere pro aliqua re ? » — Et Iohannes respondeat :
44ʳ | « Sic, habeo, rogate bonum *dominum* pro me ut *det*
michi suam *gratiam.* » — Et ordinatus dicat : « Dominus
10 deus verus tribuat vobis gratiam recipiendi hoc donum
ad honorem illius et ad bonum vestrum. » — Tunc credens
stet cum reverencia coram ordinato et dicat sicut dixerit
ancianus qui fuerit apud ordinatum, qui dicat : « Ego
veni deo et vobis et ecclesie et vestro sancto ordine pro
15 recipiendo perdonum et misericordiam de omnibus meis

14, 5 retinere] retine ‖ 7 aliqua] alliquam ‖ 15 *post* perdonum
scrips. petendo *deinde corr. in* penitendo *postea exponx.*

14, 8-9. Cf. I Pierre 5, 5

---

76. Cf. *supra,* **13**, 11-12.
78. Concile du Latran 1215, c. 1. (MANSI, XXII, 982) : « Sacramentum vero baptismi... ad invocationem individuae Trinitatis, videlicet
Patris et Filii et Spiritus Sancti... proficit ad salutem. » R. FOREVILLE,
Latran I, II, III et Latran IV (*Histoire des conciles œcuméniques* 6),
Paris 1965, p. 278, 343. Voir MONETA DE CRÉMONE, p. 94 B *in fine.*
14, 1. « Consolamentum », cf. *supra,* **9**, 10-12 et note.

recevoir ce saint *ordinamentum* du Christ en supplément de celui qui était insuffisant pour votre salut.

Que le Seigneur, vrai Dieu, vous accorde la grâce de recevoir ce bien pour sa gloire et pour votre salut. Ayez pitié de nous!

14. De l'office du consolamentum.

Que l'ordonné reçoive alors le livre des mains du croyant et qu'il dise : « Jean — si tel est son nom — avez-vous la volonté de recevoir ce saint baptême de Jésus Christ, tel qu'on vous l'a rappelé, et de le garder tout le temps de votre vie avec pureté de cœur et d'esprit et de ne faire défection pour aucun motif? » — Et que Jean réponde : 4ʳ | « Oui, je l'ai, priez le bon Seigneur pour moi, afin qu'il me donne sa grâce. » — Et que l'Ordonné dise : « Que le Seigneur, vrai Dieu, vous accorde la grâce de recevoir ce don pour son honneur et pour votre bien. » — Que le croyant se tienne respectueusement devant l'Ordonné et qu'il répète ce que disait l'Ancien qui était auprès de l'Ordonné, en ces termes : « Moi, je suis venu à Dieu, à vous, à l'Église et à votre saint ordre pour recevoir le *perdonum* et la miséricorde de tous les péchés que j'ai commis moi-

2-6. Cf. *supra*, **5**, 16-20 ; **8**, 6-10 ; **13**, 70-71. BERNARD GUI, *Manuel* I, p. 22.

8-9. *Rituel provençal* (éd. L. CLÉDAT), p. 478ᵇ, 22 s. : « Et el diga enaissi : ei volontat, pregatz Deu per mi que m'en do la sua forsa » ; p. xx. A. DONDAINE, *Un traité*, p. 41.

10-11. Cf. *supra*, **5**, 24-25 et 13-14.

13-18. *Rituel provençal*, p. 478ᵇ, 25 - 479ᵃ, 9 ; p. xx : « E puis la us dels bos homes fasa so miloirer ab le crezentz a l'ancia e diga : Parcite nobis... e a totz vos » ; et A. DONDAINE, p. 42. Voir *Rituel provençal*, p. 471ᵃ, 14 - 471ᵇ, 3 : « Nos em vengut denant Deu... de misericordia que nos perdo » ; p. ix. La formule : « Ego veni deo... dimittat michi », sans être littérale rappelle le ʽ Confiteor Deo ʼ de la liturgie catholique, voir *infra*, 21-25.

peccatis, que sunt in me commissa et operata pro aliquo
tempore usque modo, quod vos rogetis deum pro me,
quod ipse dimittat michi. Benedicite, parcite nobis. » —
Tunc ordinatus respondeat : « A deo et nobis et ecclesia
20 et a suo sancto ordine et a suis sanctis preceptis et dixipulis
recipiatis vos perdonum et misericordiam de omnibus
vestris peccatis, que in vobis comissa sunt et operata
pro aliquo tempore usque modo, quod dominus deus
misericordie dimittat vobis et conducat vos ad vitam
25 eternam. » — Et credens dicat : « Amen, fiat nobis, domine,
secundum verbum tuum. » — Tunc credens surgat et
ponat suas manus super discum coram ordinato. Et
ordinatus tunc *imponat* librum *super caput eius*, et omnes
alii ordines et christiani, qui ibi fuerint, *manus suas*
30 *dexstras imponant super eum*. Et ordinatus dicat : « In
nomine patris et filii et spiritus sancti. » — Et ille qui est
apud ordinatum dicat : « Amen ». Et omnes alii dicant
plane. — Tunc ordinatus dicat : « Benedicite, parcite
nobis, amen. Fiat nobis, domine, secundum verbum
35 tuum, pater et filius et spiritus sanctus dimitat vobis et

---

28. Cf. Matth. 27, 37   29-30. Cf. Apoc. 1, 17 ; Act. 6, 6 ;
Matth. 9, 18

19-21. *Rituel provençal*, p. 479ª, 9-12 : « E li crestia digan : De
Deu e de nos... que les vos perdo » ; p. xx ; A. DONDAINE, p. 42.
Cf. ci-dessus, l. 14-16 et 6, 11-12.
21-25. E. MARTÈNE, *De antiquis Ecclesiae ritibus* I, IV, 12 (t. I,
Anvers 1763), p. 173 A. *Ordo* III : « Misereatur nostri omnipotens
Deus et dimissis omnibus peccatis nostris, perducat nos ad vitam
aeternam. Amen » ; le texte de la liturgie cathare s'apparente fort
à cette « Expositio brevis antiquae liturgiae Gallicanae », qui s'inspire
du Missel Ambrosien (MARTÈNE, *op. cit.*, éd. 1736, p. 481 C) et de
l'*ordo missae* lyonnais, tous issus de l'ancienne liturgie romaine.
L'« Ego veni deo » et le « Misericordiam... vitam eternam » du cathare
correspondent au « Confiteor » et au « Misereatur nostri » que le prêtre

même et faits en quelque temps que ce soit jusqu'à
maintenant. Vous, priez Dieu pour moi de me pardonner.
Bénissez, ayez pitié de nous. » — Que l'Ordonné réponde
alors : « Au nom de Dieu, de nous, de l'Église et de son saint
ordre, de ses saints préceptes et de ses disciples, recevez,
vous, le *perdonum* et la miséricorde pour tous les péchés
que vous avez commis et faits en quelque temps que ce soit
jusqu'à maintenant, afin que le Seigneur, Dieu de miséricorde, vous les remette et vous conduise à la vie éternelle! »
— Et que le croyant dise : « Amen! qu'il nous soit fait,
Seigneur, selon ta parole! » — Que le croyant se lève alors
et pose ses mains sur la table devant l'Ordonné. Et que
l'Ordonné place le livre sur sa tête, et que tous les autres
membres de l'Ordre et les chrétiens qui seront là lui
imposent leur main droite. Et que l'Ordonné dise : « Au
nom du Père et du Fils et du Saint-Esprit. » — Et que
celui qui est auprès de l'Ordonné dise : « Amen! » Et que
tous les autres le disent clairement. — Que l'Ordonné
dise alors : « Bénissez, ayez pitié de nous! Amen. Qu'il
nous soit fait, Seigneur, selon ta parole : que le Père et le
Fils et l'Esprit-Saint vous remettent et pardonnent tous

prononçait jadis au bas de l'autel avant la messe et qui, depuis
Vatican II, ont été modifiés. Cf. D. BUENNER, *L'ancienne liturgie
romaine. Le rite lyonnais*, Lyon 1934, p. 224-225.

25-26. Cf. *supra*, 6, 8-9.

26-30. *Rituel provençal*, p. 479ª, 12-16 : « E puis devo lo cossolar.
E l'ancia prenga lo libre e meta lei sus lo cap, e li autri boni homi
cascu la ma destra » ; p. xx ; A. DONDAINE, *Un traité néomanichéen*,
p. 42. BERNARD GUI, *Manuel* I, p. 22.

28-45. ERMENGAUD DE BÉZIERS 14 (*PL* 204, 1262 A-B) : « Et
quando volunt facere « consolamentum »... Et sic finitur illud
consolamentum. » Voir *infra*, Append. nº 9, p. 269. *Catharisme et
Valdéisme*, p. 278.

34-36. *Rituel provençal*, p. 479ª, 16 : « E digan las parcias » ;
p. xx ; A. DONDAINE, *op. cit.*, p. 42. Cf. *supra*, 6, 8-10.

parcat omnia peccata vestra. Adoremus patrem et filium
et spiritum sanctum, adoremus patrem et filium et
spiritum sanctum, adoremus patrem et filium et spiritum
sanctum : Pater sancte, iustus et verax et misericors,
40 *dimitte servo tuo*, recipe eum in tua iustitia. — Pater
noster qui es in celis, sanctificetur nomen tuum » et cetera.
— Et dicat quinque orationes vociferando et postea
Adoremus ter. Et postea dicat unam orationem et postea
« Adoremus patrem et filium et spiritum sanctum » ter.
45 Et postea « In principio erat verbum », et cetera. Finito
evangelio, ter dicat « Adoremus patrem et filium et
spiritum sanctum », et postea orationem unam. Et postea
ter dicat Adoremus, et levet gratiam.

Et christianus osculet librum, et postea faciat tres
50 reverentias, dicendo : « Benedicite, benedicite, benedicite,
parcite nobis ; deus *reddat* vobis bonam *mercedem* de illo
bono quod michi fecistis amore dei. »

---

45 principio *ex* prinpio *corr. ms* ‖ In principio... etc. Jn 1, 1-17
secundum Rituale Lugdunense (éd. L. CLÉDAT), p. 470[b]-471[a]

---

40. Cf. Lc 2, 29   50-52. Sag. 10, 17 ; Matth. 20, 8 ; Apoc.
11, 18.

36-39. *Rituel provençal*, p. 479[a], 16-17 : « E tres ' adoremus ' »,
p. xx ; A. DONDAINE, *op. cit.*, p. 42 ; dans le *Rituel provençal*, au début
de la cérémonie, après le « Benedicite », p. 470[a], 5-6 et 19-20 après
le *Pater* : « Adhoremus patrem et filium et [e]spiritum sanctum tres
vegadas. » MONETA DE CRÉMONE, p. 267 B : « Nonne vos Cathari
adoratis Patrem, et Filium et Spiritum Sanctum ? : nam et hoc in
consuetudine vestra et dicere : Adoremus Patrem et Filium, et
Spiritum Sanctum. » Sur la Trinité, cf. *supra*, 9, 5-6 et note.

39-43. *Rituel provençal*, p. 479[a], 17-23 : « E puis : Pater sancte,
susciper servum tuum in tua iusticia et mite gratiam tuam e spiritum
sanctum tuum super eum. E pregon deu ab la oracio, e aquel que
guisa lo menester deu ecelar a la sezena ; e can la sezena sera dita deu

vos péchés. Adorons le Père et le Fils et l'Esprit-Saint;
adorons le Père et le Fils et l'Esprit-Saint; adorons le
Père et le Fils et l'Esprit-Saint. Père saint, juste, véridique
et miséricordieux, pardonne à ton serviteur, reçois-le
dans ta justice. — Notre Père, qui es dans les cieux, que
ton nom soit sanctifié », etc. — Et qu'il dise cinq oraisons
à haute voix, suivies de : « Adorons... » trois fois. Et ensuite,
qu'il dise une oraison, suivie de : « Adorons le Père et le
Fils et l'Esprit-Saint », trois fois. Et ensuite : « Au commencement était le Verbe », etc. L'Évangile fini, qu'il
dise trois fois : « Adorons le Père et le Fils et l'Esprit-
Saint », et ensuite une oraison. Et finalement qu'il dise
trois fois « Adorons... » et qu'il rende grâce.

Et que le chrétien baise le livre; puis, qu'il fasse trois
révérences, en disant : « Bénissez, bénissez, bénissez,
ayez pitié de nous; que Dieu vous rende une bonne
récompense de ce bien que vous venez de me faire pour
l'amour de Dieu. »

---

dire tres Adoremus » ; p. xx ; A. Dondaine, *op. cit.*, p. 43. Ermengaud
de Béziers, ci-dessus, 28-45 note. Voir Append. n⁰ 22, p. 293ᵈ, col. 2.

43-48. *Rituel provençal*, p. 479ᵃ, 23-479ᵇ, 1 : « E la oracio una vetz
en auzida, e puis l'avangeli e can l'avangeli es ditz devo dire tres
Adoremus e la gratia e las parcias » ; p. xxi ; A. Dondaine, *Un
traité néomanichéen*, p. 43. Ermengaud de Béziers, ci-avant,
n. 28-45 et *infra*, Appendice nᵒˢ 9 et 22, p. 269 et 293ᵉ, col. 2.

45. Bernard Gui, *Manuel* I, p. 22.

49-50. Une fois le rite accompli, le postulant ou ' credens ' est
devenu ' christianus ' ou ' parfait '. *Rituel provençal*, p. 479ᵇ, 1-5 :
« E puis devo far patz entre lor et ab lo libre. E si crezentz i a fasan
patz atressi, e crezentas si n'i a fasan patz ab lo libre et entre lor » ;
p. xxi ; A. Dondaine, *op. cit.*, p. 43. Cf. *infra*, Appendice n⁰ 22,
p. 293ᵉ, col. 2.

49-52. Cf. *supra*, 6, 22-25. Voir Avicebron, *Fons vitae* IV, 9, éd.
C. Baeumker, p. 230, 25 : « Ergo dator bonitatis reddat tibi magnum
meritum. »

Tunc ordines, christiani et christiane recipiant servicium
sicut consuetudo est ecclesie.

55   Omnes boni christiani rogant deum pro illo qui scripsit
has rationes. Amen. Deo gratias.

---

56 Deo gratias *rub. litt.*

---

53. *Rituel provençal*, p. 479ᵇ, 6-7 : « E puis pregon Deu ab dobla
et ab venias et auran liurat » ; p. xxi ; A. Dondaine, *op. cit.*, p. 43. —

Alors, que les membres de l'Ordre, les chrétiens et les chrétiennes reçoivent le *servitium* selon la coutume de l'Église.

Que tous les bons chrétiens prient Dieu pour celui qui a écrit ce Rituel. Amen! Deo gratias!

« Servicium », cf. *supra*, **6,** 27. A. Dondaine, p. 45. A. Borst, p. 199-200, note 28.

56. « Rationes », sens d'argumentation, cf. *Liber*, **20,** 4 et **58,** 17, 57, et notes.

APPENDICES

1

*Disputationes Photini Manichaei cum Paulo Christiano,
Propositiones adversus manicheos 9, ms. Vatican grec
1838, fol. 264ᵛ, l. 16-19 (PG 88, 572 C). Cf. supra, p. 123.*

9. Si scientia et fide sua
salvantur Manichaei, cur
opus est illis olei obsignatione ? Et si possunt salvari
ii qui cum fide et scientia
utuntur olei obsignatione,
quomodo eos sit impossibile
salvari qui cum fide et
scientia accedunt ad aquae
baptismum ?

θ΄. Εἰ γνώσει καὶ πίστει
διασώζονται οἱ Μανιχαῖοι, τί
χρήζουσι τῆς διὰ τοῦ ἐλαίου
σφραγίδος ; Καὶ εἰ δυνατὸν
σωθῆναι τοὺς μετὰ γνώσεως
καὶ πίστεως χρήζοντας τῆς διὰ
ἐλαίουᵃ σφραγίδος, πῶς ἀδύνα-
τον σωθῆναι τοὺς ἐν πίστει καὶ
γνώσειᵇ προσιόντας τῷ διὰ τοῦ
ὕδατος βαπτίσματι ;

a) τοῦ ἐλαίου   *Vat.*
b) καὶ πίστει   *add. Vat.*

2

ÉPIPHANE, *Panarion* LXVI, 30, *PG* 42, 77 C-D (éd.
F. OEHLER, *Corpus haereseologicum*, t. II, Berlin 1861,
p. 452). Cf. *supra*, p. 123, n. 93.

Λ΄. Περὶ δὲ τῶν παρ᾽ ὑμῖν
προφητῶν οὕτως λέγει · Πνεῦμα εἶναι ἀσεβείας, ἤτοι ἀνομίας
τοῦ σκότους, τοῦ ἀπ᾽ ἀρχῆς
ἀνελθόντος · καὶ διὰ τοῦτο πλα-
νηθέντες οὐκ ἐλάλησαν. Ἐτύ-
φλωσε γὰρ αὐτῶν ὁ ἄρχων τὴν
διάνοιαν. Καὶ εἴ τις ἀκολουθεῖ

XXX. De prophetis nos-
tris ita disserit : Impietatis
sive improbitatis tenebrarum esse Spiritum, qui
ascendit ab initio ; et ob id
aberrantes nihil locuti sunt,
quod illorum princeps ob-
caecatus animo fuerit. Quo-

τοῖς λόγοις αὐτῶν, ἀποθνήσκει
εἰς τοὺς αἰῶνας, δεδεμένος
εἰς τὴν βῶλον, ὅτι οὐκ ἔμαθε
τὴν γνῶσιν τοῦ Παρακλήτου.
Ἐνετείλατο δὲ τοῖς ἐκλεκτοῖς
αὐτοῦ μόνοις, οὐ πλέον ἑπτὰ
οὖσι τὸν ἀριθμόν· Ἐὰν παύ-
σησθε ἐσθίοντες, εὔχεσθε, καὶ
βάλλετε ἐπὶ τῆς κεφαλῆς ἔλαιον
ἐξωρκισμένον ὀνόμασι πολλοῖς,
πρὸς στηριγμὸν τῆς πίστεως
ταύτης.

rum qui sermonibus auscul-
tat, in sempiternum perit,
ad glebam illigatus, pro
eo quod Paracleti scientiam
minime didicit. Quin etiam
solis id electis suis, qui non
plures quam septem fue-
runt, hoc mandatum dedit :
Ubi cibum sumpseritis, orate, et oleum multorum
invocatione nominum con-
secratum in caput insper-
gite, ut haec in vobis fides
corroboretur.

3

EUTHYME DE LA PÉRIBLEPTOS, *Epistula invectiva*, éd.
G. FICKER, *Die Phundagiagiten*, Leipzig 1908, p. 24-25.
Cf. *supra*, p. 130-131, n. 105-106.

Ἐρωτώμενος δὲ ὁ πρῶτος αὐτῶν κακός, πόθεν αὐτῷ ἦν ἡ τῶν
γραφῶν μάθησις· καὶ πῶς ἐπὶ στόματος τὰ τῆς γραφῆς φέρῃς,
καίπερ μὴ πιστεύων αὐτά, ὡμολόγησεν ὁ κατάρατος εἰπών· ὅτι
Πέτρου τινὸς αἱρετικοῦ καὶ δειλαίου τοῦ γναφέως, τοῦ ἐπονομασθέντος
Λυκοπέτρου, ἔχομεν ἐπῳδὴν σατανικήν, ἣν καὶ λέγομεν ὅτι ἔστιν
ἡ ἀποκάλυψις τοῦ ἁγίου Πέτρου· καὶ ὅταν πείσωμεν διὰ ποικίλης
διδαχῆς ἀποστῆναί τινα ἀπὸ τοῦ θεοῦ καὶ φέρωμεν αὐτὸν εἰς τὸ
ἡμέτερον θέλημα, μᾶλλον δὲ εἰς αὐτοῦ τοῦ διαβόλου, καὶ γνῶμεν,
ὅτι ἀπέστη ἀπ᾽ αὐτοῦ ἡ χάρις τοῦ ἁγίου πνεύματος, ἣν ἔλαβεν ἐν τῷ
ἁγίῳ βαπτίσματι· τότε ἔχομέν φησι τύπον ἐπαναγινώσκειν τὴν
αὐτὴν σατανικὴν ἐπῳδὴν ἐπάνω τῆς κεφαλῆς αὐτοῦ· καὶ ταύτης
ἀναγινωσκομένης παρευθὺς ὡς ἐξελθούσης ἀπ᾽ αὐτοῦ τῆς τοῦ ἁγίου
πνεύματος χάριτος, ἣν λαμβάνει ἀπὸ τοῦ ἁγίου βαπτίσματος, καὶ
γίνεται ἐνέργεια σατανικὴ εἰς τὸν πλανηθέντα· καὶ ἔκτοτε εἴ τι
θέλει λαλεῖ. Ἐρωτώμενος δὲ εἰπεῖν, εἰ γινώσκει ὁ πλανηθείς, ὅτι
ἐπῳδὴ ἀναγινώσκεται ἐπάνω αὐτοῦ, εἶπε μὴ γινώσκειν· ἀλλὰ
δελεάζομεν αὐτὸν λέγοντες, ὅτι τὸ τετραευάγγελόν σοι θέλομεν
ἐπαναγνῶναι· καὶ τίθεμεν τὸ βιβλίον ἐπάνω τῆς κεφαλῆς αὐτοῦ
καὶ ἀρχόμεθα ἀπὸ τοῦ ἁγίου εὐαγγελίου γνωρίμους λόγους πρὸς
τὸ λαθεῖν αὐτόν· καὶ οὕτως λανθανόντως σὺν τοῖς εὐαγγελικοῖς
ῥητοῖς | ἐπαναγινώσκομεν καὶ τὴν ἐπῳδὴν ἐπάνω τῆς κεφαλῆς αὐτοῦ.
Τούτου δὲ γενομένου καὶ τῆς χάριτος τοῦ ἁγίου πνεύματος ἐξ αὐτοῦ

ὑποχωρούσης λαμβάνει τὴν σφραγῖδα τοῦ διαβόλου καὶ ὑπεισέρχεται καὶ ἐμφωλεύει εἰς τὴν καρδίαν αὐτοῦ πνεῦμα πονηρόν· καὶ τοῦ λοιποῦ οὐδεὶς τὸν τοιοῦτον δύναται ἐξελεῖν ἐκ τῶν τοῦ διαβόλου χειρῶν· | οὐκ οἶδα, εἰ μὴ αὐτὸς ὁ θεός· ὅπερ καὶ αὐτὸς ὡμολόγει παθεῖν διηγούμενός πως καὶ καταρώμενος τὸν διδάσκαλον αὐτοῦ. Εἴπομεν δὲ ἡμεῖς πάλιν πρὸς τὸν ἄθεον· ἐπεὶ σὺ ἑαυτοῦ καταμαρτυρεῖς, ὅτι πεπλανημένος εἶ καὶ πλάνη ἐστίν ἡ διδασκαλία σου καὶ τοιαύτη πάντων τῶν κακῶν μείζων, πῶς καὶ ἄλλους ἐξαπατᾶν σπουδάζεις ; Καὶ ἀπερίθη ὁ κατάρατος, ὅτι οἱ ἐν γνώσει τοῦ κακοῦ γενόμενοι καὶ χειροτονηθέντες παρὰ τοῦ διαβόλου ἀπόστολοι καὶ διδάσκαλοι, εἰ μὴ τοῦτο μετὰ σπουδῆς ποιῶσι πολλῆς, ζωὴν μετὰ τῶν μιαρῶν δαιμόνων οὐκ ἔχουσιν. Ἐπερωτήσαντες δὲ πάλιν τοῦ εἰπεῖν· εἰ μετὰ τοῦτο ἐπιγινώσκει ὁ πλανηθεὶς τῆς ἐπῳδῆς τὴν ὑπόθεσιν, εἶπε μὴ γινώσκειν· ἀλλὰ μόνοι ταύτην γινώσκουσιν οἱ τοῦ κακοῦ διδάσκαλοι. Καὶ πάλιν πρὸς αὐτὸν εἴπομεν· καὶ ἐπεί, ὡς σὺ ἀνομολογεῖς, πάντα τὰ τοῦ διαβόλου καὶ φρονεῖτε καὶ πράττετε, πῶς ὑποκρίνεσθε πάντα τὰ τῶν Χριστιανῶν ; Καὶ ἀπεκρίθη ὁ τρισάθλιος εἰπών· ὅτι λέγει ὁ ἀπόστολος, ὅτι πᾶν ὃ οὐκ ἐκ πίστεως, ἁμαρτία ἐστίν· ἡμεῖς δὲ εἰ ποιοῦμεν πάντα, ἀλλ᾽ οὖν πίστει οὐ ποιοῦμεν, οὔτε βάπτισμα, οὔτε ἱερωσύνην, οὔτε μονακιχὴν οὔτε ἄλλο τι τῶν Χριστιανῶν.

4

EUTHYME DE LA PÉRIBLEPTOS, *Epistula invectiva*, éd. G. FICKER, p. 30. Cf. *supra*, p. 133, n. 111.

... Καὶ ὅταν γνῶσιν οἱ παμβέβηλοι, ὅτι ἀπέστη ἀπ᾽ αὐτῶν τὸ πνεῦμα τὸ ἅγιον καὶ ὡς ἀλλοτριωθέντες τοῦ ἁγίου βαπτίσματος καὶ πνεῦμα ἀκάθαρτον εἰς αὐτοὺς ἐνοικῆσαν διὰ τῆς μιαρᾶς ἐπῳδῆς, καὶ τότε ἀσφάλειαν καὶ ὅρκους αὐτοὺς ἀπαιτήσαντες, τότε ἀπάρχονται τοῦ θαρρεῖν αὐτοῖς τὴν μιαρὰν τοῦ διαβόλου μυσταγωγίαν· καὶ τὰ αὐτοῦ μυστήρια· πλὴν οὐ πάντα ὁμοῦ θαρροῦσιν, ἀλλ᾽ ἓν μόνον· καὶ ὅτ᾽ ἂν ἴδωσι τὸν ἐλεεινὸν ἐκεῖνον παγιωθέντα εἰς τὸ ἓν ἐκεῖνο καὶ πρῶτον κακόν, πάλιν λέγουσιν αὐτῷ ἕτερον· καὶ οὕτως ἐκ τοῦ κατὰ μικρὸν ὡς ἐπὶ χρόνον ἢ καὶ δύο μόλις αὐτῶν πᾶσαν τὴν αἵρεσιν καὶ μανίαν αὐτῶν ἀποκαλύπτουσιν εἰς αὐτόν. Καὶ τοῦ λοιποῦ φέρουσιν αὐτὸν καὶ προσκυνεῖ αἰσθητῶς τὸν διάβολον καὶ οὕτως εἰς τὸν μαθητήν, ὃν πλανῶσιν, ἐργασάμενοι, γίνεται καὶ αὐτὸς δαίμων, | εἷς ἐξ αὐτῶν διδάσκαλος τοῦ λοιποῦ καὶ οὐ μαθητής.

5

EUTHYME DE LA PÉRIBLEPTOS, *Epistula invectiva*, éd. G.
FICKER, p. 77. Cf. *supra*, p. 61, n. 80ᵃ et p. 130-131, n. 106.

Ταῦτα μὲν πάντα οἱ τῆς ἀσεβείας φανερῶς τοῖς πᾶσιν εἰπεῖν ἢ
διδάξαι οὐ τολμῶσιν, ἀλλὰ καὶ ὑποκρίνονται ὡς ἔφημεν πάντα τὰ
ἡμέτερα πιστεύειν, ἰδίᾳ δὲ καὶ ἐν τῷ σκότει οἱ τοῦ σκότους υἱοὶ
διδάσκουσι τὰ προειρημένα τῶν θείων γραφῶν μὴ πιστεύειν τοὺς
αὐτῶν μαθητάς. Καὶ ταῦτα μὲν στηλιτευόμενα παρ' ἡμῶν, τὰ τῶν
ἀσεβῶν ἀκούοντες, ἀγνοοῦντες δέ, ὅτι τοιαῦτά εἰσί, μὴ ἀπιστείτωσαν.
Καὶ γὰρ τοσοῦτον αὐτοῖς ὑπεκρίθην καὶ ἰχνηλάτησα, ὅπως δυνηθῶ
νοῆσαι τὸν δόλον καὶ τὴν μανίαν αὐτῶν, ὥστε ἀπὸ τῆς παρρησίας,
ἧς ἔλαβον εἰς ἐμέ, ποιεῖν αὐτοὺς τὴν μιαρὰν αὐτῶν εὐχὴν ἔμπροσθέν
μου. Καὶ ἀκούσατε, πῶς καὶ τὰ τῆς εὐχῆς αὐτῶν ἔχει. Ἵσταται
ὁ πρόκριτος τῶν ἀσεβῶν καὶ ἄρχεται λέγων · προσκυνοῦμεν πατέρα
καὶ υἱὸν καὶ ἅγιον πνεῦμα · καὶ ἀποκρίνονται οἱ συνευχόμενοι ·
ἄξιον καὶ δίκαιον · καὶ ἄρχεται τὸ πάτερ ἡμῶν κατὰ τὸν τρόπον,
ὃν προειρήκαμεν, ποιοῦντες μετανοίας κατὰ τρόπον τοιόνδε · τὰς
κεφαλὰς αὐτῶν ἀνάγοντες καὶ κατάγοντες ὡς οἱ δαιμονιζόμενοι ·
εὔχονται δὲ οὐ κατὰ ἀνατολάς, ἀλλ' ὅθεν ἂν εὑρεθῶσιν ἱστάμενοι,
κἄντε πρὸς βορρᾶν κἄντε νότον, κατὰ δύσιν, κἄντε καὶ κατὰ ἀνατολάς.

6

EUTHYME ZIGABÈNE, *Narratio*, éd. G. FICKER, p. 100, 21 -
101, 7. Cf. *supra*, p. 61, n. 80ᵃ; p. 132-133, n. 107, 108, 111.

κζ'. Μόνην ὀνομάζουσι προσευχὴν τὴν ὑπὸ τοῦ Κυρίου παραδοθεῖσαν
ἐν τοῖς Εὐαγγελίοις ἤγουν τὸ πάτερ ἡμῶν. Καὶ ταύτην μόνην προσεύ-
χονται ἑπτάκις μὲν τῆς ἡμέρας, πεντάκις δὲ τῆς νυκτός. Ὁσάκις δὲ
εἰς προσευχὴν ἵστανται, λέγουσι τὴν προσευχὴν ταύτην, οἱ μὲν δεκάκις
μετὰ γονυκλισίας, οἱ δὲ πεντεκαιδεκάκις, οἱ δὲ πλεῖον ἢ ἔλαττον.
Τὰς δ' ἄλλας πάσας εὐχὰς ἀτιμάζουσι, βαττολογίας αὐτὰς ἀποκα-
λοῦντες καὶ τῆς ἐθνικῆς μερίδος, τὴν ἐν τοῖς Εὐαγγελίοις εἰρημένην
βαττολογίαν ἐπὶ ταύτας ἀνοήτως μετάγοντες.
κη'. Τὸ μὲν παρ' ἡμῖν βάπτισμα τοῦ Ἰωάννου λέγουσιν, ὡς
δι' ὕδατος ἐπιτελούμενον, τὸ δὲ παρ' αὐτοῖς τοῦ Χριστοῦ διὰ Πνεύματος,
ὡς αὐτοῖς δοκεῖ τελειούμενον. Διὸ καὶ τὸν προσερχόμενον αὐτοῖς
ἀναβαπτίζουσι, πρῶτα μὲν ἀφορίζοντες αὐτῷ καιρὸν εἰς ἐξομολόγησιν
καὶ ἁγνείαν καὶ σύντονον προσευχήν, εἶτα τῇ κεφαλῇ αὐτοῦ τὸ
Εὐαγγέλιον ἐπιτιθέντες, καὶ τό · ἐν ἀρχῇ ἦν ὁ λόγος ἐπαναγινώσκοντες
καὶ τὸ παρ' αὐτοῖς ἅγιον Πνεῦμα ἐπικαλούμενοι καὶ τὸ πάτερ ἡμῶν

ἐπάδοντες. Μετὰ δὲ τὸ τοιοῦτον βάπτισμα καιρὸν αὖθις ἀποκληροῦσιν
εἰς ἀκριβεστέραν ἀγωγὴν καὶ πολιτείαν ἐγκρατεστέραν καὶ καθαρω-
τέραν προσευχήν, εἶτα μαρτύριαν ἀπαιτοῦσιν, | εἰ ἐφύλαξε πάντα,
εἰ σπουδαίως διηγωνίσατο, καὶ μαρτυρούντων ὁμοῦ ἀνδρῶν τε καὶ
γυναικῶν ἄγουσιν αὐτὸν ἐπὶ τὴν θρυλλουμένην τελείωσιν, καὶ στήσαντες
τὸν ἄθλιον κατὰ ἀνατολὰς ἐπιτιθέασιν αὖθις τῇ μιαρᾷ τούτου κεφαλῇ
τὸ Εὐαγγέλιον καὶ τὰς ἐναγεῖς αὐτῶν ἐπάγοντες χεῖρας οἱ παρα-
τυχόντες ἄνδρες καὶ γυναῖκες τὴν ἀνόσιον ἐπάδουσι τελετήν. Καὶ
οὕτω τελοῦσι καὶ τελειοῦσι, μᾶλλον δὲ συντελοῦσι καὶ καταποντίζουσι
τὸν βυθοῦ καὶ διαφθορᾶς ἐπάξιον.

7

Évervin de Steinfeld, dans Bernard de Clairvaux,
Epist. 472, *PL* 182, 678 B-D. Cf. *supra*, p. 143, n. 14.

Confessi sunt etiam manifeste se praeter aquam, in
ignem et spiritum baptizare, et baptizatos esse : adducentes
illud testimonium Joannis Baptistae baptizantis in aqua,
et dicentis de Christo : *Ille vos baptizabit in Spiritu sancto
et igne* (*Matth.* iii, 11) ; et in alio loco : *Ego baptizo in aqua,
major autem vestrum stetit, quem vos nescitis* (*Joan.* i, 26),
quasi alio baptismo praeter aquam vos baptizaturus.
Et talem baptismum per impositionem manuum debere
fieri conati sunt ostendere testimonio Lucae, qui in Actibus
Apostolorum describens baptismum Pauli, quem ab Anania
suscepit ad praeceptum Christi, nullam mentionem fecit
de aqua, sed tantum de manus impositione : et quidquid
invenitur, tam in Actibus Apostolorum, quam in Epistolis
Pauli, de manus impositione, ad hunc baptismum volunt
pertinere. Et quemlibet sic inter eos baptizatum dicunt
electum, et habere potestatem alios qui digni fuerint
baptizandi, et in mensa sua corpus Christi et sanguinem
consecrandi. Prius enim per manus impositionem de numero
eorum, quos auditores vocant, recipiunt eum inter credentes :
et sic licebit eum interesse orationibus eorum, usquedum
satis probatum eum faciant electum. De baptismo nostro
non curant. Nuptias damnant, sed causam ab eis investigare
non potui ; vel quia eam fateri non audebant, vel potius
quia eam ignorabant.

8

Eckbert de Schönau, *Sermones contra Catharos*, VIII,
PL 195, 51-52. Cf. *supra*, p. 145-147, n. 20.

SERMO VIII
Contra quintam haeresim de baptismo aquae

I. Non autem me latet, quod de eis quoque qui in
provectiori aetate baptizantur, non minorem haeresim
tenetis, quam est ea quae de baptismo parvulorum nunc
pertractata est. Nam baptizandum quidem esse hominem
dicitis, cum ad annos discretionis pervenerit ; non autem
in aqua, sed in igne, et nihil prodesse cuiquam baptismum
aquae. Hujus autem erroris defensionem sumitis ex verbis
Joannis, quae de Domino Salvatore pronuntiavit dicens :
Ille vos baptizabit in Spiritu sancto et igne (*Matth.* iii, 11).
Hinc est quod eos quos assumitis in societatem Cathariae
vestrae, sicut audivi a quodam, qui expertus fuerat secreta
vestra, tali modo rebaptizatis.

II. Convenientibus vobis in unum in obscuro aliquo
penetrali, primum hoc diligentissime procuratur, ne forte
per aliquam fenestram, aut per ostium quisquam eorum
qui foris sunt, visu vel auditu percipiat, quod intus geritur,
quoniam scriptum est : *Qui male agit, odit lucem* (*Joan.* iii,
20). Locantur luminaria copiose in parietibus cunctis; statur
per ordinem in circuitu cum reverentia magna, quoniam
sancta res agitur, quae tamen magis complaceat diabolo
quam Deo. Statuitur in medio infelix ille qui baptizandus
sive catharizandus est, et assistit ei archicatharus, tenens
in manu libellum deputatum ad officium hoc. Quem imponens
vertici ejus dicit benedictiones, quae potius maledictiones
vocandae sunt, orantibus caeteris qui circumstant, et
faciunt filium gehennae, non regni Dei, sicque perficitur
ille baptismus. Dicitur autem hic baptismus fieri in igne,
propter ignem luminum, quae in circuitu ardent. Non
sic impii, non sic debetis sequi verba sancti Evangelii,
in quibus dicitur : *Ille vos baptizabit in spiritu et igne*
(*Matth.* iii, 11). Melius ipsa verba attendite : *Baptizabit*,
inquit, *in igne* ; non juxta ignem, ut vos facitis. Auscultate
ad me, et docebo vos, quomodo rectius eadem verba
impleatis. Loquar stultis juxta stultitiam suam, ut non sibi
videantur sapientes.

III. Struite ignem copiosum in medio synagogae vestrae,

et tollite illum vestrum novitium, quem vultis catharizare, et
in medio ignis eum locate, et tu archicathare, pone super
verticem ejus manum tuam, ut soles, et sic benedicito
illum. Et tunc si non adusseris tu ungulas tuas, et ille si
illaesus evaserit, fatebor certe, quia bene baptizatus est
Catharus tuus ; si vero non evadit, nonne mox ita calens
ad coelum vadit ? Nonne sic nuper baptizavit Colonia
archicatharum vestrum Arnoldum, et complices ejus, et
similiter Bunna Theodericum et socios ejus, et continuo,
ut dicitis, avolaverunt in coelum ?

9

Ermengaud de Béziers, *Contra haereticos* XIV, *PL* 204,
1262. Cf. *supra*, p. 153, n. 33.

CAPUT XIV
De impositione manuum

Post tractatum poenitentiae, sequitur de manuum impositione ; quod « consolamentum » vocant : quam haeretici
manuum impositionem contra Dominica praecepta et
apostolorum instituta agere invicem usurpant. Quomodo,
et a quibus personis fiat, et quid de eo sentiant primum
est dicendum. Modus « consolamenti » talis est : Ille, qui
dicitur praepositus, vel episcopus, vel diaconus nominatus
est rector aliorum haereticorum sibi subjectorum. Et
quando volunt facere « consolamentum » alicui viro, vel
mulieri, ille qui « major » et ordinatus dicitur, ablutis
manibus, et omnes similiter illi qui adesse volunt, lotis
manibus, librum Evangeliorum in manibus suis tenens,
eum vel eos, qui ad recipiendum « consolamentum » conve-
niunt, admonet ut in eo « consolamento » omnem suam
fidem, et spem salutis animarum suarum in Deo et in illo
« consolamento » ponant. Et sic super capita eorum libro
posito, Orationem Dominicam septies dicunt ; et deinde
beati Joannis Evangelium, ab « In principio » incipientes,
usque ad hunc locum Evangelii quod dicit, « Gratia et
veritas per Jesum Christum facta est (*Joan*, i, 17), » omnibus
audientibus, dicit. Et sic finitur illud « consolamentum. »

A quibus personis fit, dicamus. Scilicet ab illis, qui
inter eos « ordinati » dicuntur. Si ipsi defuerint, ab illis
qui « consolati » dicuntur suppletur ; et, si viri non adsint,
mulieres tantum infirmis faciunt.

Quid de eo sentiant, dicamus. In illo enim generaliter omnes salvandi fidem suam et spem habent ; et omnium remissionem suorum peccatorum, et emundationem suorum delictorum, absque satisfactione aliqua, in eo se consequi credunt, si statim morte deficiunt. Et non solum veniam de venialibus peccatis, quae commiserunt, sed et de criminalibus perpetratis dari in eo sibi a Deo credunt. Dicunt etiam, quod nemo magnus vel parvus, vir, sive mulier, nisi illud « consolamentum » ab ipsis « consolatis » receperit, coeleste regnum et angelorum societatem aliquo opere, vel beneficio, vel contemplatione religionis, nec etiam martyrio, et si ab omnibus, quod est impossibile, peccatis et delictis se abstineat, consequi potest.

Credunt etiam hoc, quod si ille, qui facit illud « consolamentum, » in aliquo peccatorum, quae ipsi « criminalia » vocant, lapsus fuerit : sicut est comedere carnem, aut ovum, vel caseum ; vel interficere avem, vel aliquod animal, praeter repentia ; vel etiam illa peccata, quae Ecclesia Romana « criminalia, » nominat, veluti homicidium, adulterium, fornicationem, immunditiam, furtum, falsum testimonium, perjurium, rapinam, « consolamentum » illius recipientibus nihil prodest. Dicunt enim eum talem sic lapsum, Spiritum sanctum non habere ; et quod non habet credunt non posse alicui dare. Imo eumdem credunt iterum oportere illud « consolamentum » recipere ab alio, si salvari desiderat et hoc universaliter de omnibus, tam viris quam mulieribus lapsis ita oportet fieri, ut dictum est.

10

Pierre des Vaux-de-Cernay, *Hystoria Albigensis* § 19, éd. P. Guébin-E. Lyon, Paris 1926, t. I, p. 19-20. Cf. *supra*, p. 155, n. 37.

[19.] *Modus conversionis, immo perversionis, hereticorum.* Quando aliquis se reddit hereticis, dicit ei ille qui recipit eum : « Amice, si vis esse de nostris, oportet ut renunties toti fidei quam tenet Romana ecclesia. » Respondet : « Abrenuntio. » — « Ergo accipe Spiritum a bonis hominibus », et tunc aspirat ei septies in ore ; iterum dicit illi : « Abrenuntias cruci illi quam tibi fecit sacerdos in baptismo in pectore et in scapulis et in capite de oleo et crismate ? » Respondet : « Abrenuntio. » — « Credis

quod aqua illa operetur tibi salutem ? » Respondet :
« Non credo. » — « Abrenuntias velo illi quod tibi baptizato
sacerdos posuit in capite ? » Respondet : « Abrenuntio. »
Ita accipit ille baptismum hereticorum et abnegat baptismum
ecclesie. Tunc omnes ponunt manus super caput ejus et
osculantur eum et induunt eum veste nigra ; et ex illa
hora est tanquam unus de ipsis.

11

Salvo Burce, *Liber supra Stella,* éd. Ilarino da Milano,
dans *Aevum,* t. 19, 1945, p. 307-341. Cf. *supra,* p. 157-158,
n. 41.

b) P. 314. *De Manuum impositione.* Dicunt Albanenses
et Concorricii quod homines per impositionem manuum
accipiunt Spiritum Sanctum et fiunt salvi ; sed intelligunt
hoc modo, scilicet, si illi qui imponunt manus habent
Spiritum Sanctum ; et si non habent Spiritum Sanctum,
illi qui recipiunt manus *(sic)* impositiones Spiritum Sanctum
non recipiunt ; ideo non recipiunt Spiritum Sanctum ;
quod illi qui faciunt impositiones non habent Spiritum
Sanctum, ideo dare non possunt, quamvis illi qui recipiunt
manus impositiones credant se recepisse Spiritum Sanctum
ab illis qui imponebant eis manus ; et ipsi agunt penitenciam
secundum modum illorum et non fallant de illo quod
promittunt, et etiam si sustinerent aliquod martorium
pro Christo, scilicet mortem, ad intentionem eorum quod
credunt bene facere, nichil eis valet penitus et erunt dannati.
Dicunt Concorricii ; sed Albanenses dicunt quod si sunt
creati a bono deo revertentur ad faciendum bonum adhuc.

c) P. 315. Item dicunt quod episcopus congregationis
ad quem congregatio facit obedienciam et reverenciam et
recipit conscilium eius et doctrinam suam, si episcopus
non habet Spiritum Sanctum, scilicet quod sit in peccato
privato, sicut est de fornicatione, aut falsis cogitationibus
aut ypocresis aut vane glorie, et cetera, quod illa congregatio,
que est posita sub eo, est in casu mortis, scilicet quod
non est posita sub Spiritu Sancto, imo sub spiritu maligno,
qui est in illo episcopo ; et etiam si illa congregatio sustineret
martorium, penitus esset dampnata sicut dictum est
superius, quamvis credant se bonum facere.
Item dicunt quod si peccatum episcopi venerit pallam,
statim debet deponi et ordinari unus episcopus novus ;

et omnes illi qui sunt in illo tempore in quo episcopus novus est ordinatus debent recipere impositiones ab illo episcopo novo ; et si est aliquis eorum qui non recipiat est in casu mortis.

Item dicunt si episcopus novus est in illis peccatis in quibus predictus episcopus erat, non receperunt manus impositiones a Spiritu Sancto, immo a spiritu maligno ; et quamvis congregatio credat se esse in casu salvationis, est in contrario. Ergo, miseri tapini, cuiusmodi credencia est hec ? Bene potestis videre quod non est a Domino, immo est falsissima. Quare ? Quia si moriemini in lectulo aut in martorio, nescitis utrum sitis salvi vel non, quia nescitis si episcopus vester habeat Spiritum Sanctum ; quamvis credatis quod ipse habeat et non habet vos itis multum male ; ergo estis stulti ; igitus habebitis dampnum.

d) P. 323. *XXIII Capitulum. De baptismo aque materialis.* De baptismo aque materialis qui debet esse in Ecclesia Dei. Nota secundum Matheum... Ergo potes videre quia aliud est impositio manuum et aliud baptisma ; ergo ista duo sacramenta debent esse in Ecclesia Dei ; et ista duo sacramenta videntur oculis corporeis, idest baptisma et impositio manuum. O erretici, si manus est opus diaboli, quare vos facitis impositionem manuum ? Ergo per impositionem manuum diaboli, Deus mitit Spiritum Sanctum ; quod quidem falsum est. Forsitan dicent erretici : due manus sunt, scilicet spirituales et carnales. Sed respondeo et dico : ponatur quod sit ita. Per istas manus carnales operamini vos ad impositionem manuum ; hoc bene videtur oculis corporeis, quia sine istis manibus non accipitis vos librum ad illud officium peragendum. Ergo manus spirituales non faciunt hoc. Si non operantur hoc cum carnalibus manibus, et istud est necessarium, ergo necessarium est opus diaboli sacramentis Ecclesie ; ergo per opus diaboli, idest per manus carnales et per manus spirituales Deus dat Spiritum Sanctum, quod falsum est.

12

Jacques de Capellis, *Summa contra hereticos*, éd. D. Bazzochi, p. cxxxvii-cxxxix. Cf. *supra*, p. 158-160, n. 43 et 46.

De consuetudine hereticorum

Habent enim sacramentum impositionis manum quod dicunt esse baptismum spiritus sancti, sine qua manum

impositione neminem credunt posse salvari, quam manus
impositionem illorum episcopus facit. Si vero non adsit
episcopus duo filii episcopi hanc faciendi potestatem
habent ; duos namque prelatos secundum gradum iuxta
episcopum tenentes ordinant quos filios ecclesiae et quasi
visitatores appellant. Hii duo loca et civitates in quibus
eorum sunt conventicula circumeunt et fratres suos visitant
et in proposito suae sectae doctrina sua confirmant. Si
quae corrigenda sunt corrigentes. Si quos vero minus
cautos inveniunt ab unitate catholicae fidei rapere et in
ventrem sui erroris perniciosis blasphemiarum morsibus
transglutire desudant ; preterea alios habent prelatos
quos diaconos appellant, quorum unusquisque per singulas
civitates constituitur, qui viris et mulieribus suae sectae
preest, ipsos secundum arbitrium disponendo ; hospicium
vero proprium illorum diaconi tenent in quo fratres
extraneos supervenientes hospitalititis gratia suscipiunt,
eisque diligenti providencia hylariter necessaria tribuunt.
Glutino enim dilectionis ad invicem vehementer sunt
connodati, potestatem itidem diaconi habent conferendi
manus impositionem episcopo et duobus filiis predictis
absentibus. *Alios namque prelatos non habent.* Verum
si necessitatis causa exposcit et subditis haec potestas
conceditur, huius nempe sacramenti, solempnitate, convo-
cata fratrum et sororum multitudine celebrant, virum vel
mulierem *post unius anni probationem* hunc suscepturum
in medio eorum statuentes, ibique unus de prelatis predictis
sive aliquis alius antiquitate et sapientia dignior longam
pertrahit orationem : nocet enim eum quid credere et
qualem conversationem cum eis habere debeat. Nullam
quoque spem salutis in fide romanae ecclesiae vel eius
sacramentis habere et quanta constantia et stabilitate
profide et doctrina sua tuenda omnia adversa debeat
tollerare ; postremo inquisitione facta si haec velit observare,
respondet se libenti animo omnia predicta custodire et
ab his *per totum suae vitae tempus,* omni adversitate spreta,
non desistere. Sic que prelatus maior textum evangeliorum
super caput eius imponit et omnes fratres circumstantes
accedunt et unusquisque manum dexteram capiti sive
humeris illius imponit ; prelatus vero qui librum tenet
in haec verba prorumpit dicens. In nomine patris et filii
et spiritus sancti et septies orationem dominicam replicans,
tandem evangelium iohannis dicit quod in die natalis
domini in ecclesia cantatur, scilicet in principio erat

verbum etc. His ita celebratis credunt omnia illi peccata remitti et gratiam spiritus sancti infundi. Absque enim tali manum impositione non credunt aliquem posse salvari. Si vero in mortale peccatum aliquis illorum labi contingat sine huius sacramenti reiteratione non credunt aliquo modo veniam posse consequi. Unde saepe apud eos reiteratur ; hanc utique impositionem manuum credentibus suae sectae egrotantibus secundum predictam formam faciunt, de quibus vulgaris fama inolevit quoniam eos sugillando sufocant, ut martires vel confessores efficiantur, quod per experientiam falsum esse didicimus et ne aliquid illos tantum flagitium perpetrare credat suademus.

13

Moneta de Crémone, *Adversus Catharos et Valdenses*, éd. Th.-A. Ricchini, Rome 1743, p. 4b. Cf. *supra*, p. 133, n. 112.

Hanc manuum impositionem baptisma dicunt Spiritus Sancti, non baptisma aquae materialis et credunt quod in illa manus impositione una quaeque animarum caelestium proprium spiritum, scilicet quem in caelo habuerat ad reginem et custodiam suam, recipiat.

Isti distinguunt inter animam, et spiritum : distinctionem etiam faciunt inter Spiritum Sanctum, et Spiritum Paraclitum, et Spiritum principalem.

Spiritum Sanctum appellant unumquemque illorum spiritum, quos secundum intellectum eorum Deus Pater dedit ipsis animabus ad custodiam. Illos autem spiritus ideo sanctos dicunt, idest firmos, quia firmi steterunt, nec decepti nec seducti fuerunt a Diabolo. Spiritum Paraclitum dicunt Spiritum consolatorem, quem recipiunt etiam illi quando recipiunt consolationem in Christo ; et dicunt multos esse Paraclitos, et a Deo creatos.

14

Moneta de Crémone, p. 278ᵃ. Cf. *supra*, p. 159, n. 44.

De baptismo...

... cui venerabili Sacramento haereticus nequiter contradicens ait quod nihil homini conferat ad salutem, dicit enim quod nec peccatorum remissio, nec Spiritus Sancti

gratia in eo tribuitur; impositionem autem manuum
Baptismum dicunt esse Spiritus Sancti, sine qua manuum
impositione neminem dicunt posse salvari, quam manuum
impositionem facit Episcopus eorum, si est praesens; sin
autem, eam faciunt duo, *quorum unum appellant Filium
majorem, et alium Filium minorem,* quorum etiam officium
est post Episcopum conventicula in Civitatibus ab eis
habita visitare, et in doctrina sua confirmare, quamvis
erronea. Si autem filii ii praesentes non fuerint, eam facit
Diaconus, habent enim Diaconos suos in Civitatibus, ubi
habent conventicula pravitatis, qui Viris, et Mulieribus
Sectae suae praesunt, et proprium habent hospitium, in
quo Fratres extraneos qui superveniunt, hospitalitatis
causa recipiunt. Si autem exposcit necessitas, etiam *Sub-
diaconis* haec potestas ab ipsis conceditur, qui autem facit
impositionem manuum, *post certi temporis probationem,*
congregata Fratrum, et Sororum multitudine, primo docet
eum, cui dat manuum impositionem quid debeat credere,
et qualem conversationem habere : item nullam spem
ponere in Fide, aut Sacramentis Ecclesiae Romanae, et
pro sua Fide, imo errore *usque ad mortem* tribulationes
sustinere. Inquisitione autem facta utrum velit hoc observare, Praelatus major textum Evangelii super caput ejus
imponit, et alii Fratres, qui ibi sunt, manum dexteram
capiti, vel humeris ejus imponunt; Praelatus verò, qui
librum tenet, in haec verba prorumpens, ait, *In nomine
Patris, et Filii, et Spiritus Sancti,* et septies dicta Oratione
Dominica, tandem Evangelium Johannis, quod in die
natalis Domini cantatur, dicit : *In principio erat Verbum etc.*
His ita celebratis credunt illi omnia peccata dimitti, et
gratiam Spiritus Sancti ei infundi. Si vero mortale peccatum
aliquis illorum committat, iterum ei manus imponunt,
credentes cum aliter non posse salvari : Imo etiam si
contingat Episcopos, aut alios, qui manus ei impositionem
fecerunt, labi in mortale peccatum, licet ille in nullo
offenderit, cui impositio talis facta est, cum, tamen credunt
ut salvari possit iterum debere idem Sacramentum recipere.
Item si contingat aliquos Sectae suae graviter infirmari,
si volunt, praedicto modo eis faciunt impositionem manuum.

15

Raynier Sacconi, *Summa de Catharis*, éd. A. Dondaine, p. 65, 68, 69 ; éd. F. Šanjek (*AFP* 44, 1974), p. 43-44 ; 47, 48-49, avec quelques variantes. Cf. *supra*, p. 161, n. 47-49.

De manus impositione. — Manus impositio vocatur ab eis consolamentum et spirituale baptismum, sive baptismum spiritus sancti, sine qua secundum eos nec peccatum mortale remittitur, nec spiritus sanctus alicui datur, sed per eam factam solummodo ab eis utrumque confertur. Differunt tamen aliquantulum in hoc Albanenses a ceteris. Albanenses enim dicunt quod manus ibi nihil operatur, cum a diabolo sit ipsa creata secundum eos, ut infra dicetur, sed sola Dominica oratio quam ipsi tunc dicunt, qui manus imponunt. Ceteri vero omnes Cathari dicunt quod utrumque est ibi necessarium et requiritur, scilicet manus impositio et Dominica oratio. Est etiam communis opinio omnium Catharorum quod per illam impositionem manus non fit aliqua remissio peccatorum si illi qui manum imponunt sunt tunc in aliquo peccato mortali. Fit autem haec manus impositio a duobus ad minus, et non solum a praelatis eorum sed etiam a subditis, et in necessitate a Catharabus.

Praeterea non est praetermittendum de oratione eorum, quando ipsi putant eam necessario dicendam et maxime quando sumunt cibum vel potum. Siquidem multi ex eis in suis infirmitatibus dixerunt aliquando eis, qui ministrabant eis, quod ipsi non ponerent aliquid cibi vel potus in os eorum si illi infirmi non possent dicere « Pater noster » ad minus, unde verisimile est quod multi ex eis occiderunt seipsos hoc modo.

Quomodo ordinatur episcopus. — Fiunt vero ordines praedicti ab episcopo et etiam a filiis de licentia episcopi. Ordinatio autem episcopi consueverat fieri in hunc modum. Mortuo episcopo filius minor ordinabat filium maiorem in episcopum, qui postea ordinabat filium minorem in maiorem filium. Postea eligitur filius minor ab omnibus praelatis et subditis qui sunt congregati ubi fit dicta electio, et ab episcopo in minorem filium ordinatur. Et haec ordinatio filii minoris non est mutata inter eos. Illa vero quae supra dicitur de episcopo mutata est ab omnibus Catharis morantibus citra mare, dicentibus quod per talem ordinationem videtur quod filius instituat patrem, quod satis apparet incongruum. Unde fit modo aliter in hac forma, scilicet quod episcopus ante mortem suam ordinat filium maiorem in episcopum, altero istorum mortuo, filius minor efficitur filius maior et episcopus eadem die. Et ita fere quaelibet ecclesia Catharorum habet duos episcopos. Unde Iohannes de Lugio qui est unus ex illis taliter ordinatis, semper describit se in epistolis suis sic : « Iohannes dei gratia filius maior et ordinatus episcopus » et cetera.

Verumtamen utraque ordinatio est reprehensibilis manifeste, quia nec unquam filius carnalis suum instituit genitorem et nusquam legitur quod una et eadem ecclesia habuit eodem tempore duos episcopos, sicut nec una mulier duos legitimos viros.

Modus ordinandi. — Fiunt autem omnes ordines supradicti cum impositione manus, et attribuitur illa gratia, scilicet conferendi ordines memoratos et dandi spiritum sanctum, soli episcopo eorum vel cuilibet eorum qui est prior vel auctor in tenendo librum Novi testamenti super caput illius cui imponitur manus.

16

Anselme d'Alexandrie, *Tractatus de hereticis*, éd. A. Dondaine, « La hiérarchie cathare en Italie » II, *AFP* XX 1950, p. 317. Cf. *supra*, p. 164-166, n. 52.

De imposicione manuum catharorum

Notandum. Primo ille cui debet fieri manus imposicio facit tres genuflexiones coram prelato, dicendo : « Benedicite, benedicite, benedicite : boni christiani, precamini quod deus conducat me ad bonum finem et defendat me a mala morte. Rogo vos per misericordiam dei ut faciatis michi illud bonum quod dominus fecit vobis ». Et prelatus respondet : « Dominus benedicat te ». Ter dicit hoc. Postea subdit : « Libenter faciemus tibi illud bonum quod dominus fecit nobis, secundum quod dominus dederit nobis graciam ». Et tunc exponit ei ea que oportebit eum servare. Et si ille dicit se esse paratum ad omnia, porrigit sibi librum prelatus, scilicet testamentum novum vel evangelium. Et ille suscipit et tenet per medium pectus librum, scilicet clausum. Et tunc prelatus dicit : « Tu modo accepisti testamentum ubi scripta est lex divina, que per totum tempus non debet separari de tuo corde ». Et ille respondet « Precemini deum quod det michi graciam servandi, quoniam ego habeo in voluntate semper servandi ». Et tunc reddit ei testamentum et facit tres genuflexiones, dicendo : « Adoramus patrem et filium et spiritum sanctum, et ad sanctam ecclesiam et ad bonos christianos, et confiteor coram vobis omnia peccata mea que commissa sunt in me ab origine meo, quod precemini dominum quod parcat michi et vos tantum quantum potestatem habetis a domino et a sancta ecclesia ». Et tunc surgit. Et prelatus ait : « Qui habet potestatem in celo et in terra dimittat tibi omnia peccata tua et nos tantum quantum habemus potestatem a deo et a sancta ecclesia ». Et tunc prelatus ponit testamentum super caput eius et manus super scapulas ; et omnes cathari professi similiter faciunt sibi. Tunc ait prelatus : « Domine deus, indulge servo tuo omnia peccata sua et recipe eum ad tuam iusticiam ». Et post dicit idem prelatus alte vii vicibus *Pater noster* ; et ceteri dicunt idem similiter, et ille similiter cui fit manus imposicio. Et post prelatus ait ter : « Adoramus patrem et filium et spiritum sanctum ». Et ceteri respondent : « Dignum et iustum est ». Et prelatus dicit *Pater noster*, et ceteri similiter, ut supra. Post ait prelatus : « Adoramus patrem et filium et spiritum sanctum ». Et ceteri respondent : « Dignum et iustum est ». Et prelatus tunc dicit ewangelium *In principio erat verbum* alte, vel ewangelium Mathei *Tollite iugum meum*. Finito ewangelio, dicit prelatus : « Gracia domini nostri Ihesu Christi semper sit cum omnibus nobis ». Et illi respondent : « Amen ». Et prelatus ait : « Benedicite, parcite nobis ». Et omnes respondent : « Pater et filius et spiritus sanctus dimittat nobis omnia peccata nostra ». Et omnes alii dicunt prelato : « Benedicite, parcite nobis », ut supra. Tunc deponit testamentum de capite illius ; et tunc ponitur in numero catharorum. Et dicunt ei : « A modo eris inter nos et penitus in hoc mundo sicut ovis in medio luporum ». Et statim faciunt duplam.

17

BERNARD GUI, *Manuel de l'Inquisiteur*, t. I, éd. G. MOLLAT (*Classiques de l'Histoire de France au moyen âge*, 8), Paris 1926, p. 20-23. Cf. *supra*, p. 167, n. 55-56.

Item, docent credentibus suis quod exibeant eis reverentiam, quam vocant melioramentum, nos autem vocamus adorationem, videlicet flectendo genua et inclinando se profunde coram ipsis super aliquam banquam vel usque ad terram, junctis manibus, tribus vicibus inclinando et surgendo et dicendo qualibet vicet : « Benedicite » et in fine concludendo : « Boni christiani, benedictionem Dei et vestram ; orate Dominum pro nobis quod Deus custodiat a mala morte et perducat nos ad bonum finem, vel ad manus fidelium christianorum. » Et hereticus respondet : « A Deo et a nobis habeatis eam (scilicet benedictionem) ; et Deus vos benedicat et a mala morte eripiat animam vestram et ad bonum finem vos perducat. » Per malam mortem dant intelligere heretici mori in fide ecclesie Romane ; per bonum autem finem et per manus fidelium christianorum dant intelligere quod recipiantur in fine suo ad sectam et ordinem ipsorum, secundum ritum

Item, ils apprennent à leurs « croyants » à leur rendre une marque de respect qu'ils appellent *melioramentum* et que nous appelons adoration. Le croyant fléchit le genou en présence des hérétiques, s'incline profondément sur un escabeau ou jusqu'à terre, les mains jointes, à trois reprises se relevant et disant chaque fois : *Benedicite*. A la fin, il ajoute : « Bons chrétiens, donnez-nous la bénédiction de Dieu et la vôtre ; priez le Seigneur qu'il nous garde de la male mort et nous conduise à la bonne fin ou entre les mains des fidèles chrétiens. » Et l'hérétique de répondre : « Recevez la bénédiction de Dieu et la nôtre ; que Dieu vous bénisse, arrache votre âme à la male mort et vous conduise à la bonne fin. » Par male mort, ils entendent la mort dans la foi de l'Église romaine ; la bonne fin et les mains des fidèles chrétiens, c'est l'initiation, au moment de la mort, à leur secte et à leur ordre, selon leur rite ; c'est là ce

eorum ; et hoc dicunt esse bonum finem. Predictam autem reverentiam dicunt fieri non ipsis, set Spiritui Sancto, quem dicunt esse in se ipsis, ex quo sunt recepti ad sectam et ordinem quem dicunt se tenere.

Item, docent credentibus suis quod faciant eis pactum quod vocant « la covenensa », videlicet quod in fine suo velint recipi ad sectam et ordinem ipsorum ; et ex tunc heretici possunt recipere tales in infirmitate eorum, etiam si perdidissent loquelam aut non haberent memoriam ordinatam.

DE MODO HERETICANDI SEU RECIPIENDI INFIRMOS AD SECTAM ET ORDINEM IPSORUM. — Modus autem seu ritus recipiendi ad sectam et ordinem ipsorum in infirmitate seu in fine recipiendorum talis est, videlicet, quod hereticus petit a persona que debet recipi, si potest loqui, si vult fieri bonus christianus vel bona christiana, vel recipere sanctum baptismum. Quo respondente quod sic et dicendo : « Benedicite », hereticus tenendo manum super caput

qu'ils appellent la bonne fin. Quant à la susdite révérence, les hérétiques prétendent qu'elle s'adresse, non pas à eux-mêmes, mais au Saint-Esprit qui, disentils, habite en eux et à qui ils doivent leur initiation à la secte et le rang que, selon eux, ils y occupent.

Item, ils enseignent à leurs « croyants » à conclure un pacte appelé la *covenensa*, d'après lequel ceuxci s'engagent à se faire recevoir, au moment de la mort, dans la secte et l'ordre des hérétiques ; dès lors, les hérétiques peuvent les initier au cours d'une maladie, même si le malade avait perdu la parole ou l'usage normal de la mémoire.

DE LA MANIÈRE D'« HÉRÉTIQUER », C'EST-À-DIRE DE RECEVOIR LES MALADES DANS LA SECTE ET L'ORDRE. — Voici la méthode ou le rite à suivre pour recevoir dans la secte ou l'ordre les malades ou les moribonds.

A la personne qui doit être agrégée, lorsqu'elle peut parler, l'hérétique demande si elle veut devenir bon chrétien ou bonne chrétienne, et recevoir le saint baptême. Lorsqu'elle a répondu affirmativement et dit : *Benedicite*, l'hérétique lui impose les mains sur la

infirmi, non tamen tangendo si sit mulier, et tenendo librum, dicit evangelium « In principio erat verbum », usque ibi : « Verbum caro factum est et habitavit in nobis. »

Quo lecto, infirmus dicit orationem « Pater noster », si potest, sin autem aliquis de astantibus sive assistentibus dicit pro eo. Quo facto, infirmus, si potest, dicit tribus vicibus : « Benedicite », inclinando caput et jungendo manus, et omnes alii assistentes adorant hereticum modo adorandi supra scripto ; et hereticus in eodem loco vel in alio separato facit multas prostrationes et inclinationes et venias usque ad terram, dicendo orationem « Pater noster » pluribus vicibus, inclinando et levando.

tête, mais sans la toucher si c'est une femme et, tenant le livre, il lit l'Évangile : « Au commencement était le Verbe », jusqu'à « Et le Verbe s'est fait chair et il a habité parmi nous. »

La lecture achevée, le malade récite l'oraison *Pater noster*, s'il le peut ; sinon un assistant le récite pour lui. Après quoi le malade, s'il le peut, dit par trois fois : *Benedicite*, la tête inclinée et les mains jointes, et tous les assistants adorent l'hérétique de la façon décrite plus haut ; puis l'hérétique, sur place ou dans un autre lieu à part, se livre à de multiples prostrations, inclinaisons et coulpes, s'inclinant jusqu'à terre et se relevant à plusieurs reprises, en récitant plusieurs fois l'oraison *Pater noster*.

18

BÉRENGER DE LAVELANET

DOAT 24, 42^r (Vaissète, VIII, 1150). Cf. *supra*, p. 170-171, n. 66-67.

Anno Domini MCCXLIV

Item dicit se vidisse apud Fanumiovis, quod Esclarmunda, soror[1] Ramundi Rogerii comitis Fuxensis, avi istius comitis Fuxensis, uxor Jordani de Insula, et Auda mater Isarni Bernardi de Fanoiovis, et Ramunda mater Petri Miri et Petri de Sancto Michaele de Fanoiovis, et Fais mater Sicardi de Durfort, reddiderunt se hereticas et hereticaverunt se in domo Guilaberti de Castris. Et Guilabertus de Castris filius maior Ecclesie heretice de Tholosano et alii heretici consolaverunt et receperunt easdem mulieres in hunc modum : in primis prefate mulieres ad postulationem hereticorum reddiderunt se Deo[2] et Evangelio,

et promiserunt quod ulterius[3] non (42^v) comederunt carnes, nec ova, nec caseum, nec aliquam uncturam, nisi de oleo et piscibus, et quod non iurarent nec

RAYMOND DE PÉREILLE

DOAT 22, 224^r-225^r. Cf. *supra*, p. 172, n. 69-70.

Anno Domini MCCXLIV

... Item dicit se vidisse quod R. Ferrandi de Fanoiovis venit in castrum Montis Securi et ibi recepit consolamentum ab hereticis et ibi Gaucelinus Episcopus hereticorum et Guilabertus de Castris et alii heretici consolaverunt et receperunt ipsum R. Ferrandum in hunc modum : in primis idem R. Ferrandi ad postulationem hereticorum reddidit se Deo et Evangelio et ordini secte hereticorum et promisit quod ulterius non commederet carnes, nec ova, nec caseum, nec aliquam uncturam nisi de oleo et piscibus, nec iuraret nec mentiretur, nec ali-

---

1 DOAT uxor   2 deuet   3 elterius

mentirentur nec aliquam libidinem exercerent toto tempore vite sue nec dimitterent sectam hereticorum metu mortis, ignis vel aque, vel alterius generis mortis, et his omnibus premissis dixerunt orationem scilicet pater noster, secundum modum hereticorum, deinde heretici imposuerunt manus et librum super capita earum et legerunt, et dederunt eis pacem
primo cum libro consequenter cum humero, et adoraverunt Deum
facientes venias, et genuflexiones multas, et interfuerunt illi consolamento ipse testis, et Raymundus Rogerii... et ibi omnes (43ʳ) tam ipse testis quam alii viri, et mulieres, et singuli preter Comitem Fuxensem, adoraverunt ipsos hereticos, ut predictum est, et post adorationem acceperunt pacem ab ipsis hereticis osculantes eos bis in ore ex transverso deinde se ipsos alter alterum ad invicem simili modo.

De tempore quod sunt quadraginta anni.

quam libidinem exerceret toto tempore vite sue nec desereret sectam hereticorum metu mortis, ignis vel aque, vel alterius generis mortis et hiis omnibus premissis heretici

imposuerunt manus et librum super capud ipsius Raimundi Ferrandi et legerunt et dederunt eidem R. Ferrandi pacem

et oraverunt Deum
facientes venias et genuflectiones multas, et interfuerunt illi (225ʳ) consolamento ipse testis et alii quidam de quibus non recordatur, et ibi omnes tam ipse testis quam alii

adoraverunt ipsos hereticos, ut predictum est, et post adorationem acceperunt pacem ab hereticis osculantes eos in ore bis ex transverso deinde se ipsos alter alterum ad invicem simili modo, adiecit etiam ipse testis quod R. Ferrandi dedit eidem testi equum suum.
De tempore quod sunt triginta anni et amplius.

19

Forma qualiter heretici hereticant hereticos suos. Paris, Bibliothèque Mazarine, ms. *2015*, fol. 153va ; éd. E. MARTÈNE-
U. DURAND, *Thesaurus novus anecdotorum*, t. V, Paris
1717, col. 1776.

1 « Ille qui maior est inter eos dicet ita credenti qui vult
hereticari : Frater vis te reddere fidei nostre ? Et credens
dicet : Sic. Et tunc a longe veniens ille credens, flectens
genua et manus in terra, dicet : Benedicite. Et hereticus
5 dicet : Dominus te benedicat. Et iterum eundo aliquantulum dicet credens illud idem, et tertio similiter. Et addet
tunc credens : Rogate Deum pro isto peccatore, quod me
perducat ad bonum finem, et faciat me bonum christianum.
Et respondebit hereticus : Deus sit rogatus quod faciat
10 te bonum christianum, et perducat te ad bonum finem.
Post hec interrogabit eum hereticus in hiis verbis : Cum
reddis te Deo et Evangelio ? Et credens respondet : Sic,
stando genibus flexis et manibus in terra.
Item : Promittis quod de cetero non comedas carnes,
15 nec ova, nec caseum, nec aliquam uncturam, nisi de aqua
et ligno ? Et pro aqua intelligunt pisces, et pro ligno oleum.
Item, Quod non mentieris, nec iurabis, nec occides
quicquam ex reptilibus, nec exercebis aliquam libidinem
de corpore tuo, nec ibis solus dum possis socium habere,
20 nec solus comedes, nec iacebis sine camisia et bracis, nec
relinques fidem timore ignis vel aque, vel alterius generis
mortis ? Et hiis promissis omnes circumstantes flectunt
genua sua, et manus in terra : et maior eorum ponit librum
ubi sit Evangelium sancti Iohannis, et manus supra cre-
25 dentem illum, et legit totum Evangelium : In principio erat
Verbum.
Post hec ille maior osculatur eum bis in ore ex transverso,
et ipse alium, et sic omnes assumunt pacem : et si sint
ibi mulieres alique, aliqua illarum recipiet pacem de
cubito alicuius heretici, sicut nostre faciunt de libro ; et

---

3 dicet *om.* ms   13 genibus et manibus flexis ms   15 victuram, sans doute défectueux, voir *supra*, p. 174, n. 71^a

deinde dat altera alteri pacem bis ex transverso. Et datur illi hereticato quoddam filum lineum vel laneum pro habitu quem portat supra camisiam : et sic ille postmodum dicitur hereticus indutus, et portat qualemcumque vult vel potest habere indumentum. »

Ce texte se trouve généralement joint à la *Somme* de Raynier Sacconi qu'il suit ou précède mais on ne peut l'attribuer à cet inquisiteur. Nous avons suivi le manuscrit de la *Mazarine,* parchemin 29,5 × 19,5 cm, fin du xiiie siècle, probablement antérieur à 1298.

Autres manuscrits :

Clermont-Ferrand, Bibl. municipale *153,* fol. 127^r, parchemin 13 × 8,5 cm, xiiie-xive siècle, plutôt xive.

Dublin, Bibl. de Trinity College *C 5 19,* fol. 15^{rv}, parchemin 15 × 10 cm, première moitié du xive s.

Vatican, Bibl. *Vat. Latin 3978,* fol. 54^r, parchemin 40,3 × 28 cm, seconde moitié du xive s., probablement avant 1375.

Vatican, Bibl. *Ottobon. Lat. 1761,* fol. 197-198, xvie-xviie siècles.

t
s.)

14, 36-38

ı   et   spiritum
     sanctum.   **14,** 43 Adoremus ter
ı   et   spiritum
     sanctum.
sti

                           om.

ı.
  tuum.
s parcat

                In principio erat verbum et cetera
                14, 45

m.
 sine ipso

iderunt.

lumine,

 de lumine.

e et le fils et	ADHOREMUS patrem et filium e spiritum sanctum. (III vegada
t bon.	
e et le Fils et le Saint-Esprit.	ADOREMUS patrem et filium
re et le Fils et le Saint-Esprit.	ADOREMUS patrem et filium
tre Seigneur Jésus-Christ	Gracia domini nostri Ihesu Chri
) tous dans les siècles. Amen.	sit cum omnibus nobis.
nnez-nous. Amen.	Benedicite, parcite nobis, ame
t, Seigneur, selon ton Verbe.	Fiat nobis secundum verbum
le Fils et le Saint-Esprit (vous) délivrent,	Pater et filius et spiritus sanctu
rdonnent tous vos péchés.	vobis omnia peccata vestra.

p. 470ᵇ

ENT ÉTAIT LE VERBE,	IN PRINCIPIO ERAT VERBUM,
t de Dieu,	et verbum erat apud deum,
Verbe.	et deus erat verbum.
mencement avec Dieu.	Hoc erat in principio apud Deu
i, et sans lui	Omnia per ipsum facta sunt, e
e qui existe.	factum est nichil,
	quod factum est
vie,	in ipso vita erat,
a lumière des hommes.	et vita erat lux hominum.
it dans les ténèbres,	Et lux in tenebris lucet,
e l'ont pas comprise.	et tenebre eam non compreher
mme envoyé de Dieu,	Fuit homo missus a deo,
ean.	cui nomen erat Johannes.
témoin,	Hic venit in testimonium,
oignage à la lumière,	ut testimonium perhiberet de
ussent par lui.	ut omnes crederent per illum.
lumière,	Non erat ille lux,
de la lumière.	sed ut testimonium perhiberet
ait la lumière véritable,	Erat lux vera,
homme	quae illuminat *bonem* hominem

pro sagrišenija ‖ vaša *sic pro* naša ? ‖
) bež nego že, *pro* bez ?

15 POKLANAMO se ôcu i s[y]nu i
   s[ve]t[o]mu d[u]hu.
   dostoino i pravedno est'ᵃ.
   POKLANAMO se ôcu i s[y]nu i s[ve]t[o]mu
                                        d[u]hu.
f. 57ʳ POKLANAMO se ôcu i s[y]nu / i sv[e]t[o]mu
                                        d[u]hu.
20 Bl[a]godit' G[ospo]da našega Is[usa]
                                      H[rist]a
   budi s' vsimi u veki, amin'.
   Bl[a]g[oslovi]te, ôpuštaite nam', amin'.
   BUDI nam, G[ospo]di, po g[lago]lu tvoemu.
   Ôtc', i s[y]n' i sveti d[u]h', o[t]pusti,
25 prosti vam' sagrigrišeni(ja) vaša.
   (Tois lignes de l'alphabet glagolitique).

Jn. 1, ISKONI B(JE) SLOVO,
1-17 i slovo b(je) ôt' B[og]a,
   i B[o]g' b(je) slovo,
   i se b(je) iskon(je) u B[og]a,
30 i vsa t(je)m' b(ja)še, i bež nego že
f. 57ᵛ ničtože ne b(je), eže b(je).

   V' tom' život' b(je),
   i život' b(je) sv(je)t' člov(je)kom',
   i sv(je)t' b(je) v' tmi svitit' se,
35 i tma ego ne obu(ja).
   I b(je) člov(je)k' poslan' ôt' B[og]a,
   ime emu Ivan'.
   S' pride v' sv(i)ditel' stvo,
   da sviditel' stvuet' o sviti,
40 da vsi viru imut' im'.
   I to sv(je)t' ne b(je),
   da osviditel'stvuet' o sviti.
   I bi sv(je)t' istin'ni,
   iže prosv(je)štaet' vsakoga člov(je)ka

ADORONS le pè
le saint-esprit.
Cela est juste
ADORONS le Pè

ADORONS le Pè

La grâce de n

soit avec (nou
Bénissez, pard
QU'IL nous so
(Que) le Père e

(qu'ils) vous p

AU COMMENCEM
et le Verbe éta
et Dieu était l
Il était au com
Tout fut par lu
rien ne fut de

En lui, était la
et la vie était
Et la lumière l
et les ténèbres
Il y eut un ho
il se nommait
Il vint comme
pour rendre té
afin que tous c
Il n'était pas l
(mais) le témoi
Et (le Verbe) é
qui éclaire tout

---

a) Peribleptos, cf. *supra*, p. 61, n. 80.
15 ôcu, *cum* ω ‖ 18 et 19 *idem* ‖ 22 ôpuštaite *pro*
ôtpuštaite ‖ 24 ôtc', *cum* ω ‖ 25 vam' *sic pro* nam? ‖

---

sagrigrišeni(ja) *si*
27 ôt' *cum* ω ‖ 3

hunc mundum.
, et mundus per ipsum factus est,
n non cognovit.
iit, et sui eum non receperunt.
m receperunt eum,
tatem filios dei fieri ;
t in nomine eius,
anguinibus neque ex voluntate
carnis,

tate viri, sed ex deo nati sunt.
o factum est,
n nobis,
iam eius, gloriam quasi unigeniti
a patre
et veritatis.
monium perhibet de ipso,
cens :
dixi : (vobis)
venturus est, ante me factus est,
erat.
ine eius nos omnes
gratiam pro gratia.
oysem data est,

tas
ristum facta est.

Texte slavon d'après le *Recueil du chrétien Radosav* du xv[e] siècle[a] (Bibl. Vat. — Ms. Borgiano Illirico 12). Voir *supra*, planches III-VI.

Tra‹

f. 56[r] OČE NAŠ' iže esi na nebesih' ;

NOTRE PÈRE ‹

56[v] da s[ve]tit' se ime tvoe ;
da pridet' cr'stvo tvoe ;
da budet' vola tvo(ja)
5 (ja)ko na neb[e]seh' i na zemli.
Hlib' naš' naš[u]sni

que ton nom
que ton règn‹
que ta volon‹
sur la terre c‹
Notre pain su‹

dai nam' danas'.
i ostavi nam' duge naše,
(ja)ko[ž]e i mi ostavlamo dl' žnikom'
našim'.
10 ne uvedi nas' v' napast',
izbavi nas' ô[t'] nepri(ja)zni.
(JA)KO tvoe est' cr'stvo i sila
i slava u[.]vik' am[i]n'.

donne-nous ‹
Et remets-no‹
comme nous

Ne nous soun‹
(mais) délivr‹
PARCE QU'à t‹
et gloire dan‹

a) Nous remercions M. le professeur I. Dujčev, de Sofia, de nous avoir aidée dans l'établissement du texte slavon et M. Fr. Šanjek, qui l'a traduit en le comparant au texte du rituel provençal. Voir Fr. ŠANJEK, *Les chrétiens bosniaques* (Thèse éd. 1976), p.

187-189. Nous ‹
des rituels lati‹
Nota bene: ‹
ě, i en vieux sl‹
slavonne, entre

I. Les Prièr

uction du texte slavon

Rituel cathare pr
éd. L. CLÉDAT p.

p. 470[a]
BENEDICITE parcite nobis an
Fiat nobis secundum verbum
Pater et filius et espiritus san
parcat vobis omnia peccata
Adhoremus patrem et filium

ui es aux cieux ;   PATER NOSTER qui es in celi

soit sanctifié ;   sanctificetur nomen tuum ;
vienne ;   adveniat regnum tuum.
é soit (faite)   Fiat voluntas tua
mme au ciel.   sicut in celo et in terra.
persubstanciel   Panem nostrum supersubsta

ujourd'hui.   da nobis hodie.
s nos dettes,   Et dimitte nobis debita nos
les remettons à nos débiteurs.   sicut et nos dimit(ti)mus deb

ets pas à la tentation,   E ne nos inducas imptentat
-nous du mal.   sed libera nos a malo.
i sont règne et puissance   QUONIAM tuum est regnum et
les siècles, amen.   et gloria in secula, amen.

_____

omplétons le tableau avec les prières   thode française. Voir supra p. 6
et roman.   3 cr'stvo *scil.*c[a]rstvo ‖ 9 (ja)
ou ѣ (se prononce yate) = ja ou je,   *scil.* sicut? ‖ 11 ð[t'], *cum* ω
ve, mis ici, selon les normes de l'école   c[a]rstvo ‖ 13 *post* slava u *litter*
des parenthèses que supprime la mé-

s

vençal 470-471	*Rituel cathare latin* Édition *supra*, p. 194 s.

<table>
<tr><td></td><td>Ces invocations se retrouvent à la fin Consolamentum
14, 33-38 et infra Appendice nº 22, p. 29</td></tr>
<tr><td>en.
tuum.
tus
vestra.
et espiritum sanc-
tum. III vegadas.</td><td></td></tr>
<tr><td>;</td><td>PATER NOSTER qui es in celis (supra, 2, 9-4, 34
14, 40 incip
(avec courte glose en latin)
Sanctificetur nomen tuum (gl.)
Adveniat regnum tuum (gl.)
Fiat voluntas tua (gl.)
Sicut in celo et in terra (gl.)</td></tr>
<tr><td>cialem</td><td>Panem nostrum supersubstancialem
(long commentaire)
Da nobis hodie (gl.)</td></tr>
<tr><td>ra,
toribus nostris.</td><td>Et dimitte nobis debita nostra (gl.)
Sicut et nos dimittimus debitoribus nostris (g</td></tr>
<tr><td>onem,

virtus</td><td>Et ne nos inducas in temptationem (gl.)
Sed libera nos a malo (gl.)
Quoniam tuum est regnum (gl.)
Et virtus (gl.)
Et gloria (gl.)
In secula (gl.)
AMEN (gl.)</td></tr>
</table>

, n. 86ᵇ; δ = ω ms.
koe ms, *pro* jakože,
‖ 12 cr'stvo, *scil.*
m *add. et del.*

Recueil cathare roman, II
éd. Th. Venckeleer, p. 762-785

u

3d

et
t)

PATER NOSTER qui es in celis
            (avec commentaire en roman)

Sanctificetur Nomen tuum (comment.)
Adveniat Regnum tuum *(ibid.)*
Fiat voluntas tua *(ibid.)*
Sicut in celo et in terra *(ibid.)*
Panem nostrum supersustancialem *(sic, ibid.)*

Da nobis hodie *(ibid.)*
Et dimitte nobis debita nostra *(ibid.)*
.)   Sicut nos *(sic)* dimittimus debitoribus nostris
                                        (ibid.)
Et ne nos inducas in temptationem *(ibid.)*
Sed libera nos a malo *(ibid.)*
Quoniam tuum est Regnum *(ibid.)*
Et Virtus *(ibid.)*
Et gloria *(ibid.)*
om. In secula
A.M.E.N.

nonde.
nonde, et le monde fut par lui,
1'a pas connu.
es siens, et les siens ne l'ont pas
 l'ont reçu,
voir de devenir enfants de Dieu ;
nt en son nom,
de chair,

ame, mais Dieu a engendrés.
 fait chair,
 parmi nous,
sa gloire, comme du fils unique

e grâce et de vérité.
moignage
disant :
j'ai dit :
rès moi est passé devant moi,
noi il était.
nous avons tous
ute la grâce).
onnée (par l'intermédiaire) de
Moïse,
grâce (et) la vérité
nous sont données.

venientem in
In mundo era
et mundus eu
In propria ve
Quotquot aute
dedit eis pote
his, qui credu
qui non ex s

p. 471a
neque ex volu
Et verbum ca
et (h)abitavit
et vidimus glo

plenum gratie
Johannes testi
et clamabat d
hic est, quem
qui pos(t) me
quia prior me
Et de plenitud
accepimus (et)
Quia lex per M

gratia e(t) ver
per Ihesum Ch

tre) à Tite 2, 12-13
mpiété
es de ce monde,
siècle présent dans la réserve,
iété,
nheureuse espérance
la gloire de notre grand Dieu¹.

nis la fin du verset « et Sauveur
ormément à ses croyances.

45 greduštago u vas'mir' pride.
U vsem'miru b(je), vas'mir' tim' bi[t]i,
i vas'mir' ego ne pozna.
U svo(je) pride, svoi ego ne priše.
f. 58ʳ Eli kožde ih' priet' i,
50 dast' im' oblast' čedom' b[o]žim' biti,
im', virujuštim' v' ime ego,
iže ni ô kr'vi pl't'ski,

ni ô pohoti muškie, n' ô Boga rodi se.
I slovo ego pl't' b(je),
55 i v'seli se v' n(je),
i vidihomo e slavu ego slavu jako ino-
čedago ô[t] oca,
ispl'no blagodit' istina.
Iov[a]n' sviditel'stvuet' o nem'
i v'zva ih' g(lago)le :
60 S' bi, egože i rih' e vam' :
po mni gredei i prid' mnoju,
bi jako i pr'vi mene.
Bio ô ispl'neni(ja) ego, a mi vsi
priehomo blagodit', vas' blagodit'
65 (Ja)ko zakon' Moisiem' dan' b(je),

f. 58ᵛ a blagodit' istina
Is[u]h[risto]m' b(je) dano.

f. 59ʳ [Écriture de caractères glagolitiques du
xiiᵉ ou du xiiiᵉ siècle].

I Pavl' ap(o)s(to)l'
Tit.2,
12-13 govori k' titu
70 da otvr' žeše se nečastivije
i pl'tske pohot
i cilo mudro blagovr'no poživmov'
ninašnem' vici
čajušte blaženoga ujupvanije
75 i prosveštenije slavi velikago Boga.

_____

48 ne priše, *scil.* pri[e]še ‖ 52 ô Kr'vi : ô[t'] ‖ 53 ô
pohoti : ô[t'] ‖ ô Boga : ô]t'] Boga

venant dans ce
Il était dans le
et le monde ne
Il est venu chez
reçu. A ceux qu
il a donné le pou
à ceux qui croie
eux que ni sang

ni vouloir d'ho
Et le Verbe s'es
et il a demeuré
et nous avons vu
du Père, plein d
Jean lui rend t
et proclame en
voici celui dont
Lui qui vient a
parce qu'avant
De sa plénitude
reçu la grâce (t
Car la loi fut d

(tandis que) la
par Jésus-Christ

Et l'apôtre Paul

parle (dans l'ép
de renoncer à l'
et aux convoitis
pour vivre en ce
la justice et la
attendant la bie
et l'apparition d

_____

1. L'auteur a o
Jésus-Christ », con

dinato : Benedicite, parcite nobis, amen. Fiat nobis, domine, secundum verbum tuum. Et ordinatus dicat : Pater et filius et spiritus sanctus dimittat vobis omnia peccata vestra.

Livraison du Pater

E puis diga l'ancia : Aquesta sancta oracio vos liuram, que la recepiatz de deu, e de nos e de la gleisa, e que aiatz pozestat de dir ela totz les temps de la vostra vida, de dias, e de nuitz, sols, et ab companha, e que iamais no mangetz, ni bevatz, que aquesta oracio no digatz primeirament ; e si o faziatz en falha, auria vos obs qu'en portessetz penedensa.

om.

Et el deu dire : Eu la recebi de deu, e de vos, e de la gleisa. E puis fassa so miloirer, e reda gracias.

om.

E puis li crestia fasan dobla ab venias, el crezent detras els.

Et tunc credens surgat. Ordinatus dicat : A deo et nobis et ab ecclesia et suo sancto ordine et a suis sanctis preceptis et discipulis habeatis potestatem istius orationis dicendi eam ad comestionem et potationem vestram de die nocteque, solus et cum societate, sicut est consuetudo ecclesie Ihesu Christi ; et non debeatis comedere neque bibere sine ista oratione. Et si fallimentum adherit, quod manifestabitis ad ordinatum ecclesie cicius quam poteritis, et portabitis illam penitentiam quam ipse vobis dare voluerit. Dominus deus verus det vobis graciam observandi illam ad honorem illius et salutem vestri. Tunc credens faciat tres reverencias, dicendo : Benedicite, benedicite, benedicite, parcite nobis. Dominus deus tribuat vobis bonam mercedem de illo bono quod fecistis michi amore dei.

Tunc si credens non debet consolari, oportet accipere servicium et ire ad pacem.

gleisa de deu, ab castetat, et ab veritat, et ab totas bonas austras vertutz las quals deus volra donar a vos. Per la qual causa pregam le bo senhor, lo qual donec vertut de recebre aquesta sancta oracio als decipols de Iesu Christ ab fer(475ᵇ) metat, que el mezeis deone a vos gracia de recebre ela, ab fermetat et a onor de lui e de la vostra salvatio. Parcite nobis.

om.

E puis l'ancia diga la oracio, el crezentz que la seguia.

cum obedientia et castitate et omnibus aliis virtutibus bonis, quas deus vobis tribuere voluerit. Unde rogamus bonum dominum, qui virtutem recipiendi hanc orationem tribuit discipulis Ihesu Christi cum firmitate, quod ipse tribuat vobis vim recipiendi illam cum firmitate, ad onorem illius et ad salutem vestram. Parcite nobis.

Tunc ordinatus accipiat librum de manibus credentis et dicat : Iohannes, si sic vocatur nomen eius, habetis voluntatem recipiendi istam sanctam orationem sicut memoratum est et retinere illam toto tempore vite vestre cum castitate et veritate et humilitate et cum omnibus aliis virtutibus bonis, quas deus vobis tribuere voluerit ? Et credens respondeat : Sic habeo, rogate patrem sanctum quod ipse tribuat michi vim suam. Et ordinatus dicat : Deus tribuat vobis gratiam recipiendi illam ad honorem eius et vestram salutem. Tunc **6,** ordinatus dicat credenti : 1-27 Dicite orationem mecum verbo ad verbum, et perdonum dicite [sicut dixerit ille. — Et dicat] sicut dixerit ille qui est iuxta ordinatum. Tunc ordinatus incipiat perdonum. Postea dicat orationem sicut est consuetudo. Finita oratione et gratia, tunc credens cum reverentia dicat coram or-

474^b
in fine E per aquestas razos, e per moutas d'autras, es donant az entendre quar lo sanh paire vol merceneiar del seu poble, e recebre lui a patz e a la sua concordia, per l'aveniment del seu fil Jesu Christ. Don es aquesta l'ocaizo quar esz aici denant los decipols (475^a) de Jesu Christ, el qual loc abita esperitalment lo paire el fil el sant esperit, aissi co desus es demostrat, que vos deiatz recebre aicela sancta oracio, la qual donec lo senhor Jesu Christ a sos decipols, enaissi que las vostras oracios e las vostras pregueiras sian eissauzidas del nostre Sanh paire.

Et sic pro istis rationibus **1, 7** et aliis multis, datur intelligi quod pater sanctus vult sui populi misereri, et recipere eum ad pacem et concordium illius per adventum filii eius Ihesu Christi. Unde hec est causa quare hic estis coram discipulis Ihesu Christi, ubi pater et filius et spiritus sanctus spiritualiter habitat, sicut superius hostensum est, ut illam orationem sanctam recipere valeatis, quam suis discipulis tribuit dominus Ihesus Christus, ita ut deprecationes et orationes vestre exaudiantur a sanctissimo nostro patre, sicut David ait : Dirigatur oratio mea sicut incensum in conspectu tuo.

Après l'exposé littéral du Pater avec gloses et commentaire, le rituel latin continue :

475^{a-b} Per laqual causa devetz entendre, si aquesta sancta oracio voletz recebre, quar cove vos pentir de totz les vostres pecatz e perdonar a totz homes. Quar lo nostre senhor Jesu Christ dix: Si no perdonaretz als homes li pecat de lor, nil vostre paire celestial no perdonara a vos los vostre pecatz. De rescaps se cove que perpausetz e vostre cor de gardar aquesta sancta oracio totz les temps de la vostra vida, si deus donara a vos gracia de recebre ela, segon la costuma de la

Unde debetis intelligere, **5,** si hanc orationem recipere **1-** vultis, quia oportet vos peniteri de omnibus peccatis vestris, et dimittere omnibus hominibus, quia in evangelio Christus ait : Nisi dimiseritis hominibus peccata eorum, nec pater vester celestis dimittet vobis peccata vestra. Item oportet ut preponatis in corde vestro observare istam sanctam orationem toto tempore vite vestre, si deus recipiendi gratiam vobis tribuerit, secundum consuetudinem ecclesie dei,

II. La cérémonie du Pater[a]

Suite immédiate, exclusive au *Rituel provençal*, exposant le *servicium* ou *apparelhamentum* entremêlé de huit *Benedicite* (*supra*, p. 33 s., CLÉDAT, f. 471ª-473ª).

471ª Nos em vengut denant Deu... ni condampnat al dia del judici cum li felo. Benedicite parcite nobis.

473ª Si crezent esta en l'astenencia, e li crestia so acordant que li liuro la oracio, lavo se las mas, e crezent si n'i a, eissament. E puis la us dels bos homes, aquel que es apres l'ancia fasza tres reverencias a l'ancia, e puis aparele un desc, e puis autras tres, e meta tovala sobrel desc, e puis autras tres, e meta le libre sobre la tovala. E puis diga : Benedicite parcite nobis. E puis le crezent fasza so meloier, e prenga le libre de la ma de l'ancia. E l'ancia deu lo amonestar, e prezicar ab testimonis covinentz. E sil crezent a nom Peire, diga enaissi : En Peire...

Suit l'Homélie préparatoire.

La similitude avec le rituel latin tronqué commence à :

---

a) *Nota* : Nous nous inspirons ici, en le modifiant légèrement, du tableau comparatif dressé par A. DONDAINE, p. 37-39.

Déposition le 21 février 1245 de Pons
Carbonnel du Faget, témoin, vers 1205, du
' Consolamentum ' cathare.

Doat 24, 38ʳ, cf. *supra*, p. 176, n. 78.

(éd. L.

(p. 475ᵇ)
E si deu esser co

Testis iuratus dixit quod... multociens adoravit ipsos hereticos, dicendo ' Benedicite ' ter
flexis genibus ante ipsos hereticos et addendo
post ultimum Benedicite : Rogate Deum pro
isto peccatore, quod me perducat ad bonum
finem. Et heretici respondebant in quolibet
Benedicite : Deus vos benedicat, et addebant
post ultimum Benedicite : Deus sit rogatus,
quod faciat vos bonum Christianum et perducat
vos ad bonem finem.

fasa so milhoirer

. . . .

De tempore, quod sunt quadraginta anni.
Voir aussi *supra* p. 170-173, n. 66 et 70 et
Appendice, nᵒ 18, p. 282.

---

a) Nous nous inspirons encore ici du tableau
dressé par A. Dondaine (p. 40-43), auquel nous joi-
gnons celui de F. Šanjek (Thèse dactylographiée, p.
361 s) et la description du Consolamentum reçu, en
1204, par Esclarmonde de Foix.

e pre < n > ga le l

ituel provençal
  CLÉDAT 475b-479b)

ssolatz ades,

7 Et si cred
postquam re
debet venir
hospicio illiu
tias coram o
credentis.

Hoc facto
et christiane
orationibus
et hoc facto,
et sorores, s
contra deu
dominum d
parcat. Et
natum dica
et misericors
et in terra
vobis et pa
hoc seculo, e
diam. Et or
domine, sec

Tunc omn
tres reverent
cite, benedic
aut fecissem
nostram, rog
nobis parcat
ordinatus res
verax et mis
dictum est.

8 Et hoc fac
coram se. Tu
et accipiat li
tribus revere
et superius

ibre de la ma de l'ancia.

ens debet consolari in presenti
epit orationem, tunc ipse credens
cum illo qui ancianus est de
s, et debent facere tres reveren-
dinato et rogare de bono illius

, tunc ordinatus et christiani
debent rogare deum cum septem
ta quod ordinatus audiatur;
tunc ordinatus dicat : Fratres
dixissem vel fecissem aliquid
et salutem meam, rogate
um pro me quod ipse michi
le ancianus qui est iuxta ordi-
: Pater sanctus, iustus et verax
, qui potestatem habet in celo
imittendi peccata, ipse dimitat
cat omnia peccata vestra in
futuro faciat vobis misericor-
inatus dicat ; Amen. Fiat nobis
ndum verbum tuum.
s christiani et christiane faciant
as, dicendo : Benedicite, benedi-
te, parcite nobis ; si dixissemus
s aliquid contra deum et salutem
te deum misericordie quod ipse
Benedicite, parcite nobis. Et
ondeat : Pater sanctus, iustus,
ericors et cetera, sicut superius

o, tunc ordinatus aptet discum
c credens veniat coram ordinato
orum de manibus ordinati cum
ntiis, sicut ad orationem fecit
emoratum est.

Déposition de Béranger de Lavelanet, témoin, vers 1204, du Consolamentum d'Esclarmonde de Foix et de ses compagnes.

Doat 24, 42ʳ, cf. *supra*, p. 171, n. 67 et Appendice nᵒ 18, p. 282.

Esclarmunda ... Auda ... et Fais ... reddiderunt se Deo et Evangelio

E l'ancia deu
testimonis covin
coveno a cossol
En Peire, vole
esperital, per 1
en la gleisa de
l'empausament

de las mas dels

et promiserunt quod ulterius non (42ᵛ) comederunt carnes, nec ova, nec caseum, nec aliquam uncturam, nisi de oleo et piscibus

(p. 478ᵃ) E sapia

et quod non iurarent, nec mentirentur nec aliquam libidinem exercerent toto tempore vite sue

que hom no avo
jure, negu sagrar

Tunc dica
voluntatem
Ihesu Christi
rum, propter
norum cum i
illud toto te
et humilitate
bonis, quas

Et credens
deum quod

Et ordina
gratiam reci
et salutem v

e amonestar e prezicar ab
ntz et ab aitals paraulas cos
nent. E diga enaissi.

recebre lo (p. 476ᵃ) babtisme
qual es datz Sant esperit
Deu, ab la santa oracio, ab

9 De predica
Tunc ordi
predicatione

O Iohanne
modo in hac
et Christo et
coram ecclesi
est ostensun
estis hic cor
perdonum v
deprecatione
impositione

s homes ...

que el (Christus) a comandat

13, 39 Item f
nunquam co
caseum nec l
reptilium ne
ecclesiam.

13, 20 ... oport
cum begni
misericordi

tre, ni ausisa, ni menta, ni
ent

13, 33 Item
hanc pro
facietis hc
tum palan
tarie aliqu
mortem

ordinatus : Iohannes, habetis
ecipiendi baptismum spirituale
et perdonum vestrorum peccato-
deprecationem bonorum christia-
mpositione manuum, et retinere
npore vite vestre cum castitate
et cum omnibus aliis virtutibus
leus vobis tribuere voluerit ?
respondeat : Sic, habeo, rogate
ipse tribuat michi vim suam.
us dicat : Deus tribuat vobis
piendi illud ad honorem illius
estram.

tione ordinati,
natus incipiat
n tali modo, si ei placet.
s, vos debetis intelligere quod
secunda vice venistis coram deo
spiritu sancto quando venistis
dei, sicut superius per scripturas
, et debetis intelligere, quod
m dei ecclesia causa recipiendi
estrorum peccatorum propter
n bonorum christianorum cum
manuum...

acietis hoc votum deo quod
medetis scienter nec voluntarie
ctem, ovum, nec carnem avium
bestiarum prohibitam per dei

et vos diligere deum cum veritate,
gnitate, cum humilitate, cum
a, cum castitate.

oportet vos facere hoc votum et
missionem deo, quod nunquam
micidium nec adulterium nec fur-
nec privatim, nec iurabitis volun-
a occasione nec per vitam nec per

Consolamentum provençal abrégé
pour les malades
éd. L. Clédat, p. 481[b]. Cf. *infra*, pl. VIII[b] *in fine*.

n, sitim,

c donum
retinere
puritate

manibus
vocatur
cipiendi
Christi,
ud toto
ordis et
re ? Et

et michi

s verus
donum
trum.

coram
nus qui
go veni
sancto
miseri-
ue sunt
empore
ro me,
parcite

t nobis
a suis
tis vos
mnibus
a sunt
sque
dimit-
ernam.
omine,

E puis l'ancias deu pendre le libre,

el malaute deu se
clinar e dire :

Parcite nobis. De totz les pecatz ... ni parlei,
ni cosirei, venc (p. 482[a]) a perdo a Deu, e a la
gleisa, et a totz vos.

E li crestiani devo dire : De Deu e de nos e
de la gleisa vos sian perdonatz, e nos preguem
Deu que les vos perdo.

13, 43   ... oportuerit vos sustinere
scandala, persecutionem et mor

13, 69   Quare debetis intelligere s
dei receperitis quod oportebit
illud toto tempore vite vestre
cordis et mentis.

14   Tunc ordinatus accipiat libru
credentis et dicat : Iohannes, s
eius nomen, habetis voluntate
istud sanctum baptismum I
sicut memoratum est, et retin
tempore vite vestre cum purit
mentis et non deficere pro al
Iohannes respondeat : Sic, hab
rogate bonum dominum pro me
suam gratiam.

Et ordinatus dicat : Domin
tribuat vobis gratiam recipien
ad honorem illius et ad bonu

el diga enaissi : Ei volontat,   Tunc credens stet cum reve
er mi que m'en do la sua forsa.   ordinato et dicat sicut dixerit
fuerit apud ordinatum, qui dic
deo et vobis et ecclesie et
ordine pro recipiendo perdon
cordiam de omnibus meis pecc
lels bos homes fasa so miloirer   in me commissa et operata pro a
usque modo, quod vos rogetis
quod ipse dimittat michi. Bene
ncia e diga : Parcite nobis. Bo   nobis.
s pregam per amor de Deu que
be que Deus vos a dat ad aquest
puis le crezent fasa so miloirer,
e nobis. De totz les pecatz qu'eu
ei, ni cossirei, ni obrei, venc a
, a la gleisa e a totz vos.

ligan : De Deu, e de nos, e de la
a perdonat e nos preguem Deu
do.

Tunc ordinatus respondeat : A
et ecclesia et a suo sancto or
sanctis preceptis et discipulis
perdonum et misericordiam
vestris peccatis, que in vobis
et operata pro aliquo tem
modo, quod dominus deus mise
tat vobis et conducat vos ad v
Et credens dicat : Amen, fiat

nec dimitterent sectam hereticorum metu mortis, ignis vel aque, vel alterius generis mortis

(p. 478b) Et
pregatz Deu p

E puis la us
ab le crezent
(p. 479a) a l'a
crestia, nos vc
donetz d'aquel
nostre amic. E
e diga : Parcit
anc fi, ni par
perdo a Deu, e

E li crestia
gleisa vos sia
que les vos pe

urgat
oram

super
tiani,
nant

ris et
apud
alii

E puis devo le cosolar
enaissi que las mas el
libre li devo pausar sus le cap,

e dire :
Benedicite, parcite nobis, amen.
Fiat nobis, secodum
verbum tuum.

mitat

Pater et filius e spiritus santus

parcat vobis omnia peccata vestra.
Adoremus patrem es filium
e spiritum santum
III vetz. E puis

icors.
titia.

Pater santer, suciper servum tuum in tua
iusticia es mite gratiam tuam e spiritum santum
tuum super eum.
E si es femna devo dire : Pater sante suciper

cetur

ancillam tuam in tua iusticia, e mitte grasiam
tuam e spiritum santum tuum super eam.
E puis que pregon Deu ab la oracio,

lo et

e devo ecelar a la sezena,
e quan la sezena sera dita,
devo dire III vetz : Adoremus paterem es
filium e spiritum santum,

Rituel provençal	Rituel latin

<table>
<tr><td>

cossolar,
lo libre
o cap, e li
i

</td><td>

secundum verbum tuum. Tunc
et ponat suas manus super
ordinato.
Et ordinatus tunc imponat
caput eius, et omnes alii ordin
qui ibi fuerint, manus suas dex
super eum.
Et ordinatus dicat : In no
filii et spiritus sancti. Et ille
ordinatum dicat : Amen.
dicant plane.
Tunc ordinatus dicat :
Benedicite, parcite nobis, am
Fiat nobis, domine, secundum
verbum tuum.
Pater et filius et spiritus s
vobis et
parcat omnia peccata vestra.
Adoremus patrem et filium
et spiritum sanctum,
adoremus patrem et filium
et spiritum sanctum,
adoremus patrem et filium
et spiritum sanctum :

</td></tr>
<tr><td>

,

</td><td></td></tr>
<tr><td>

suciper servum tuum in tua
te gratiam tuam e spiritum
super eum.

</td><td>

Pater sancte, iustus et verax
dimitte servo tuo, recipe eum

</td></tr>
<tr><td>

ab la oracio,

</td><td>

Pater noster qui es in celi
nomen tuum, et cetera.

</td></tr>
<tr><td>

isa lo menester
sezena,
sera dita
adoremus »

</td><td>

Et dicat quinque orationes
postea
Adoremus ter.

</td></tr>
</table>

et his omnibus premissis dixerunt orationem
scilicet Pater noster secundum modum hereticorum deinde heretici imposuerunt manus et
librum super capita earum

E puis devo lc
e l'ancia preng
e meta lei sus ¹
autri boni hon
cascu la ma
destra

e digan
las parcias

e tres adoremu

e puis
Pater sancte,
iusticia et m
sanctum tuum

E pregon Deu

et aquel que g
deu ecelar a la
e can la sezen
deu dire tres

t postea :
spiritum

e la oracio una vetz
en auzida

bum », et

e puis l'Avangeli (Jn. 1, 1-17)

E quan (l'avangeli) (p. 482ᵇ) es ditz, devo dire III vetz : Adoremus patrem es filium e spiritum santum,

e la oracio una vetz en auzida.

E puis pregan comiatz com a home.
E puis devo far patz entre lor
e ab le libre.
E si crezentz ni crezentas
i a fassan patz.
E puis li crestiani devo demandar las salutz
e redre.

dicendo :
e, parcite
mercedem
more dei.
e recipiant
clesie.

E sil malaute fenis ni lor laissa ni lor dona alcuna causa, no o devo tenir per lor ni amparar. Mais que o devo pausar e la voluntat de l'orde. Empero sil malaute viu, li crestiani lo devo presentar a l'orde e pregar ques recosole al pusto(s)t que puscan, e el fassane sa voluntat.

(Pour la traduction française voir : L. CLÉDAT, *idem*, p. xxv ; R. NELLI, *Écritures Cathares*, Paris 1968, p. 225).

Rituel provençal	Rituel latin
vetz	Et postea dicat unam orationem Adoremus patrem et filium sanctum ter.
	Et postea « In principio erat cetera. (Jn. 1, 1-17).
;	Finito evangelio, ter dicat Adoremus patrem et filium et spiritum sanctum.
es ditz	
›arcias.	Et postea orationem unam.
patz entre lor	Et postea ter dicat Adoremus, et levet gratiam.
₊ fasan patz atressi, e crezentas tz ab lo libre et entre lor.	
	Et christianus osculet librum
	et postea faciat tres reverenti‹ Benedicite, benedicite, bened‹ nobis ; deus reddat vobis bona de illo bono quod michi fecist‹ Tunc ordines, christiani et christ‹
dobla	servicium sicut consuetudo est

Récit de Béranger de Lavelanet

e la oracio ur
en auzida,

et legerunt

e puis l'avang
Jn. 1, 1-17
e can l'avang
devo dire tre
« adoremus »,
e la gratia,
(p. 479^b) e la

et dederunt eis pacem primo cum libro consequenter cum humero.

E puis devo f
e ab lo libre.
E si crezentz
si n'i a fasan

et adoraverunt Deum facientes venias et
genuflexiones multas et interfuerunt illi consolamento ipse testis (43^r) et ... ipse testis quam
alii viri et mulieres ... adoraverunt ipsos hereticos, ut praedictum est, et post adorationem
acceperunt pacem ab ipsis hereticis osculantes
eos bis in ore ex transverso, deinde se ipsos
alter alterum ad invicem simili modo.

E puis
pregon Deu ab
et ab venias,
et auran liura

Pl. VII

Rituel provençal. Consolamentum des malades. Lyon, Bibl. de
la ville, fonds Adamoli A. I. 54, fol. 240ᵛ

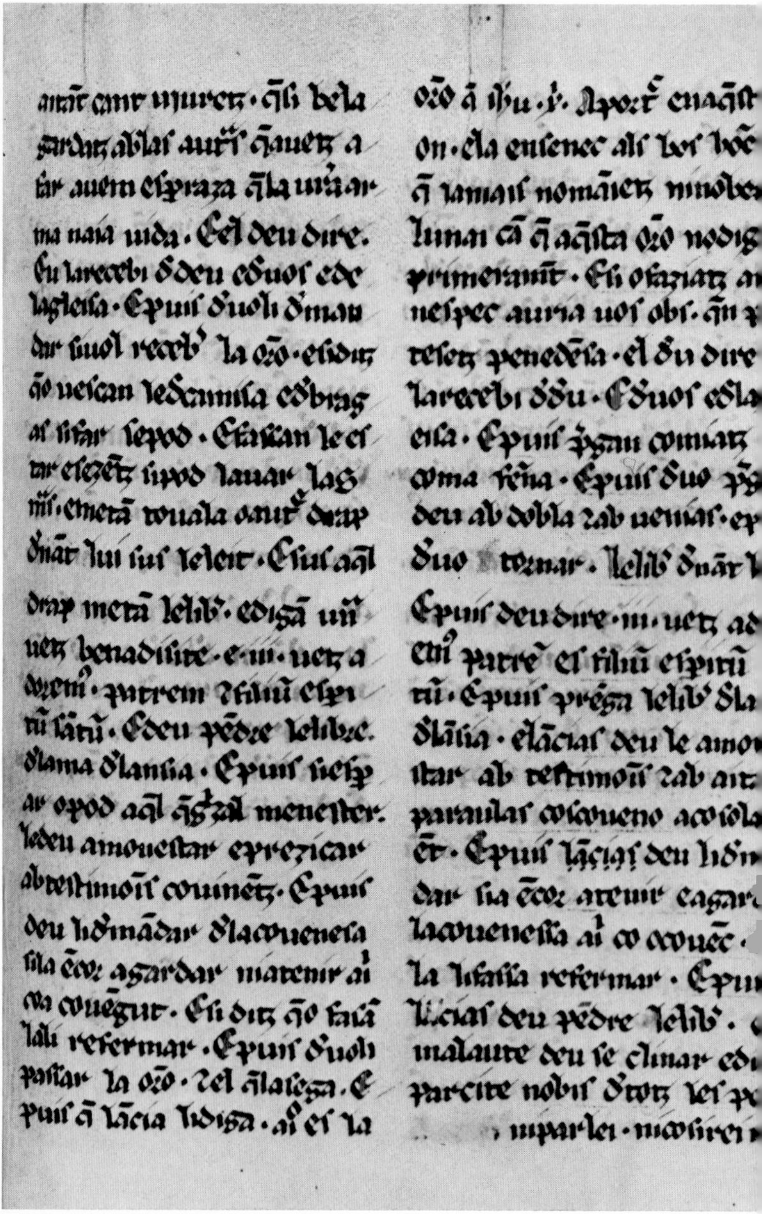

Rituel provençal. Consolamentum des malades. Lyon, Bibl. de la ville, fonds Adamoli A. I. 54, fol. 241r

Pl. IX

Rituel provençal. Consolamentum des malades. Lyon, Bibl. de la ville, fonds Adamoli A. I. 54, fol. 241ᵛ

ADDENDA

Page 67, note 89 (suite).

[b]) p. 122. A. V. Solovjev, « La doctrine », p. 524. [c]) Th. S. Thomov, « Influences bogomiles dans le ' rituel cathare ' de Lyon », dans *Actes du Colloque international de civilisations, littératures et langues romanes*, Bucarest 14-27 septembre 1959, p. 58-78, reproduit dans *Revue de langue et littérature provençales*, nos 7-8, 1963, p. 42-67, cf. p. 53-55 et 66-67. Voir *supra*, p. 80, nos 131-132. Nous n'avons pu consulter D. Angelov, *Bogomilstvoto v Balgarija*, Sofia 1969.

Page 146, note 20 (suite).

R. Manselli, *Studi sulle eresie del secolo XII* (*Ist. stor. ital. per il med. evo. Studi storici* 5), 2e éd., Rome 1975, p. 191-210, insiste à nouveau (cf. p. 192, n. 3), sur le dualisme modéré des Rhénans, sous prétexte que, selon J.-C. Gieseler, l'énoncé d'Eckbert sur le dualisme des cathares suit, « à la lettre », un passage du *De haeresibus* de S. Augustin : opinion qui ne résiste pas à la confrontation des textes (*PL* 42, 34, *cap.* 46). E. Broecks lui-même (p. 212-213, n. 2), que cite R. M., énumère les incompréhensions d'Eckbert dues à sa « filiation directe » avec Augustin, mais ne signale point la doctrine dualiste. Si l'on compare les phrases d'Eckbert à l'*Excerptum de Manichaeis*, extraits des textes augustiniens sur le Manichéisme que le moine a rassemblés en Appendice à ses sermons (*PL* 195, 99A), on constate que, seul — en dehors de l'explication habituelle ' unum bonum alterum malum ', propre à la doctrine radicale — répond à l'argument de R. M. le ' quemdam immanem principem tenebrarum ', identique dans les deux textes : c'est tout. Quant à l'origine du radicalisme rhénan, le professeur italien ignore encore que l'hypothèse, formulée par nous en 1954, a été abandonnée dans *Hérésie et hérétiques* (1969), qu'il cite pourtant ; cf. p. 29.

BIBLIOGRAPHIE

Sigles et abréviations

AFP   Archivum Fratrum Praedicatorum.

B.N.   Bibliothèque Nationale, Paris.

B.S.   *Biblia Sacra.*

CC   Corpus Christianorum, series latina. Turnhout.

CM   Contra Manicheos, voir DURAND DE HUESCA.

CSEL   Corpus Scriptorum Ecclesiasticorum Latinorum, Vienne.

Catharisme et Valdéisme Voir notre étude.

DTC   Dictionnaire de Théologie Catholique, Paris.

Liber   Livre des deux principes.

MBVP   Maxima Bibliotheca Veterum Patrum.

MGH. SS Monumenta Germaniae historica, Scriptores, Berlin.

PG   MIGNE (J.-P.), Patrologia Graeca, Paris 1857-1866.

PL   MIGNE (J.-P.), Patrologia Latina. Editio prior, Paris 1844-1864. Editio secunda entre [ ].

Ps. Rom. Psautier Romain.

RHE   Revue d'Histoire Ecclésiastique, Louvain.

Recueil cathare Voir VENCKELEER (Th.).

Rituel provençal Voir CLÉDAT (L.).

SC   Sources Chrétiennes, Paris.

S. Script. Sacra Scriptura.

Traité cathare Voir notre étude.

Vg   Vulgate

W   Wordsworth-White, Novum Testamentum latine.

*
* *

I. SOURCES MANUSCRITES

Clermont-Ferrand, Bibliothèque Municipale 153.

Dublin, Bibliothèque de Trinity College C 5 19.

Florence, Bibliothèque Nationale, Conventi soppressi I, II, 44.

Lyon, Bibliothèque de la Ville, fonds Adamoli A.I.54 : Nouveau Testament provençal.

Paris, Bibliothèque Nationale, ms. latin   342.

— Bibliothèque Nationale, ms. latin 12 048.

— Bibliothèque Nationale, ms. lat. 13 151.

— Bibliothèque Nationale, Collection DOAT, t. 21, 22, 23, 24, 25. 26, 32.

Rome, Bibliothèque Vaticane, ms. Barberini latin 720.

— Bibliothèque Vaticane, ms. Borgiano Illirico 12.

— Bibliothèque Vaticane, Ottobon. latin 1761.

— Bibliothèque Vaticane, Vatican grec   840.

— Bibliothèque Vaticane, Vatican grec 1 456.

— Bibliothèque Vaticane, Vatican grec 1 838.

— Bibliothèque Vaticane, Vatican latin   598.

— Bibliothèque Vaticane, Vatican latin 3978.

Silos, Abbaye de Santo Domingo, ms. 5 (D).

* *
*

II. SOURCES IMPRIMÉES

ABÉLARD, *Epistola 10*, *PL* 178.

— *Expositio orationis dominicae*, *PL* 178.

ADÉMAR DE CHABANNES, *Chronicon*, éd. J. CHAVANON (*Collection de textes pour servir à l'étude et à l'enseignement de l'histoire*, 20), Paris 1897.

ALAIN DE LILLE, *Summa quadripartita (De fide catholica contra haereticos)*, *PL* 210, col. 305-430.

PS.-ALCUIN (?), *De divinis officiis 3*, *PL* 101, col. 1173-1286.

ALDAMA (J.-A. de), *Repertorium pseudo-chrysostomicum (Documents, études et répertoires publiés par l'Institut de Recherche et d'Histoire des Textes* X), Paris 1965.

ALLATIUS (L.), *De ecclesia occidentalis atque orientalis perpetua concessione*, Cologne 1648 ; rééd. anastatique Farnborough (Gregg Intern. Publishers) 1970.

AMALAIRE, *Liber officialis*, *PL* 105 ; éd. J. M. HANSSENS (*Studi e Testi* 139, 2), Città del Vaticano 1948.

ANDRÉ DE FLEURY, *Vita Gauzlini*, éd. R.-H. BAUTIER, *Vie de Gauzlin, Abbé de Fleury (Sources d'histoire médiévale*, 2), Paris 1969.

ANDRIEU (M.), *Le pontifical romain au moyen âge*, t. I, *Le pontifical romain du XII*e *siècle (Studi e Testi* 86), Città del Vaticano 1938.

— *Les ordines romani du haut moyen âge*, II (*Spicilegium sacrum Lovaniense*, 23), Louvain 1948.

ANSELME, *Gesta episcoporum Leodiensium*, *MGH. SS* VII, 189-234, Hanovre 1846.

ANSELME D'ALEXANDRIE, *Tractatus de hereticis*, éd.

A. DONDAINE, « La hiérarchie cathare en Italie », II, dans *AFP* XX, 1950, p. 308-324.

AUGUSTIN, *Contra Faustum*, PL 42 ; éd. J. ZYCHA, *CSEL* 25¹, 1891.

— *Contra Fortunatum*, PL 42 ; *CSEL* 25¹.

— *De civitate Dei*, PL 41 ; *CSEL* 40¹.

— *De duabus animis*, PL 42 ; éd. J. ZYCHA, *CSEL* 25¹.

— *De haeresibus*, PL 42.

— *Epistolae* 36, 236, PL 33.

— *Sermones* 49, 56-59, PL 38 ; *sermo* 56, éd. P. VERBRAKEN, dans *Revue Bénédictine* 68, 1958, p. 5-40.

AVICEBRON, *Fons vitae*, éd. C. BAEUMKER (*Beiträge zur Geschichte der Philosophie des Mittelalters* I, 2-4), Münster 1895.

BASILE DE CÉSARÉE, *Moralia*, PG 31.

— *Regulae brevius tractatae*, PG 31.

— *Sermo de renuntiatione seculi*, PG 31.

BERNARD DE CLAIRVAUX, *Liber de modo bene vivendi ad sororem*, PL 184.

BERNARD DE FONTCAUDE, *Adversus Waldenses*, PL 204.

BERNARD GUI, *Liber Sententiarum inquisitionis Tholosanae*, éd. Ph. VAN LIMBORCH, Amsterdam 1692.

— *Manuel de l'Inquisiteur*, t. I, éd. G. MOLLAT (*Classiques de l'Histoire de France au moyen âge*, 8), Paris 1926.

Biblia Sacra juxta latinam vulgatam versionem... cura et studio monachorum Abbatiae Sancti Hieronymi, Rome 1926 s., quatorze volume parus.

BONACURSUS, *Manifestatio haeresis Catharorum*, PL 204.

Borgiano Illirico, éd. F. RACKI, « Dva nova priloga za poviest bosanskih patarena », dans *Starine Jugo-*

slavenske Akademije Znanosti i Umjetnosti (Académie Yougoslave des Sciences et des Beaux-Arts) XIV, p. 1-29, Zagreb 1882 ; 2ᵉ éd. abrégée D. Mandić, *Bogomilska crkva basanskih Krstjana*, Chicago 1962.

Bouquet, *Recueil des Historiens des Gaules* X, Paris 1874.

Brevis summula, éd. C. Douais, *La somme des autorités*, Paris 1895.

Burce, voir Salvo.

Capellis, voir Jacques de.

Césaire de Heisterbach, *Dialogus miraculorum*, éd. J. Strange, t. I, Cologne 1851.

Chromace d'Aquilée, *Praefatio orationis dominicae*, éd. A. Hoste, *CC* 9, 1957.

— *Sermo* 40, dans *Sermons*, t. II, éd. J. Lemarié-H. Tardiff (*SC* 164), Paris 1971, p. 224-229.

— *Tractatus XIV in Matthaeum*, *PL* 20 ; éd. A. Hoste, *CC* 9, Turnhout 1957.

Ps.-Chrysostome, *Homilia de Legislatore* 4, *PG* 56.

— *Opus imperfectum in Matthaeum* XIV, *PG* 56.

Clédat (L.), *Le Nouveau Testament traduit au XIIIᵉ siècle en langue provençale, suivi d'un rituel cathare* (Photolithographie. Bibliothèque de la Faculté des Lettres de Lyon, IV), Paris 1887 ; rééd. anastatique, Genève 1968.

Cyprien, *De oratione dominica*, *PL* 4, 519-544 ; éd. G. Hartel (*CSEL* 3), t. I, 1868, p. 267-294 ; éd. M. Reveillaud, *Saint Cyprien. L'oraison dominicale* (*Études d'histoire et de philosophie religieuses. Faculté de théologie protestante. Université de Strasbourg*, 58), Paris 1964, p. 78-133.

— *Liber Testimoniorum*, *PL* 4.

DAVIS (G.-W.), *The Inquisition at Albi, 1299-1300*, New York 1948.

DEFENSOR, *Liber Scintillarum*, PL 88 ; éd. H. M. ROCHAIS, *CC* 117, Turnhout 1957 ; *SC* 77, Paris 1961.

De heresi catharorum in Lombardia, éd. A. DONDAINE, dans *AFP* XIX, 1949, p. 306-312.

DENYS L'ARÉOPAGITE, *De ecclesiastica hierarchia*, PG 3.

DEKKERS (E.), *Clavis Patrum latinorum*, Sacris Erudiri 3, 1961.

DENZINGER (A.)-SCHÖNMETZER (A.), *Enchiridion Symbolorum*, 32e éd., Fribourg-en-Brisgau - Rome - New York 1963.

Didachè, éd. H. LIETZMANN (*Kleine Texte für Vorlesungen und Übungen* 6), 6e éd., Berlin 1962.

Didascalia et Constitutiones apostolorum, éd. F. X. FUNK, Paderborn 1905 ; réimpression anastatique Turin 1960.

Disputationes Photini Manichaei cum Paulo Christiano, Propositiones adversus manicheos, PG 88.

Dissertatio ad synodos in causa baptismi haereticorum, PL 3.

DOMÍNGUEZ BORDONA (J.), *Manuscritos con pinturas*, t. I, Madrid 1933.

DÖRRIES (H.)-KLOSTERMANN (E.)-KROEGER (M.), *Die 50 geistlichen Homilien des Makarios* (*Patristische Texte und Studien* 4), Berlin 1964.

DOSSETTI (G. L.), *Il simbolo di Nicea e di Constantinopoli*, éd. critique (*Testi e ricerche di Scienze religiose* 2), Rome-Fribourg-Bâle 1967.

DOUAIS (C.), *Documents pour servir à l'histoire de l'Inquisition dans le Languedoc*, Paris 1900.

Du Cange (Ch.), *Glossarium mediae et infimae latinitatis*, 8 vol., Niort 1883-1887.

Durand de Huesca, *Liber antiheresis*, éd. K. Selge, *Die ersten Waldenser*, II (*Arbeiten zur Kirchengeschichte* 37, 2), Berlin 1967.

— *Liber contra Manicheos*, éd. Ch. Thouzellier, *Une somme anti-cathare. Le « Liber contra Manicheos » de Durand de Huesca* (*Spicilegium sacrum Lovaniense. Études et Documents* 32), Louvain 1964.

Ébrard de Béthune, *Contra Valdenses*, éd. de La Bigne et Despont, *MBVP*, t. XXIV, Lyon 1677, p. 1525-1584.

Eckbert de Schönau, *Sermones contra Catharos*, *PL* 195.

Emecho de Schönau, *Vita Eckberti de Schönau*, éd. F. W. E. Roth, *Die Visionem der hl. Elizabeth und die Schriften der Aebte Eckbert und Emecho von Schönau*, Brünn 1884.

Épiphane, *Panarion*, *PG* 42, éd. F. Oehler, *Corpus haereseologicum*, t. II, Berlin 1861.

Ermengaud de Béziers, *Contra haereticos*, *PL* 204.

Étienne de Bourbon, *De Septem donis Spiritus Sancti*, éd. A. Lecoy de Lamarche, *Anecdotes historiques*, Paris 1877.

Euthyme de la Péribleptos, *Epistula invectiva contra Phundagiagitas sive Bogomilos*, éd. G. Ficker, *Die Phundagiagiten*, Leipzig 1908, p. 1-86.

Euthyme Zigabène, *De haeresi bogomilorum narratio*, éd. A. Ficker, *Die Phundagiagiten*, Leipzig 1908, p. 87-111.

— *Panoplia dogmatica*, XXVII, 19, *PG* 130.

Ps.-Euthyme Zigabène, *Confutatio et eversio*, *PG* 131, 39-48.

ÉVERVIN DE STEINFELD, dans BERNARD DE CLAIRVAUX, *Epistola* 472, *PL* 182, 676-680.

Expositio in orationem dominicam, PL 184.

FREDERICQ (P.), *Corpus documentorum inquisitionis haereticae pravitatis neerlandicae*, t. I, Gand 1889.

GANDILLAC (M. DE), *Œuvres complètes du Pseudo-Denys l'Aréopagite*, Paris 1943.

GEOFFROY D'AUXERRE, *Super Apocalypsim, Sermo* VIII, éd. F. GASTADELLI (*Temi e Testi* 17), Rome 1970.

GEORGIUS, *Disputatio inter Catholicum et Paterinum haereticum*, éd. E. MARTÈNE-U. DURAND, *Thesaurus novus anecdotorum*, t. V, Paris 1717, éd. part. ILARINO DA MILANO, *Fr. Gregorio*, dans *Aevum*, t. XIV, 1940, p. 85-140.

GERBERT, éd. F. WEIGLE, *Die Briefsammlung Gerberts von Reims (MGH, Die deutschen Geschichts quellen des Mittelalters 500-1500. Die Briefsammlung der deutschen Kaizerzeit* II), Weimar 1966.

GRIBOMONT (J.), *Histoire du texte des Ascétiques de S. Basile (Bibliothèque du Muséon*, 32), Louvain 1953.

GUILLAUME D'AUVERGNE, *De Universo*, dans *Opera omnia*, t. I, Paris 1674.

Hadrianum, ms. *Cambrai 159 (164)*, éd. H. LIETZMANN, *Das Sacramentarium Gregorianum nach dem Aachener Urexemplar (Liturgie-geschichtliche Quellen*, 3), Münster 1921 ; éd. J. DESHUSSES, *Le Sacramentaire grégorien (Spicilegium Friburgense*, 16), Fribourg 1971.

HALKIN (F.), *Sancti Pachomii Vitae graecae*, 24-25 (*Subsidia hagiographia* 19), Bruxelles 1932.

HÄRING (N.), « A commentary on the Our Father by Alan of Lille », dans *Analecta Cisterciensia*, t. 31, 1975 (2), p. 149-177.

HINCMAR DE REIMS, *Epistola* 29, *PL* 126, 186-188.

Historia pontificum et comitum Engolismensium, éd. J. BOUSSARD, Paris 1957.

IBN AN-NADIM (Muhammad ben Isḥâk), *Fihrist al-'Ulūm*, éd. G. FLÜGEL, *Mani*, Leipzig 1862.

INNOCENT III, *Epistolae*, *PL* 214, 215.

ISIDORE DE SÉVILLE, *Etymologiae*, *PL* 82, éd. W.-M. LINDSAY, Oxford 1911.

JACQUES DE CAPELLIS, *Summa contra hereticos*, éd. D. BAZZOCHI, *L'eresia catara*, t. II, Bologne 1920.

JACQUES FOURNIER, *Registre d'inquisition*, éd. J. DUVERNOY, 3 vol., Toulouse 1965.

JEAN CHRYSOSTOME, *Huit catéchèses baptismales*, éd. A. WENGER (*SC* 50), Paris 1957.

— *In Matthaeum*, *PG* 57.

JÉRÔME, *Contra Pelagianos*, *PL* 23.

JOCELIN, *Expositio de oratione dominica,* *PL* 186.

JOLLIOT (A.), *Les Livres des Vaudois*, Thèse dactylographiée des Hautes Études, Ve section, Paris 1973.

LEBE (L.), *Saint Basile, les règles morales et portrait du chrétien*, Maredsous 1969.

Liber diurnus, éd. E. DE ROZIÈRE, Paris 1869 ; *Liber diurnus romanorum pontificum*, éd. H. FOERSTER, Berne 1958.

Liber sacramentorum Romanae Aeclesiae ordinis anni circuli (Sacramentarium Gelasianum), éd. L.-C. MOHLBERG - L. EISENHÖFER - P. SIFRIN (*Rerum ecclesiasticarum documenta, Series maior. Fontes* IV), Rome 1960.

Livre des deux principes, éd. A. DONDAINE, *Un traité néo-manichéen du XIIIe siècle. Le 'Liber de duobus principiis' suivi d'un fragment de rituel cathare*, Rome 1939 ; éd. Ch. THOUZELLIER, *Livre des deux principes* (*SC* 198), Paris 1973.

MANSI (J.-D.), *Sacrorum conciliorum nova et amplissima collectio*, t. XIX, Venise 1774 ; XXI, 1774 ; XXII, 1778.

MARTÈNE (E.), *De antiquis Ecclesiae ritibus*, t. I, Anvers 1763.

MARTÈNE (E.) - DURAND (U.), *Thesaurus novus anecdotorum*, t. V, Paris 1717.

MILLARES CARLO (A.), *Manuscritos visigóticos. Notas bibliográficas*, Barcelona-Madrid 1963, n. 160 (*Monumenta Hispaniae Sacra. Subsidia* I).

Missale Francorum, PL 72, 317-340 *(Vat. Reg. lat. 257)*, éd. L.-C. MOHLBERG (*Rerum ecclesiasticarum documenta. Series maior. Fontes* II), Rome 1957, p. 3-14.

Missale Gallicanum Vetus (Vat. Palat. lat. 493), éd. L.-C. MOHLBERG (*Rerum ecclesiasticarum documenta. Series maior. Fontes* III), Rome 1958.

Missale Gothicum (Vat. Reg. lat. 317), éd. L.-C. MOHLBERG (*Rerum ecclesiasticarum documenta. Series maior. Fontes* V), Rome 1961.

Missale mixtum, PL 85.

MONETA DE CRÉMONE, *Adversus catharos et Valdenses*, éd. Th.-A. RICCHINI, Rome 1743, rééd. anastatique, Ridgewood (New Jersey, U.S.A.) 1964.

ORIGÈNE, *De oratione*, PG 11.

PALLADIUS, *Dialogus de vita S. Joannis Chrysostomi* XVI, *PG* 47.

PIERRE CHRYSOLOGUE, *Sermo* 67, *PL* 52.

PIERRE DE SAINT-CHRYSOGONE, *Epistola* III, *PL* 199.

PIERRE DES VAUX-DE-CERNAY, *Hystoria Albigensis*, éd.
P. GUÉBIN - E. LYON (*Société de l'Histoire de France*,
412), t. I, Paris 1926.

PIERRE LOMBARD, *Sententiae*, *PL* 192 ; éd. QUARACCHI,
1916 ; dernière éd. *Spicilegium Bonaventurianum*
IV, t. I, Grottaferrata (Rome) 1971.

PIERRE MARTYR, *Summa*, éd. partielle Th. KAEPPELI,
AFP 17, 1947, p. 320-335.

PS.-PRÉVOSTIN, *Summa contra haereticos* XII, éd. J. N.
GARVIN - J. A. CORBETT (*Mediaeval Studies*, XV),
University of Notre Dame (Indiana) 1958.

PROSPER D'AQUITAINE, *In Psalmos*, *PL* 51.

RABAN MAUR, *De sacris ordinibus*, *PL* 112.

RAOUL GLABER, *Les cinq livres de ses histoires*, éd. M. PROU
(Collection de Textes 1), Paris 1886.

RAYMOND V, *Epistola* dans GERVAIS DE CANTERBURY,
Chronicon, éd. W. STUBB (*Rer. brit. med. aev. script.*
73, 1), Londres 1879, p. 270.

RAYNIER SACCONI, *Summa de Catharis*, éd. A. DONDAINE,
Un traité néo-manichéen du XIIIe siècle, Rome 1939,
p. 64-78 ; éd. F. ŠANJEK, *AFP* 44, 1974, p. 31-60.

RICHARD DE SAINT-VICTOR, *PL* 196.

SACCONI, voir RAYNIER.

Sacramentarium Bergomense, éd. A. PAREDI - G. FASSI
(*Monumenta bergomensia*, VI), Bergame 1962.

Sacramentarium Gregorianum I, éd. K. GAMBER (*Textus
patristici et liturgici*, 4), Regensburg 1966.

Sacramentaire Gélasien d'Angoulême, éd. P. GAGIN,
Angoulême 1919.

SALLES (A.), *Trois antiques rituels du baptême* (*SC* 59),
Paris 1958.

SALMON (P.), *Analecta liturgica. Extraits des manuscrits liturgiques latins de la Bibliothèque Vaticane...* (*Studi e Testi*, 273), Città del Vaticano 1974.

SALVO BURCE, *Liber supra Stella*, éd. ILARINO DA MILANO, dans *Aevum*, t. 19, 1945, p. 307-341.

SÉVÉRIEN DE GABALE (PS.-THÉOPHYLACTE), *Expositio in Acta Apostolorum* II, *PG* 125.

SMIČIKLAS, *Codex diplomaticus regni Croatiae, Dalmatiae et Slavoniae*, t. II, Zagreb 1904 ; t. III, 1905.

TERTULLIEN, *Adversus Hermogenem*, *PL* 2 ; éd. A. KROYMANN, *CC* 1, 1954 ;

— *Adversus Marcionem*, *PL* 2 ; *CSEL* 47.

— *Adversus Praxeam*, *PL* 2 ; éd. A. KROYMANN-E. EVANS, *CC* 2, 1954 ;

— *De baptismo*, *PL* 1 ; *CSEL* 20 ; *CC* 1.

— *De fuga in persecutione*, *PL* 2 ; *CC* 2.

— *De oratione*, *PL* 1 ; éd. G.-F. DIERCKS, *CC* 1, 1954.

— *Scorpiace*, *PL* 2 ; *CSEL* 20 ; *CC* 2.

THÉODORE STUDITE, *Epistola* II, *PG* 99.

THOUZELLIER (Ch.), *Un traité cathare inédit du début du XIIIe siècle, d'après le ' Liber contra Manicheos ' de Durand de Huesca* (Bibliothèque de la *RHE*, 37), Louvain 1961.

TURRIBIUS, *Epistola*, *PL* 54.

URBAIN III, *Epistolae*, *PL* 202.

VACARIUS, éd. ILARINO DA MILANO, *L'eresia di Ugo Speroni nella confutazione del maestro Vacario* (*Studi e Testi* 115), Città del Vaticano 1945.

VENCKELEER (Th.), « Un recueil cathare, le manuscrit *A.6.10* de la ' collection vaudoise ' de Dublin. § I Une apologie », dans *Revue belge de Philosophie et d'Histoire*, t. 38 B, 1960, n° 3, p. 815-834 ; § II « Une glose sur le Pater », *ibid.*, t. 39 B, 1961, n⁰ 3, p. 759-793.

Vérone 85, *PL* 55, 22-156 ; éd. L. C. MOHLBERG (*Rerum Ecclesiasticarum documenta. Series maior. Fontes* I), Rome 1954.

Vetus Agano, Cartulaire de l'Abbaye de Saint-Père de Chartres, éd. B. GUERARD, t. I, Paris 1840.

Vetus Latina, t. II, *Genesis*, éd. B. FISCHER, Beuron, Fribourg-en-Brisgau 1951-1952.

VOGEL (C.)-ELZE (R.), *Le Pontifical romano-germanique du dixième siècle*, t. I (*Studi e Testi* 226), Città del Vaticano 1963 ; t. III (*Studi e Testi* 269), 1972.

WEBER (R.), *Le Psautier romain et les autres anciens psautiers latins* (*Collectanea biblica latina*, X), Rome 1953.

WORDSWORTH (J.)-WHITE (H. J.), *Novum Testamentum latine secundum editionem sancti Hieronymi*, 3 vol., Oxford, I, 1889-1898 ; II, 1913-1941 ; III, 1905-1954.

YVES DE CHARTRES, *Sermo 22*, *PL* 162.

* *

III. OUVRAGES CITÉS

ALIBERT (L.), *Dictionnaire occitan-français*, Institut d'Études occitanes, Toulouse 1966.

AMANN (E.), art. « Palladius », *DTC* XI², Paris 1932, col. 1823-1830.

AMIET (E.), « Un nouveau témoin du pontifical romain du XIIᵉ siècle », dans *Scriptorium* XXII², 1968, p. 231-242.

ANDRIEU (M.), « Le sacre épiscopal d'après Hincmar de Reims », dans *RHE* 48, 1953, p. 22-73.

ANGELOV (D.), « Le mouvement bogomile dans les pays slaves balkaniques et dans Byzance », dans *Problemi attuali di scienza e di cultura (L'Oriente cristiano nella storia della civiltà. Academia Nazionale dei Lincei*, 62), Rome 1964, p. 607-616 ; et dans *Actes du premier congrès international des études balkaniques et sud-est européennes* III, *Histoire*, Sofia 1969.

ANGÉNIEUX (J.), « Les différents types de structures du Pater dans l'histoire de son exégèse », dans *Ephemerides Theologicae Lovanienses* 46, 1970, p. 40-47.

ARNAL-VIALET (Th.), *Le catharisme en Toulousain, d'après les témoignages inquisitoriaux au XIIIe siècle*, Thèse dactyl. de 3e cycle (E.P.H.E. Ve et Sorbonne), Paris 1974.

AUDET (J. P.), *La Didachè. Instructions des Apôtres (Études bibliques*, 13), Paris 1958.

BACKVIS (C.), « Un témoignage bulgare du Xe siècle sur les Bogomiles : le « Slovo de Cosmas le Prêtre », dans *Annuaire de l'Institut de Philologie et d'Histoire orientales et slaves*, XVI (1961-1962), Bruxelles 1963, p. 75-100.

BALDWIN (C. R.), « The Scriptorium of the Sacramentary of Gellone », dans *Scriptorium* XXV, 1971, p. 3-17.

BAUTIER (R.-H.), « L'hérésie d'Orléans et le mouvement intellectuel au début du XIe siècle. Documents et hypothèses », dans *Actes du 95e Congrès national des Sociétés savantes (Reims 1970)*. Section de philologie et d'histoire jusqu'à 1610, t. I, Paris 1975.

BERGER (S.), « Les bibles provençales et vaudoises », dans *Romania*, 18, 1889, p. 353-422.

BERNHARD (J.), « Les institutions pénitentielles d'après la Didascalie », dans *Mélanges Mgr Pierre Dib (Melto, Recherches orientales*, 3) 1967, p. 237-267.

Borghi (L.), « La lingua della Bibbia di Lione (ms. *Palais des Arts 36*). Vocalismo », dans *Cultura neolatina (Bollettino dell'Istituto di Filologia romanza della Università di Roma)*, t. XXX, 1970, p. 5-58.

Borst (A.), *Die Katharer (MGH Schriften* 12), Stuttgart 1953 ; rééd. anastatique, New York 1963.

Botte (B.), « La formule d'Ordination. ' La grâce divine ' dans les rites orientaux », dans l'*Orient syrien* 2, 1957.

— « L'ordre d'après les prières d'ordination », dans *Études sur le sacrement de l'ordre (Lex orandi,* 22), Paris 1957, p. 13-41.

— « Les plus anciennes collections canoniques », dans *L'Orient syrien* 5, 1960, p. 331-349.

— *La Tradition apostolique de saint Hippolyte (Liturgiewissenschaftliche Quellen und Forschungen,* 39), Münster 1963 et 1972 ; autres éd. *SC* 11 et 11 bis, 1946 et 1968.

Bovini (G.), *Sant'Ippolito dottore e martire del III secolo,* Città del Vaticano 1943.

Broeckx (E.), *Le catharisme (Universitas catholica Lovaniensis. Dissertationes,* Series II, t. 10), Hoogstraten 1916.

Buenner, *L'ancienne liturgie romaine. Le rite lyonnais,* Lyon 1934.

Cabrol (F.), art. « Imposition des mains », dans *Dictionnaire d'Archéologie chrétienne et de Liturgie* VII[1], Paris 1926, col. 391-413.

Capitani (F. de), « Studi recenti sul manicheismo », dans *Rivista di filosofia neo-scolastica,* t. 65, 1973.

Carmignac (J.), *Recherches sur le « Notre Père »,* Paris 1969.

Cegna (R.), « Il manoscritto A.6.10 di Dublino », dans

Bollettino della Società di Studi Valdesi, 1972, n⁰ 132, p. 31-33.

CHAVANNES (E.)-PELLIOT (P.), « Un traité manichéen retrouvé en Chine », dans *Journal Asiatique*, 11ᵉ série, I, 1913.

CHAVASSE (A.), *Le sacramentaire gélasien (Vat. Regin. 316)* (*Université de Strasbourg. Faculté de théologie catholique*, série IV, vol. 1), Strasbourg 1958.

CLAVIER (H.), « Brèves remarques sur les premières versions provençales du Nouveau Testament », dans *Bulletin philologique et historique*, 1958 (paru en 1959), p. 1-14.

— « Les versions provençales de la Bible », dans *Actes du Xᵉ Congrès international de linguistique et philologie romanes*, Strasbourg 1962, t. II, Paris 1965, p. 737-750.

COLSON (J.), « Désignation des ministres dans le Nouveau Testament », dans *La Maison-Dieu* 102, 1970, p. 21-29.

COPPENS (J.), *L'imposition des mains et les rites connexes dans le Nouveau Testament et dans l'Église ancienne* (*Universitas catholica Lovaniensis. Dissert.* II, 15), Paris 1925.

— « Épiscopat et presbytérat dans les récits d'Hippolyte de Rome », dans *Recherches de science religieuse* 41, 1953, p. 30-50.

— « La bénédiction de Jacob », dans *Vetus Testamentum*, Supplément IV, 1957, p. 97-115.

— « Le don de l'esprit d'après les textes de Qumrân et le quatrième Évangile », dans *L'Évangile de Jean* (*Recherches bibliques*, III), Paris 1958.

CROUZEL (H.), *Bibliographie critique d'Origène* (*Instrumenta Patristica* VIII), Steenbrugge 1971.

Cunitz (E.), *Ein Katarisches Rituale* (*Beiträge zu den theologischen Wissenschaften*, IV), Iéna 1852.

Dauvillier (J.), *Les temps apostoliques, I*er *siècle* (*Histoire du Droit et des Institutions de l'Église en Occident* II), Paris 1970.

Debroise (E.), art. « Amalaire », dans *Dictionnaire d'Archéologie chrétienne et de Liturgie* I¹, Paris 1907, col. 1323-1330

Decret (F.), *Aspects du Manichéisme dans l'Afrique romaine*, Paris (Études Augustiniennes), 1970.

Delhougne (H.), « Autorité et participation chez les Pères du cénobitisme : II. Le cénobitisme basilien », dans *Revue d'ascétique et de mystique*, t. 46, 1970, p. 3-32.

Devic (Ch.)-Vaissète (J.), *Histoire du Languedoc,* t. VIII, Toulouse 1879.

Dondaine (A.), *Un traité néo-manichéen du XIIIe siècle. Le ' Liber de duobus principiis ' suivi d'un fragment de rituel cathare*, Rome 1939.

— « Les actes du concile albigeois de Saint-Félix-de-Caraman », dans *Miscellanea Giovanni Mercati V* (*Studi e Testi*, 125), Città del Vaticano 1946, p. 324-355.

— « Le Manuel de l'Inquisiteur (1230-1330) », *AFP* XVII, 1947.

— « La hiérarchie cathare en Italie » II, dans *AFP* XIX, 1949 ; II, *ibid.* XX, 1950.

— « L'origine de l'hérésie médiévale », dans *Rivista di Storia della Chiesa in Italia*, VI, 1952, p. 47-78.

— « Durand de Huesca et la polémique anti-cathare », dans *AFP* XXIX, 1959, p. 228-278.

Dossat (Y.), « L'évolution des rituels cathares », dans *Revue de Synthèse*, t. 64, 1948.

— *Les crises de l'inquisition toulousaine au XIIIe siècle*, Bordeaux 1959.

— « A propos du Concile cathare de Saint-Félix-de-Caraman », dans *Cathares en Languedoc* (*Cahiers de Fanjeaux* 3), Toulouse 1968, p. 201-214.

— « L'hérésie en Champagne aux XIIe et XIIIe siècles », dans *Mémoires de la Société d'agriculture, commerce, sciences et arts du département de la Marne*, t. 84, 1969, p. 57-73.

— « Le bûcher de Montségur », dans *Cahiers de Fanjeaux* 6, 1971.

DUCHESNE (L.), *Origines du culte chrétien*, 5e éd., Paris 1925.

DUJČEV (I.), « Dragvista-Dragovitia », dans *Revue des Études byzantines*, XXII, 1964, p. 215-221.

— « L'epistola sui Bogomili del patriarca Costantinopolitano teofilato », dans *Mélanges E. Tisserant* II (*Studi e Testi*, 232), Città del Vaticano 1964, p. 63-91.

— « I Bogomili nei paesi slavi e la loro storia », dans *Problemi attuali di scienza e di cultura* (*L'Oriente cristiano nella storia della civiltà. Academia Nazionale dei Lincei*, 62), Rome 1964, p. 619-641.

DUPONT (J.), *Gnosis. La connaissance religieuse dans les Épîtres de saint Paul* (*Univ. cath. Lovan. Diss. in Fac. Theol. Ser.* II, t. 40), Paris 1949.

DUSSAUD (R.), *Les religions des Hittites et des Hourites, des Phéniciens et des Syriens* (*MANA, Les anciennes religions orientales*, II), Paris 1949.

DUVERNOY (J.), « La liturgie et l'église cathares », dans *Cahiers d'Études cathares*, 1967, IIe série, n° 33, p. 3-16.

ESPOSITO (M.), « Sur quelques manuscrits de l'ancienne littérature religieuse des Vaudois du Piémont », dans *RHE*, t. 46, 1951, p. 127-159.

Fahey (M.-A.), *Cyprian and the Bible: a Study in Third-Century Exegesis* (*Beiträge zur Geschichte der Biblischen Hermeneutik*, 9), Tübingen 1971.

Ferlus (J.), *Autour de Montségur*, Perpignan 1960.

Foreville (R.), *Latran I, II, III et Latran IV* (*Histoire des conciles œcuméniques* 6), Paris 1965.

Fossier (R.), « Les mouvements populaires en Occident au xie siècle », dans *Académie des Inscriptions et Belles-Lettres. Comptes rendus*, 1971, p. 257-269.

Freudenberger (R.), « Zum Text der zweiten Vaterunserbitte », dans *New Testament Studies* XV, 1969, p. 419-432.

Furberg (I.), *Das Pater noster in der Messe* (*Bibliotheca theologiae practicae*, 21), Lund 1968.

Furlani (G.), « Il sacrificio nella religione dei Semiti di Babilonia e di Assiria » (*Memorie della Reale Accad. Naz. dei Lincei*, 6e série, t. IV, fasc. 3), Rome 1931.

Galtier (P.), art. « Imposition des mains », *DTC* VII², Paris 1923, col. 1302-1425.

Giet (S.), *L'énigme de la Didachè* (*Publications de la Faculté des Lettres, Université de Strasbourg*, 149), Paris 1970.

Glorieux (P.), « Alain de Lille, le moine et l'abbaye du Bec », dans *Rech. Théol. ancienne et médiévale*, 39, 1972, p. 51-62.

Gonnet (J.), « Les ' Glosa Pater ' cathares et vaudoises », dans *Cahiers de Fanjeaux* 3, 1968, p. 59-67.

Gouillard (J.), « L'hérésie dans l'empire byzantin des origines au xiie siècle », dans *Travaux et Mémoires* 1 *(Centre de recherche d'histoire et civilisation byzantines)*, Paris 1965, p. 299-324.

— « Le ' synodikon ' de l'orthodoxie », *ibid.* 2, 1967, p. 1-316.

— « Les origines de l'iconoclasme : le témoignage de Grégoire II », *ibid.* 3, 1968, p. 243-307.

— « Les formules d'abjuration », *ibid.* 4, 1970, p. 185-209.

— « Une source grecque du sinodik de Boril : la lettre inédite du patriarche Cosmas », *ibid.* 4, 1970, p. 361-374.

— « Constantin Chrysomallos sous le masque de Syméon le Nouveau Théologien », *ibid.* 5, 1973, p. 313-327.

GRACCO (G.), « Riforma ed eresia in momenti della cultura europea tra x e xi secolo », dans *Rivista di Storia e Letteratura religiosa* VII, 1971, p. 411-477.

GRIBOMONT (J.), « Obéissance et Évangile selon saint Basile le Grand », dans *La Vie spirituelle*, Supplément, t. 20-23, 1952, p. 192-215.

— « Le monachisme au iv⁰ s. en Asie Mineure : de Gangres au Messalianisme », dans *Studia Patristica* II (*Texte und Untersuchungen zur Geschichte der Altchristlichen Literatur*, 64), Berlin 1957, p. 400-415.

— « Les Règles Morales de saint Basile et le Nouveau Testament », *ibid.*, p. 416-426.

— « Saint Basile », dans *Théologie de la vie monastique* (*Théologie* 49), Paris 1961, p. 99-113.

— « Le dossier des origines du Messalianisme », dans *Epektasis (Mélanges patristiques offerts au Cardinal Jean Daniélou)*, Paris 1972, p. 611-625.

GRIFFE (E.), « La signification du mot ' *Missa* ' », dans *Bulletin de littérature ecclésiastique*, 1974 (2), p. 133-138.

GUILLAUMONT (A.), « Le baptême du feu chez les Messaliens », dans *Mélanges d'Histoire des religions offerts à H.-Ch. Puech*, Paris 1974, p. 517-523.

— « Le problème des deux Macaire dans les *Apophteg-mata Patrum* », dans *Irenikon*, t. 48, 1975, p. 41-59.

GUIRAUD (J.), « L'albigéisme au XIIIe siècle », dans *Cartu-laire de Notre-Dame de Prouille*, t. I, Paris 1907, p. CLVIII-CCII.

— *Histoire de l'Inquisition*, 2 vol., Paris 1935 et 1938.

HAMM (J.), *Staroslavenska gramatika*, *Skolska knjiga*, Zagreb 1958.

— « Apokalipsa bosanskih Krstjana », dans *Slovo*, 9-10, Zagreb 1960.

HAMMAN (A.), *Le Pater expliqué par les Pères*[2], Paris 1962.

— *La prière. II. Les trois premiers siècles*, Paris 1963.

HANNEDOUCHE (S.), « Le Rituel cathare », dans *Cahiers d'études cathares*, 1967, IIe série, no 35, p. 31-40.

— « A propos de la glose cathare sur le *Pater* », *ibid.*, 1970, IIe série, no 48, p. 3-11 et 1971, no 49, p. 3-11.

HANSSENS (J. M.), « Le texte du *Liber officialis* d'Amalaire » dans *Ephemerides Liturgicae*, 1933, p. 1-77 ; 1934, p. 78-121 ; 1935, p. 122-145.

— *La liturgie d'Hippolyte* (*Orientalia christiana ana-lecta* 155), Rome 1959 ; 2e éd. anastatique 1965.

— *La liturgie d'Hippolyte. Documents et Études*, Rome 1970.

HEFELE (C.-J.)-LECLERCQ (H.), *Histoire des Conciles*, t. I[1], Paris 1907.

HEINRICHS (A.)-KOENEN (L.), « Ein griechischer Mani Codex », dans *Zeitschrift für Papyrologie und Epigraphik*, 5, 1970, p. 97-214.

HONNORAT (S. J.), *Dictionnaire provençal-français* ou *Dictionnaire de la langue d'oc*, Digne 1846-1847 ; rééd. anastatique, Marseille 1971.

HRUBY (K.), « La notion d'ordination dans la tradition juive », dans *La Maison-Dieu* 102, 1970, p. 30-56.

Ilarino da Milano, « La ' Summa contra haereticos ' di Giacomo Capelli, O.F.M., e un suo ' quaresimale ' inedito (secolo xiii) », dans *Collectanea Franciscana* 10 (1940), p. 66-82.

Ivanov (J.), *Bogomilski knigi i legendi*, Sofia 1925 ; trad. française M. Ribeyrol, *Livres et légendes bogomiles* (*Les littératures populaires de toutes les nations.* Nouv. Sér., XXII), Paris 1976.

Jagić (V.), « Analecta Romana », dans *Archiv für Slavische Philologie*, 25, 1903, p. 20-36.

— « Glagoličeskoe pis'mo », dans *Enciklopedija Slavjanskoj filologij* III, Saint-Pétersbourg 1911.

Jarry (J.), *Hérésies et factions dans l'empire byzantin du IVᵉ au VIIᵉ siècle* (*Recherches d'archéologie, de philologie et d'histoire*, XIV), Le Caire 1968.

Jungmann (J.-A.), *La liturgie des premiers siècles* (*Lex orandi*, 33), Paris 1962.

Kurzeja (A.), « Die Liturgie von der Karolingerzeit bis zur tridentinischen Reform », dans *Archiv für Liturgiewissenschaft*, t. XIII, 1971, p. 296-326.

Lannes (E.), « Les ordinations dans le rite copte ; leurs relations avec les *Constitutions apostoliques* et la *Tradition* d'Hippolyte », dans *L'Orient syrien* 5, 1960, p. 81-106.

Latte (R. de), « Saint Augustin et le baptême. Étude liturgico-historique du rituel baptismal des adultes chez S. Augustin », dans *Questions liturgiques* 56, 1975 (4), p. 177-223.

Leclercq (H.), « Liber diurnus romanorum pontificum », dans *Dictionnaire d'Archéologie chrétienne et de liturgie*, IX², Paris 1930, col. 243-344.

— art. « Sacramentaires », *ibid.*, XV¹, Paris 1950, col. 242-285.

— «Le témoignage de Geoffroy d'Auxerre sur la vie cistercienne», dans *Studia Anselmiana* 31, Rome 1953.

LÉCUYER (J.), « Note sur la liturgie du sacre des évêques », dans *Ephemerides Liturgicae*, 66, 1952, p. 369-372.

— « Mystère de la Pentecôte et apostolicité de la mission de l'Église », dans *Études sur le sacrement de l'ordre* (*Lex orandi* 22), Paris 1957, p. 167-208.

— « Le sens des rites d'ordination d'après les Pères », dans *L'Orient syrien*, 2, 1960, p. 463-475.

LEONARDI (G.), « ' Imposizioni delle mani ' e ' unzioni ' nella Sacra Scrittura », dans *Studia Patavina (Rivista di Filosofia e Teologia)* VIII, 1961, p. 3-51.

LOOS (M.), « La question de l'origine du bogomilisme (Bulgarie ou Byzance ?) », dans *Actes du premier Congrès international des études balkaniques et sud-est européennes* III, *Histoire*, Sofia 1969, p. 265-270.

MAISONNEUVE (H.), *Étude sur les origines de l'Inquisition* (*L'Église et l'État au moyen âge*, 7), 1re éd., Paris 1942 ; 2e éd. 1960.

MANSELLI (R.), *L'eresia del male*, Naples 1963.

— « Ecberto di Schönau e l'eresia catara in Germania alla metà del secolo XII », dans *Arte e Storia. Studi in onore di L. Vincenti*, Turin 1965, p. 309-338.

— « Amicizia spirituale ed azione pastorale nella Germania del secolo XII : Ildegarde di Bingen, Elisabetta ed Ecberto di Schönau contro l'eresia catara », dans *Studi in onore di Alberto Pincherle* (*Studi e materiali di storia delle religioni* 38), Rome 1967, p. 302-313.

— « Per la storia dell'eresia nel secolo XII », dans *Bullettino dell'Istituto storico italiano per il medio evo e Archivio Muratoriano*, 67, 1955. Étude revue et augmentée : *Studi sulle eresie del secolo XII*

(*Istituto storico italiano per il medio evo. Studi storici* 5), 2ᵉ éd., Rome 1975.

MARTIMORT (A. G.), *L'Église en prière. Introduction à la liturgie*, Paris-Tournai 1961.

MÉNARD (J.-E.), « Chronique d'Histoire des Religions », dans la *Revue des Sciences Religieuses*, t. 48, 1974, p. 170-172.

METZGER (B. M.), *Historical and Literary Studies, Pagan, Jewish and Christian* (*New Testament Tools and Studies*, VIII), Leyde 1968.

MEYER (P.), « Recherches linguistiques sur l'origine des versions provençales du Nouveau Testament », dans *Romania*, 18, 1889, p. 423-429.

MILETIĆ (M.), *I ' Krstjani ' di Bosnia alla luce dei lore monumenti di pietra* (*Orientalia christiana Analecta* 149), Rome 1957.

MOHRMANN (Ch.), « *Missa* », dans *Vigiliae Christianae* 12 (1958), p. 67-92, et dans *Études sur le latin des chrétiens*, t. III (*Storia e letteratura*, 103), Rome 1965, p. 351-376.

— « Les relations judaïsme, antiquité, christianisme reflétées dans la langue des chrétiens », dans *CC* 50 (*Sessio academica*, 16 janvier 1969, Steenbrugge), Turnhout 1971, p. 11-22.

MORIN (G.), art. « Amalaire », *DTC* I, Paris 1902, col. 933-934.

MUNIER (Ch.), *Les ' Statuta Ecclesiae antiqua '* (*Bibliothèque de l'Institut de droit canonique de l'Université de Strasbourg* V), Paris 1960.

MUSY (J.), « Mouvements populaires et hérésies au xiᵉ siècle en France », dans *Revue historique*, nº 513, 1975, p. 33-75.

NAU (F.), *La Didascalie des douze Apôtres* (*Ancienne littérature canonique syriaque* 1), 2ᵉ éd., Paris 1912.

NAUTIN (P.), *Hippolyte et Josipe* (*Études et textes pour l'histoire du dogme de la Trinité* I), Paris 1947.

— « L'*Opus imperfectum in Matthaeum* et les Ariens de Constantinople », dans *RHE*, LXVII, 1972, p. 381-408 ; 745-766.

NELLI (R.), *Écritures cathares*, 1re éd., Paris 1959 ; 2e éd. Paris 1968.

OLDENBOURG (Z.), *Le Bûcher de Montségur (Trente journées qui ont fait la France)*, Paris 1959.

OLPHE-GALLIARD (M.), art. « Chromatius », dans *Dictionnaire de Spiritualité* II, Paris 1953, col. 878-879.

ORT (J. L. R.), « Mani's conception of Gnosis », dans *Le origini dello gnosticismo*, Colloquio di Messina (13-18 avril 1966), a cura di V. BIANCHI (*Studies in the History of Religions. Supplements to Numen*, XII), Leiden 1967, p. 604-613.

PALÈS-GOBILLIARD (A.), *Le Comté de Foix et le catharisme de ses origines à 1325*. Thèse dactylographiée de 3e cycle (École des Hautes Études Ve et Sorbonne), Paris 1973.

PREISIGKE (F.), *Sammelbuch Griechischer Urkunden aus Ägypten*, I, Strasbourg 1915.

PETRANOVIĆ (B.), *Bogomili. Crkva bosanska i krstjani*, Zadar 1867.

PUECH (H.-Ch.), « Rapport sur l'Histoire des religions, dans *Annuaire du Collège de France*, t. 56, 1956 ; 60, 1960 ; 62, 1962 ; 63, 1963 ; 64, 1964 ; 65, 1965 ; 67, 1967 ; 71, 1971.

— *Histoire des religions*, t. III, Paris 1972.

PUECH (H.-Ch.)-VAILLANT (A.), *Le traité contre les Bogomiles de Cosmas le Prêtre* (*Travaux publiés par l'Institut d'Études slaves* XXI), Paris 1945.

PUNIET (P. de), « Les trois homélies catéchétiques du sacramentaire gélasien », dans *RHE*, 5 (1904), p. 505-521, 755-756 ; 6 (1905), p. 15-32, 304-318.

QUISPEL (G.), « Mani, the Apostle of Jesus-Christ », dans *Epektasis. Mélanges patristiques offerts au Cardinal Jean Daniélou*, Paris 1972, p. 667-673.

RAES (A.), « Les ordinations dans le pontifical chaldéen », dans *L'Orient syrien* 5, 1960, p. 63-80.

RAFFIN (P.), *Les rituels orientaux de la profession monastique* (*Spiritualité orientale* 4), ronéot., Abbaye de Bellefontaine 1968.

REUSS (E.), « Fragments littéraires et critiques relatifs à l'histoire de la Bible française », dans *Revue de théologie et de philosophie chrétienne*, V, 1853, p. 74-75.

RIES (J.), « La Gnose dans les textes liturgiques manichéens coptes », dans le *Origini dello gnosticismo*, Colloquio di Messina (13-18 avril 1966), a cura di V. BIANCHI (*Studies in the History of Religions. Supplements to Numen*, XII), Leiden 1967, p. 614-624.

RIOL (J. L.), « L'abrégement mystique de la vie », dans *Dernières connaissances sur les questions cathares*, Albi 1963.

ROCHÉ (D.), « Un recueil cathare : le manuscrit *A.6.10* de la ' Collection vaudoise ' de Dublin », dans *Cahiers d'études cathares*, 1970, IIᵉ série, nº 46, p. 3-40.

ROQUES (R.), « Denys l'Aréopagite », dans *Dictionnaire de Spiritualité* 3, 1957, 244-286.

—   « Éléments pour une théologie de l'état monastique selon Denys l'Aréopagite », dans *Théologie de la vie monastique* (*Théologie* 49), Paris 1961, p. 283-314.

—   « Introduction » à DENYS L'ARÉOPAGITE, *La hiérarchie céleste* (*SC* 58 bis), Paris 1970.

Roques (R.)-Heil (G.)-Gandillac (M. de), *Denys l'Aréo-pagite, La hiérarchie céleste* (*SC* 58), Paris 1958.

Rordorf (W.), « Le baptême selon la ' Didaché ' », dans *Mélanges liturgiques offerts au R. P. Dom Botte*, Louvain 1972, p. 499-509.

— « L'ordination de l'évêque selon la Tradition apostolique d'Hippolyte de Rome », dans *Questions liturgiques*, t. 55, 1974, p. 137-150.

Roy (Ch.), *Les Cathares*, Paris 1974.

Runciman (S.), *The Medieval Manichee*, Cambridge 1947.

Russel (J. B.), *Dissent and Reform in the Early Middle Ages* (*Center for Medieval and Renaissance Studies*, I) Los Angeles 1965.

Saint-Palais d'Aussac (F. de), *La réconciliation des hérétiques dans l'Église latine* (*Études de science religieuse*, 2), Paris 1943.

Šanjek, « Le rassemblement hérétique de Saint-Félix-de-Caraman (1167) et les églises cathares au XIIe siècle », dans *RHE*, t. 68, 1972, p. 767-799.

— « Les chrétiens ' bosniaques ' et le mouvement cathare au Moyen Age », dans *Revue de l'Histoire des religions*, t. 182, 2, 1972, p. 131-181.

— *Les chrétiens ' bosniaques ' et le mouvement cathare aux XIIe-XVe siècles*, Thèse de 3e cycle, dactylo-graphiée, Paris 1971 ; éd. (Public. Sorbonne, « N.S. Recherches » 20), Paris 1976.

Schmidt (Ch.), *Histoire et doctrine de la secte des Cathares ou Albigeois*, 2 vol., Paris-Genève 1849.

Schmitz-Valckenberg (G.), *Grundlehren Katharischer Sekten des 13. Jahrhunderts* (*Veröffentlichungen des Grabmann-Institutes*, N.F. 11), Munich 1971.

Scholem (G.-G.), *Les origines de la Kabbale*, Paris 1966.

Schwarz (G.), « *Matthäus VI, 9-13/Lukas XI, 2-4* », dans *New Testament Studies* XV, 1969, p. 233-247.

SHAHAR (S.), « Le catharisme et le début de la cabale », dans *Annales, Économies, Sociétés, Civilisations*, t. 29, 1974, p. 1185-1210.

SÖDERBERG (H.), *La religion des cathares*, Uppsala 1949.

SOLOVJEV (A.), « La doctrine de l'église de Bosnie », dans *Bulletin de la classe de lettres et sciences morales et politiques de l'Acad. royale de Belgique*, 5e série, t. 34, 1948, p. 481-534.

— « La messe cathare », dans *Cahiers d'études cathares*, 1951, no 12, p. 199-206.

ŠTEFANIĆ (V.), « Glagoljski zapis u Čajnickom evandelju iu Rdosavljevu Reikopisu », dans *Zbornik Historijskog Institute jugoslavenske Akademije*, vol. 2, Zagreb 1959, p. 5-16.

TADIN (M.), « La Glagolite (' Glagoljica ') en Istrie, Croatie et Dalmatie depuis ses débuts jusqu'à son approbation, limitée et bien définie par le Saint-Siège (1248 et 1252) », dans Κυρίλλου καὶ Μεθοδίου, XIe Centenaire, t. I, Thessalonique 1966, p. 292-329.

TAVIANI (H.), « Naissance d'une hérésie en Italie du Nord au XIe siècle », dans *Annales, Économies, Sociétés, Civilisations*, 29, 1974, p. 1224-1252.

THOMOV (T. S.), « Les appellations de ' Bogomiles ' et ' Bulgares ' et leurs variantes en Orient et en Occident », dans *Études balkaniques*, IX, 1973, p. 77-79.

— « Influences bogomiles dans le ' rituel cathare ' de Lyon », dans *Actes du Colloque international de civilisations, littératures et langues romanes*, Bucarest, 14-27 septembre 1959, p. 58-78 ; reproduit dans *Revue de langue et littérature provençales*, nos 7-8, 1963, p. 42-67.

THOMPSON (J.-D.), « The Ordination Masses in *Vat. Reg. 316* », dans *Studia Patristica* X (*Texte und Unter-*

suchungen zur Geschichte der altchristlichen Literatur, 107), Berlin 1970.

THOUZELLIER (Ch.), « La répression de l'hérésie et les débuts de l'Inquisition », dans A. FLICHE-V. MARTIN, *Histoire de l'Église*, t. X, Paris 1950, p. 291-340.

— *Catharisme et Valdéisme en Languedoc à la fin du XIIe et au début du XIIIe* (*Publication de la Faculté des Lettres et Sciences humaines de Paris*, série « Recherches », 27), Paris 1966, 2e éd., 1969.

— *Hérésie et hérétiques* (*Storia e Letteratura*, 116), Rome 1969.

— « Salvo Burce », dans *Dizionario biografico degli Italiani*, t. 15, Rome 1972, p. 398-399.

— « Jacques de Capellis », *ibid.*, t. 18, Rome 1975.

VAN INNIS (G.), « Un nouveau témoin du sacramentaire gélasien du VIIe siècle », dans *Revue bénédictine*, t. 82, 1972, p. 169-187.

VEILLEUX (A.), *La liturgie dans le cénobitisme pachômien au quatrième siècle* (*Studia Anselmiana* 57), Rome 1968.

VIOLANTE (C.), « La pauvreté dans les hérésies du XIe siècle en Occident », dans *Études sur l'histoire de la pauvreté* (Moyen Age-XVIe siècle), sous la direction de M. MOLLAT (Publications de la Sorbonne. Série « Études », t. 8), Paris 1974, p. 347-369.

VOGEL (C.), « Contenu et ordonnance du pontifical romano-germanique », dans *Atti del VIo congresso internazionale di archeologia cristiana*, Pontificio Istituto di Archeologia cristiana 26), Città del Vaticano 1965, p. 243-265.

— *Introduction aux sources de l'histoire du culte au Moyen Age* (*Biblioteca degli studi Medievali* I), Spolète 1966.

— « L'imposition des mains dans les rites d'ordination en Orient et en Occident », dans *La Maison-Dieu* 102, 1970, p. 57-72.

— « *Vacua manus impositio*. L'inconsistance de la chirotonie en Occident », dans *Mélanges liturgiques offerts au R. P. Dom Botte*, Louvain 1972, p. 511-524.

WAKEFIELD (W. L.), « Notes on some Antiheretical Writings of the thirteenth Century », dans *Franciscan Studies* 27, 1967, p. 299-315.

— « The family of Niort in the Albigensian Crusade and before the Inquisition », dans *Names* 18, 1970, p. 97-117 et 286-303.

WAKEFIELD (W. L.)-EVANS (A.), *Heresies of the High Middle Ages* (*Records of civilization*, 81), New York-Londres 1969.

WAWRYK (M.), *Initiatio monastica in liturgia byzantina* (*Orientalia christiana analecta*, 180), Rome 1968.

WERNER (C. F.), « Adhémar von Chabannes und die historia Pontificum et Comitum Engolismensium », dans *Deutsches Archiv für Erforschung des Mittelalters* (s.d.), 19e année, 2e fasc., p. 297-326.

WIDENGREN (G.), *Mani un der Manichäismus*, Stuttgart 1961 ; trad. Ch. KESSLER, *Mani and Manichaeism*, Londres 1965, révisée par l'auteur.

WOLFF (Ph.), « une discussion d'authenticité, le concile de Saint-Félix en 1167, histoire ou légende ? », dans les *Documents de l'histoire du Languedoc*, Toulouse 1969, p. 100-105.

WUNDERLI (P.), *Die okzitanischen Bibelübersetzgungen des Mittelalters* (*Analecta Romanica* 24), Francfort 1969.

— « Die altprovenzalische übersetzung des Laodizäerbriefs », dans *Vox romanica* (*Annales Helvetici explorandis Linguis romanicis destinati*), 30/2, 1971, p. 279-286.

INDEX SCRIPTURAIRE

(citations et allusions)

Les chiffres gras renvoient aux nᵒˢ des paragraphes.

Ne sont relevées ici que les citations bibliques du Rituel (voir déjà *Liber*, p. 486-487), à l'exclusion des pages qui leur sont consacrées (*supra*, p. 26-32) et des comparaisons scripturaires signalées en cours de volume. Pour les variantes et les codex bibliques, cf. *Liber*, ch. V, p. 83 s. *passim*.

ANCIEN TESTAMENT

NOUVEAU TESTAMENT

INDEX DE MOTS LATINS ET AUTRES

INDEX GÉNÉRAL

SOURCES CHRÉTIENNES

LISTE COMPLÈTE DE TOUS LES VOLUMES PARUS

N. B. — L'ordre suivant est celui de la date de parution (n° 1 en 1942) et il n'est pas tenu compte ici du classement en séries : grecque, latine, byzantine, orientale, textes monastiques d'Occident ; et série annexe : textes para-chrétiens.

Sauf indication contraire, chaque volume comporte le texte original, grec ou latin, souvent avec un apparat critique inédit.

La mention *bis* indique une seconde édition. Quand cette seconde édition ne diffère de la première que par de menues corrections et des *Addenda et Corrigenda* ajoutés en appendice, la date est accompagnée de la mention « réimpression avec supplément ».

24 bis. PTOLÉMÉE : **Lettre à Flora**. G. Quispel (1966).

25 bis. AMBROISE DE MILAN : **Des Sacrements. Des Mystères. Explication du Symbole**. B. Botte (1961).

26 bis. BASILE DE CÉSARÉE : **Homélies sur l'Hexaémeron**. S. Giet (réimpr. avec suppl., 1968).

27 bis. **Homélies Pascales**, t. I. P. Nautin. *En préparation*.

28 bis. JEAN CHRYSOSTOME : **Sur l'incompréhensibilité de Dieu**. J. Daniélou, A.-M. Malingrey, R. Flacelière (1970).

29 bis. ORIGÈNE : **Homélies sur les Nombres**. A. Méhat. *En préparation*.

30 bis. CLÉMENT D'ALEXANDRIE : **Stromate I**. *En préparation*.

31. EUSÈBE DE CÉSARÉE : **Histoire ecclésiastique**, t. I. G. Bardy (réimpression, 1965).

32 bis. GRÉGOIRE LE GRAND : **Morales sur Job**, t. I Livres I-II. R. Gillet, A. de Gaudemaris (1975).

33 bis. **A Diognète**. H. I. Marrou (réimpr. avec suppl., 1965).

34. IRÉNÉE DE LYON : **Contre les hérésies, livre III**. F. Sagnard. *Remplacé par les nos 210 et 211*.

35 bis. TERTULLIEN : **Traité du baptême**. F. Refoulé. *En préparation*.

36 bis. **Homélies Pascales**, t. II. P. Nautin. *En préparation*.

37 bis. ORIGÈNE : **Homélies sur le Cantique**. O. Rousseau (1966).

38 bis. CLÉMENT D'ALEXANDRIE : **Stromate II**. *En préparation*.

39 bis. LACTANCE : **De la mort des persécuteurs**. 2 vol. *En préparation*.

40. THÉODORET DE CYR : **Correspondance**, t. I. Y. Azéma (1955).

41. EUSÈBE DE CÉSARÉE : **Histoire ecclésiastique**, t. II. G. Bardy (réimpression, 1965).

42. JEAN CASSIEN : **Conférences**, t. I. E. Pichery (réimpression, 1966).

43. JÉRÔME : **Sur Jonas**. P. Antin (1956).

44. PHILOXÈNE DE MABBOUG : **Homélies**. E. Lemoine. Trad. seule (1956).

45. AMBROISE DE MILAN : **Sur S. Luc**, t. I. G. Tissot (réimpr. avec suppl., 1971).

46. TERTULLIEN : **De la prescription contre les hérétiques**. P. de Labriolle et F. Refoulé (1957).

47. PHILON D'ALEXANDRIE : **La migration d'Abraham**. R. Cadiou (1957).

48. **Homélies Pascales**, t. III. F. Floëri et P. Nautin (1957).

49 bis. LÉON LE GRAND : **Sermons**, t. II. R. Dolle (1969).

50 bis. JEAN CHRYSOSTOME : **Huit Catéchèses baptismales inédites**. A. Wenger (réimpr. avec suppl., 1970).

51 bis. SYMÉON LE NOUVEAU THÉOLOGIEN : **Chapitres théologiques, gnostiques et pratiques**. J. Darrouzès. *En préparation*.

52 bis. AMBROISE DE MILAN : **Sur S. Luc**, t. II. G. Tissot (réimpr. avec suppl., 1976).

53 bis. HERMAS : **Le Pasteur**. R. Joly (réimpr. avec suppl., 1968).

54. JEAN CASSIEN : **Conférences**, t. II. E. Pichery (réimpression, 1966).

55. EUSÈBE DE CÉSARÉE : **Histoire ecclésiastique**, t. III. G. Bardy (réimpression, 1967).

56. ATHANASE D'ALEXANDRIE : **Deux apologies**. J. Szymusiak (1958).

57. THÉODORET DE CYR : **Thérapeutique des maladies helléniques**. 2 volumes. P. Canivet (1958).

58 bis. DENYS L'ARÉOPAGITE : **La hiérarchie céleste**. G. Heil, R. Roques, M. de Gandillac (réimpr. avec suppl., 1970).

59. **Trois antiques rituels du baptême**. A. Salles. Trad. seule. *Épuisé*.

60. AELRED DE RIEVAULX : **Quand Jésus eut douze ans**. A. Hoste, J. Dubois (1958).

61 bis. GUILLAUME DE SAINT-THIERRY : **Traité de la contemplation de Dieu**. J. Hourlier (1968).

62. IRÉNÉE DE LYON : **Démonstration de la prédication apostolique**. L. Froidevaux. Nouvelle trad. sur l'arménien. Trad. seule (réimpr. 1971).

63. RICHARD DE SAINT-VICTOR : **La Trinité**. G. Salet (1959).

175. Césaire d'Arles : **Sermons au peuple.** Tome I. Sermons 1-20. M.-J. Delage (1971).
176. Salvien de Marseille : **Œuvres.** Tome I. G. Lagarrigue (1971).
177. Callinicos : **Vie d'Hypatios.** G.J.M. Bartelink (1971).
178. Grégoire de Nysse : **Vie de sainte Macrine.** P. Maraval (1971).
179. Ambroise de Milan : **La Pénitence.** R. Gryson (1971).
180. Jean Scot : **Commentaire sur l'évangile de Jean.** E. Jeauneau (1972).
181. **La Règle de S. Benoît.** Tome I. Introduction et Chapitres I-VII. A. de Vogüé et J. Neufville (1972).
182. Id. — Tome II. Chapitres VIII-LXXIII, Tables et concordance. A. de Vogüé et J. Neufville (1972).
183. Id. — Tome III. Étude de la tradition manuscrite. J. Neufville (1972).
184. Id. — Tome IV. Commentaire (Parties I-III). A. de Vogüé (1971).
185. Id. — Tome V. Commentaire (Parties IV-VI). A. de Vogüé (1971).
186. Id. — Tome VI. Commentaire (Parties VII-IX), Index. A. de Vogüé (1971).
187. Hésychius de Jérusalem, Basile de Séleucie, Jean de Béryte, Pseudo-Chrysostome, Léonce de Constantinople : **Homélies pascales.** M. Aubineau (1972).
188. Jean Chrysostome : **Sur la vaine gloire et l'éducation des enfants.** A.-M. Malingrey (1972).
189. **La chaîne palestinienne sur le psaume 118.** Tome I. Introduction, texte critique et traduction. M. Harl (1972).
190. Id. — Tome II. Catalogue des fragments, Notes et Index. M. Harl (1972).
191. Pierre Damien : **Lettre sur la toute-puissance divine.** A. Cantin (1972).
192. Julien de Vézelay : **Sermons.** Tome I. Introduction et Sermons 1-16. D. Vorreux (1972).
193. Id. — Tome II. Sermons 17-27, Index. D. Vorreux (1972).
194. **Actes de la Conférence de Carthage en 411.** Tome I. Introduction. S. Lancel (1972).
195. Id. — Tome II. Texte et traduction de la Capitulation et des Actes de la première séance. S. Lancel (1972).
196. Syméon le Nouveau Théologien : **Hymnes.** J. Koder, J. Paramelle, L. Neyrand. Tome III. Hymnes XLI-LVIII, Index (1973).
197. Cosmas Indicopleustès : **Topographie chrétienne,** t. III. Livres VI-XII, Index. W. Wolska-Conus (1973).
198. **Livre (cathare) des deux principes.** Ch. Thouzellier (1973).
199. Athanase d'Alexandrie : **Sur l'incarnation du Verbe.** C. Kannengiesser (1973).
200. Léon le Grand : **Sermons,** tome IV. Sermons 65-98, Éloge de S. Léon, Index. R. Dolle (1973).
201. **Évangile de Pierre.** M.-G. Mara (1973).
202. Guerric d'Igny : **Sermons.** Tome II. J. Morson, H. Costello, P. Deseille (1973).
203. Nersès Snorhali : **Jésus, Fils unique du Père.** I. Kéchichian. Trad. seule (1973).
204. Lactance : **Institutions divines,** livre V. Tome I. Introd., texte et trad. P. Monat (1973).
205. Id. — Tome II. Commentaire et index. P. Monat (1973).
206. Eusèbe de Césarée : **Préparation évangélique,** livre I. J. Sirinelli, É. des Places (1974).
207. Isaac de l'Étoile : **Sermons.** A. Hoste, G. Salet, G. Raciti. Tome II. Sermons 18-39 (1974).
208. Grégoire de Nazianze : **Lettres théologiques.** P. Gallay (1974).
209. Paulin de Pella : **Poème d'action de grâces et Prière.** C. Moussy (1974).
210. Irénée de Lyon : **Contre les hérésies,** livre III. A. Rousseau, L. Doutreleau. Tome I. Introduction, notes justificatives et tables (1974).
211. Id. — Tome II. Texte et traduction (1974).
212. Grégoire le Grand : **Morales sur Job.** Livres XI-XIV. A. Bocognano (1974).

213. LACTANCE : **L'ouvrage du Dieu créateur.** Tome I. Introduction, **texte** critique et traduction. M. Perrin (1974).

214. **Id.** — Tome II. Commentaire et index. M. Perrin (1974).

215. EUSÈBE DE CÉSARÉE : **Préparation évangélique,** livre VII. G. Schroeder, É. des Places (1975).

216. TERTULLIEN : **La chair du Christ.** Tome I. Introduction, texte critique et traduction. J. P. Mahé (1975).

217. **Id.** — Tome II. Commentaire et Index. J. P. Mahé (1975).

218. HYDACE : **Chronique.** Tome I. Introduction, texte critique et traduction. A. Tranoy (1975).

219. **Id.** — Tome II. Commentaire et index. A. Tranoy (1975).

220. SALVIEN DE MARSEILLE : **Œuvres,** t. II. G. Lagarrigue (1975).

221. GRÉGOIRE LE GRAND : **Morales sur Job.** Livres XV-XVI. A. Bocognano (1975).

222. ORIGÈNE : **Commentaire sur S. Jean.** Tome III. Livre XIII. C. Blanc (1975).

223. GUILLAUME DE SAINT-THIERRY : **Lettre aux Frères du Mont-Dieu (Lettre d'or).** J. Déchanet (1975).

224. Actes de la **Conférence de Carthage en 411.** Tome III. Texte et traduction des Actes de la 2e et de la 3e séance. S. Lancel (1975).

225. DHUODA : **Manuel pour mon fils.** P. Riché, B. de Vregille et C. Mondésert (1975).

226. ORIGÈNE : **Philocalie 21-27 (Sur le libre arbitre).** É. Junod (1976).

227. ORIGÈNE : **Contre Celse.** M. Borret. Tome V. Introduction et index (1976).

228. EUSÈBE DE CÉSARÉE : **Préparation évangélique.** Livres II-III. É. des Places (1976).

229. PSEUDO-PHILON : **Les Antiquités Bibliques.** D. J. Harrington, C. Perrot, P. Bogaert, J. Cazeaux. Tome I. Introduction critique, texte et traduction (1976).

230. **Id.** — Tome II. Introduction littéraire, commentaire et index (1976).

231. CYRILLE D'ALEXANDRIE : **Dialogues sur la Trinité.** Tome I. Dial. I et II. G. M. de Durand (1976).

232. ORIGÈNE : **Homélies sur Jérémie.** P. Nautin et P. Husson. Tome I. Introduction et homélies I-XI (1976).

233. DIDYME L'AVEUGLE : **Sur la Genèse,** t. I. P. Nautin et L. Doutreleau (1976).

234. THÉODORET DE CYR : **Histoire des moines de Syrie.** Tome I. Introduction et **Histoire Philothée** I-XIII. P. Canivet et A. Leroy-Molinghen (1977).

235. HILAIRE D'ARLES : **Vie de S. Honorat.** M. D. Valentin (1977).

236. **Rituel cathare.** C. Thouzellier (1977).

237. CYRILLE D'ALEXANDRIE : **Dialogues sur la Trinité.** Tome II. Dial. III-V. G. M. de Durand (1977).

Hors série :

Directives pour la préparation des manuscrits (de « Sources Chrétiennes »). A demander au Secrétariat de « Sources Chrétiennes », 29, rue du Plat, 69002 Lyon.

La Règle de S. Benoît. VII. Commentaire doctrinal et spirituel. A. de Vogüé (1977).

SOUS PRESSE

CYRILLE D'ALEXANDRIE : **Dialogues sur la Trinité.** Tome III. G. M. de Durand.

ORIGÈNE : **Homélies sur Jérémie,** t. II. P. Nautin et P. Husson.

DIDYME L'AVEUGLE : **Sur la Genèse,** t. II. P. Nautin et L. Doutreleau.

THÉODORET DE CYR : **Histoire des moines de Syrie,** t. II. P. Canivet et A. Leroy-Molinghen.

AMBROISE DE MILAN : **Apologie pour David.** P. Hadot et M. Cordier.

PIERRE DE CELLE : **L'école du cloître.** G. de Martel.

SOURCES CHRÉTIENNES

(1-237)

Également aux Éditions du Cerf :

LES ŒUVRES DE PHILON D'ALEXANDRIE
publiées sous la direction de
R. Arnaldez, C. Mondésert, J. Pouilloux.
Texte grec et traduction française.

IMPRIMERIE A. BONTEMPS

LIMOGES (FRANCE)

Registre des travaux :

Imprimeur : 1.693 — Éditeur : 6.791
Dépôt légal : 3e trimestre 1977